비앙카표
주물럭 비누 만들기

1. **코코넛 가루**를 종이 봉지 안에 담는다.

2. 봉지 안에 원하는 색의 **식물즙**을 넣는다.

3. **올리브유와 라벤더, 벌꿀과 로즈마리 차**를 적절한 비율로 섞어 봉지 안에 넣는다.

4. **코코넛 반죽**을 반죽한다.

5. 원하는 모양으로 만든 뒤, 7~8일 정도 그늘에서 건조시킨다.

6. 완성!!

눈 떠보니 공주님 2

리시 지음 · 카르체트 일러스트

영상출판
미디어㈜

일러스트
카르체트

CONTENTS

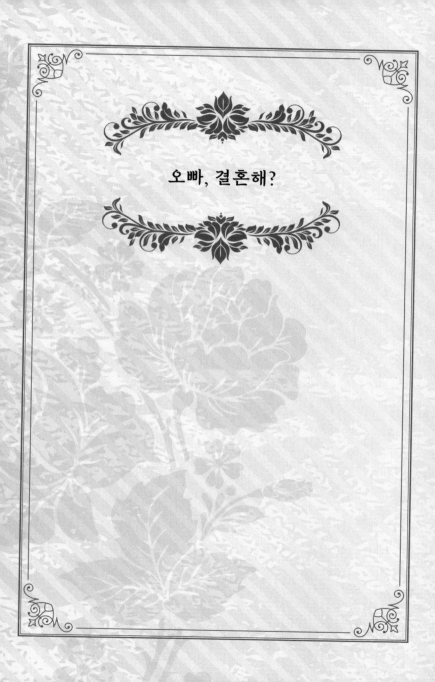

오빠, 결혼해?

"이제 너도 결혼을 생각해 볼 나이가 된 것 같은데."

오스카는 순간 자신이 잘못 들었나 하는 생각이 들어 평소답지 않게 되물었다.

"……네?"

"결혼 말이다. 나도 네 나이 즈음에 했거든."

'네 나이 즈음'이라고 하기에는 스무 살에 결혼하신 걸로 아는데요, 부왕 폐하. 오스카가 크게 당황하며 물었다.

"왜 갑자기 결혼 이야기를 꺼내시는지…….."

"미리 결정하는 게 좋겠다 싶어서. 왕실의 결혼을 일사천리로 진행할 수는 없는 노릇이고……. 약혼 기간도 거치는 게 좋으니 빨리 결정해 두면 좋지 않겠냐?"

"그건 맞는 말씀이지만…… 이렇게 갑자기 말씀하시니

당황스럽습니다.”

지금 내 앞가림도 제대로 못하고 있는데 결혼은 무슨. 17세의 오스카는 6년 전과 별다름 없는 나날을 보내고 있었다. 공부하고, 공부하고, 또 공부하는 나날. 그나마 이제는 좀 컸다고 몇몇 업무 정도는 그가 맡고 있었다. 물론 그렇다고 해서 그의 공부량이 줄어드는 건 결코 아니었다. 오스카는 지금 이렇게 바쁜 시점에서 결혼은 정말로 무리라는 판단이 들었다. 다 떠나서 세자비가 될 영애에게 예의가 아니다. 어쩌면 신혼을 도서관에서 보내게 될지도 모를 일이었으니까. 오스카가 말했다.

“말씀하셨으니 생각은 해 보겠습니다만…… 너무 이릅니다.”

“지금 바로 정혼자를 고르라는 게 아니다. 후보군은 안 그래도 네 어미가 야라와 논의해서 골라 본다고 하더라.”

“네.”

오스카는 자신의 정략혼에 대해 특별한 감흥을 느끼지 못했다. 어릴 적부터 차기 소그노의 국왕이 되어야 한다고 귀에 못이 박히도록 듣고 자라 왔다. 그런데 팔자 좋게 연애결혼이라니? 그건 절대로 말이 안 되는 일이다.

원래 소그노의 왕비나 왕세자비는 일정 금액 이상의 지참금만 가지고 있는 귀족이라면 누구나 될 수 있었지만, 더글라스는 그걸 거부하고 왕비 자리를 아예 공개적으로 경매에 부쳐 버렸으니까. 물론 처음에는 반대가 심했지만, 굳이 경매가 안 열렸더라도 안드리 공녀가 왕비가 될 확률이 높았기 때문에 그 반대는 그리 오래가지 않았다. 처음이 힘들지, 두 번째는 힘들지 않다. 오스카는 아마 자신도 아버지와 비슷한 수순을 걷게 되리라고 예상했다.

"이만 가 보거라. 어제 지시했던 일은 그리 급한 게 아니니 천천히 해도 좋아."

"네, 폐하. 알겠습니다."

오스카는 정중하게 인사한 다음 더글라스의 방을 빠져나왔다. 더글라스가 자신에게 지시했던 내용은 현재 가뭄으로 고통받고 있는 왕국 서쪽 지방에 적합한 물자 조달 시스템을 강구하는 것이었다. 그는 그것 때문에 평소에도 발이 닳도록 이용하는 왕실 도서관으로 향했다. 찾아볼 책이 몇 권 있었다.

'그보다 결혼이라니.'

적어도 내후년에나 말이 나올 줄 알았는데. 아니, 지금은 아닐 거라고 믿고 있었다. 그는 아직 어렸으니까. 물론 약혼 기간이 필요하다는 부왕의 말에는 그도 동의하는 바였지만……. 어쨌든 지금도 이렇게 바쁜데 결혼이라니. 현실적으로 너무 어려운 일 아닌가. 일이라도 좀 줄여 주든가! 오스카는 차마 내뱉을 수 없는 말을 속으로만 소심하게 중얼거렸다.

어느새 일곱 살이 된 비앙카는 따사롭게 내리쬐는 햇볕을 만끽하며 배시시 미소를 지었다. 지난 6년이 어떻게 지나갔는지 모를 정도로 시간은 빠르게 흘렀다. 그래서 그 시간을 어떻게 보냈느냐고 물으신다면…… 글쎄? 상당히 의미 없게 보냈다. 하지만 생각해 보라. 원래 유아들은 그렇게 지내는 거다. 시간을 죽이면서, 특별한 일 하지 않고. 비앙카가 원래 스물네 살이었다고 해서 특별히 달라질 건 없었다. 물론 지금은 서른한 살이었지만.

그나저나 역시 산책이 최고야! 전생에서는 살 탈까 봐 외출할 때 선크림을 바르지 않으면 안 되었는데, 이상하게 이곳에 와서는 햇볕을 계속 쐬고 싶었다. 어차피 이 몸의 인종은 백인에 가까우니 햇볕 조금 쐰다고 해서 피부가 크게 검어지거나 하지는 않을 것이다.

"요즘 날이 따뜻해서 그런지 꽃들이 엄청 피었네요."

"맞아."

해맑게 대답한 비앙카가 즐거운 표정을 지었다. 확실히 요즘 계속 햇볕 쨍쨍이라 꽃들이 사방에 흐드러지게 피어 있었다. 덕분에 그녀의 산책 시간도 길어졌지만.

"오늘은 뭐 하면서 보내실래요?"

올가의 질문에 비앙카는 습관적으로 '글쎄.' 라고 대답하려다, 입을 다물었다. 예상치 못했던 누군가가 그녀의 두 눈에 가득 들어왔다. 비앙카는 긴 생각 없이 소리쳤다.

"오라버니!"

비앙카의 외침에 중앙궁에서 나와 세자궁으로 가고 있던 오스카가 비앙카가 있는 쪽으로 고개를 두리번거렸다. 약간 귀찮은 듯하면서도 결코 싫지는 않은 표정이 눈에 선했다. 비앙카는 속으로 쿡쿡거리며 웃었다. 짜식, 안 좋은 척하긴.

그런데 자세히 보니 어째 얼굴이 그렇게 좋지가 않았다. 아니, 아니. 얼굴이 못생겼다는 게 아니고. 우리 오라버니야 늘 미남이시지. 근데 표정이 안 좋다, 이거다. 비앙카는 속으로는 의아해하면서도 겉으로는 순진한 척 다시 한 번 오스카를 불렀다.

"오라버니!"

그 한마디에 오스카의 얼굴이 살짝 붉어지는 것이 보였다. 아유, 우리 오라버니 비앙카 만나서 좋아요오? 비앙카가 만면에 미소를 가득 띠우고선 오스카가 있는 쪽으로 다다 달려갔다. 그 모습을 뒤에서 불안하게 바라보던 올가가 초조하게 중얼거렸다. 아, 저러다 넘어지시는 거 아니…….

쾅당. 그녀의 속말이 끝나기가 무섭게 요란한 소리가 울려 퍼졌고, 올가는 경악한 표정으로 비앙카가 있는 쪽으로 달려갔다.

"세상에, 공주님!"

비앙카에게 열심히 달려가던 올가는 곧이어, 어떤 광경과 마주하고선 천천히 속력을 줄였다. 그녀의 표정이 기묘하게 바뀌었다.

"……아."

오스카가 전에 없던 표정으로 당황하며 넘어진 비앙카를 얼른 일으켜 세워 주었다. 그가 당혹스러운 목소리로 비앙카에게 물었다.

"야! 야, 너 괜찮아……?"

"후잉."

안 괜찮아! 아파 죽을 것 같아! 비앙카는 속으로 이렇게 고래고래 소리 질렀지만, 결코 입 밖으로는 내지 않았다. 그건 별로 안 귀여웠다고 생각했기 때문이었다. 대신 그녀는 그녀의 모든 아픔을 그녀 자신의 커다란 눈에 가득 집중……

"야, 너 피…… 피!"

……은 개뿔. 아파 죽겠다. 고통 앞에 장사 없다. 비앙카는 그냥 울어 버렸다. 아주 크게.

"후에에엥!"

비앙카는 진심으로 느껴지는 아픔에 대차게 울어 버렸다. 아, 아파 죽겠네! 아직 피부가 여려서 그런가? 엄청 쓰라리네. 이 고결한 피부에 흠나는 거 아니겠지?!

"야, 너 괜찮아? 많이 아픈 거야?"

오스카는 여전히 어쩔 줄 몰라 하는 표정으로 잔뜩 당황하고 있었고, 비앙카는 계속 울기만 했다. 때문에 아까까지만 해도 오스카가 가지고 있었던 어두운 표정이 자연스럽게 묻혔지만, 유감스럽게도 비앙카는 우는 데 정신이 팔려 그것까지는 눈치채지 못했다.

"공주님!"

놀란 표정의 올가가 얼른 두 사람이 있는 쪽으로 달려왔다. 그녀의 존재를 그제야 인식한 오스카가 올가에게 도움을 요청했다.

"올가, 도와줘……!"

"걱정 마세요, 왕자님, 공주님. 크게 다치신 건 아닌 것 같네요."

상당히 놀랐음에도 불구하고 올가는 꽤나 침착하게 대응했다. 그녀는 능숙하게 자신의 속치마를 찢은 다음 피가 흐르고 있는 비앙카의 무릎을 지혈해 주었다. 빨리 공주궁에 돌아가야겠다고 생각하며 올가가 오스카에게 물었다.

"공주님은 지금 공주궁으로 돌아가셔야 할 것 같네요, 왕자님. 저희는 이만 가 보겠습니다."

올가의 말에 오스카가 더듬거리며 물었다.

"지, 지금?"

"네. 상처를 빨리 치료해야 해요. 그리고 리스덴 백작님과의 정치학 수업 때문에 세자궁에 가시는 것 아니셨어요?"

"마…… 맞아."

"그럼 얼른 가 보세요. 여긴 걱정 마시고요."

"하지만……."

오스카가 고뇌하는 표정으로 올가의 품 안에 안긴 어린 동생을 쳐다보았다. 아직도 무릎의 아픔이 가시지 않았는지 눈물 자국이 눈가에 가득했다. 그가 쭈뼛쭈뼛 말했다.

"그…… 치료하는 것까지는……."

"……네?"

"치료하는 것까지는 보고 가야 하지 않을까?"

"……예?"

놀란 올가가 계속 되물었고, 오스카의 얼굴은 잘 익은 토마토처럼 빨개졌다. 그가 마침내 작게 내질렀다. 소심한 그로서는 참 보기 드문 일이었다.

"나도 갈게!"

"공주궁에요?"

"응."

그렇게 말한 그가 새침하게 올가를 재촉했다.

"얼른 가자. 피가 계속 나잖아."

"우앙!"

비앙카가 날카롭게 소리를 질렀다. 소독은 어른일 때나

아이일 때나 가리지 않고 지나치게 쓰라렸다. 이 여린 살을 이렇게 무자비하게 소독하다니! 비앙카는 슬픈 표정으로 중얼거렸다.

"아포……."

"괜찮아요, 공주님. 흉 지실 정도는 아니니까."

"좀 더 살살 해 봐, 올가."

"……."

오스카의 말에 약간 황당해진 올가가 오스카를 쳐다보았다. 이 정도면 엄청 살살 하는 거거든요, 왕자님……? 그 시선을 의식한 오스카가 저도 모르게 흠흠, 헛기침을 했다. 그러고도 무안한지 한마디를 더 추가했다.

"아니…… 소리 지르는 게 듣기 싫으니까 그렇지."

뭐라고, 이 자식아? 츤데레도 정도껏이지, 내가 누구한테 달려가느라 지금 이 모양 이 꼴인데! 비앙카가 원망스러운 눈으로 오스카를 쳐다보았다. 하여튼 이 자식도 정신 차리려면 아직 멀었다.

"자, 다 됐어요, 공주님. 이제 시간만 지나면 나을 거랍니다."

올가가 따뜻한 목소리로 비앙카에게 속삭인 뒤, 그녀의 이마에 작은 키스를 남겨 주었다. 비앙카가 그제야 배시시 웃었고, 오스카는 그 모습을 빤히 바라보다가 천천히 입을 열었다.

"……야, 비앙카."

"응?"

"좀 얌전히 있어."

"……?"

애가 뭐라는 거야? 비앙카가 어리둥절한 표정으로 오스카를 쳐다보자, 그가 헛기침을 큼큼하며 말했다.

"다치지 말고. 내가 널 계속 지켜볼 순 없잖아."

헐, 이 자식 말하는 것 좀 보게. 그래도 싹수가 아주 노랗진 않았구나, 너? 비앙카는 새삼 뿌듯한 기분으로 선심 쓰듯 고개를 끄덕였다. 그러면서 입 밖으로는 새삼 싹싹하게 대답했다.

"알았어."

"좋아, 그럼."

오스카가 영 미련이 남은 얼굴로 올가를 쳐다보았다. 올가가 부드러운 표정으로 오스카를 배웅했다.

"얼른 가 보세요, 왕자님. 백작님을 기다리게 만들면 곤란하니까요."

"알아. 갈 거야."

괜히 새침하게 대답한 오스카는 슬쩍 비앙카를 한 번 더 돌아본 뒤에야 공주궁을 떠났다. 둘만 남았을 때, 올가가 나긋한 목소리로 비앙카에게 속삭였다.

"왕자님께서 공주님이 많이 걱정되시나 봐요. 다정도 하셔라. 원래 감정 표현을 잘 안 하시는 분인데요."

"⋯⋯."

글쎄⋯⋯. 그건 좀 더 두고 봐야 하지 않을까? 아직까지는 그리 감흥 없는 비앙카였다. 그녀는 아무렇지 않게 화제를 돌렸다.

"올가, 그보다 내 드레스는 다 준비됐어?"

"드레스라뇨?"

"탄신 연회 때 입을 드레스 말이야."

비앙카가 새침하게 대꾸했다.

"내 생일이 얼마 남지 않았잖아."

"맞아! 그랬죠?"

올가가 손뼉을 치며 맞장구쳤다. 그러더니 곧 걱정 말라는 목소리로 비앙카를 안심시켰다.

"걱정 마세요, 공주님. 안 그래도 아까 왕비님께 연통이 왔다고 시녀에게 전해 들었답니다. 공주님 탄신일 때까지는 틀림없이 완성된대요."

"정말?!"

비앙카가 눈을 빛내며 물었다. 그 모습을 본 올가가 웃으며 대답했다.

"정말이죠, 그럼. 지금 디자이너가 세부 장식에 엄청 공들이고 있대요."

"기대된다!"

"저도요."

"근데 요즘 엄마는 왜 나 보러 안 와?"

비앙카가 입을 부루퉁하게 내밀며 의문을 제기했다. 릴리아나는 적어도 일주일에 일곱 번씩은 늘 비앙카를 보러 왔다. 그러니까 매일 보러 왔다. 그런데 지금 릴리아나의 방문이 끊긴 지가 정확히 나흘째였다. 이건 상당히 이례적인 일이었다. 비앙카가 중얼거렸다.

"바쁜가?"

하지만 엄마가 바쁠 일이 뭐가 있어? 비앙카의 머릿속에 박혀 있는 릴리아나의 하루 일과는 한 가지였다. 쇼핑, 쇼핑, 그리고 또 쇼핑! 그게 아니면 릴리아나가 하는 일은 거의 없었다. 더글라스도 걸리지만 본인도 그렇게 머리가 좋지 않아 국정 운영은 꿈도 못 꿨고, 그렇다고 책을 읽는 생산적인 일을 하는 것도 아니었으니까. 비앙카가 물었다.

"그럴 리는 없겠지, 올가?"

"아뇨."

올가가 처음으로 큭큭 거리며 웃었다. 우리 왕비님, 그러니까 평소에 이미지 관리 좀 잘하시지!

"요즘 바쁘세요."

"쇼핑?"

"아뇨. 다른 일로요."

"무슨 일?"

비앙카가 이해되지 않는다는 표정으로 고개를 갸우뚱거렸다. 엄마가 쇼핑 말고 다른 일로 바쁠 일이 있나……? 적어도 비앙카가 생각할 수 있는 선에서는 없었다. 그녀가 물었다.

"도대체 뭔데?"

"오스카 왕자님 신부 후보자 고르신대요."

"뭐어?"

대답을 듣게 된 비앙카는 경악했다. 지…… 지금 뭐라는 거야? 신부 후보자? 이보세요, 여러분. 제가 지금 제대로 들은 게 맞는 거죠? 17살짜리 애를 결혼시킨다고? 리얼리? 이거 조혼 아냐? 비앙카가 오동통한 입술을 금붕어처럼 뻐끔거리며 물었다.

"하지만…… 오라버니는 아직 열일곱밖에 안 됐잖아."

"네?"

하지만 올가야말로 이해할 수 없다는 표정을 짓고 있었다. 그녀가 아리송한 목소리로 답했다.

"원래 다 이 시기에 결혼하잖아요……?"

그런 거야? 여긴 원래 이래? 비앙카가 되물었다.

"그래……?"

"네. 왕비님도 그쯤에 결혼하셨어요."

"우와."

울 엄마 어쩐지. 낳은 애들 나이에 비해 너무 젊다 했어. 그렇게 일찍 결혼해서 가능한 거였구나. 비앙카는 속으로 고개를 끄덕였다.

"그럼 나도 그쯤에 결혼해야 해?"

"열여섯 살 정도 되시면 제국으로 가셔야 할 거예요."

오 마이 갓! 이 말을 듣고 난 비앙카는 새삼 잊고 있던 정략혼—을 빙자한 매매혼—의 공포를 떠올렸다. 그래, 내가 요즘 너무 편하게 지내고 있었지. 완전히 잊고 있었다! 순간적으로 기분이 가라앉은 비앙카가 언짢은 속내를 그대로 내보이며 물었다.

"그럼 오스카 오라버니도 나처럼 다른 나라 여자랑 결혼해?"

"아마 아닐 거예요. 그분은 세자시니까. 이방인을 세자비로 들이면 나중에 골치 아픈 일이 생길 수도 있거든요. 소그노가 강한 처가가 필요할 정도로 약한 나라도 아니구요."

그럼 나는 뭔데! ……라는 말이 절로 튀어나올 뻔했지만 간신히 참은 비앙카가 고개를 끄덕였다.

"그렇구나. 그럼 결혼은 누구랑 해?"

"지금 왕비님이 고르고 계세요. 아마 국내의 영애들 중 한 사람이 될 거예요."

"그렇구나."

생각 없이 대답한 비앙카는 문득 이런 생각을 했다. 아, 누가 내 새언니가 될지는 몰라도 예쁘고 성격 좋은 언니였으면 좋겠다.

"탈락. 부모님이 안 계셔."

자칫 나중에 외국에 망신거리가 될 수도 있다구. 릴리아나는 거침없이 들고 있던 종이를 한쪽에 내려놓았다. 그러더니 다른 종이에 눈을 돌렸다. 하지만 그다음도 결과는 별로였다.

"탈락. 조부가 노름으로 재산을 탕진한 경력이 있어. 나라 말아먹을 일 있나."

"너무 까다롭게 고르시는 거 아니에요?"

앞에 앉아 조용히 차를 마시고 있던 야라가 물었다. 그러자 릴리아나가 어림없다는 듯 단호하게 말했다.

"지금 누구 고르는 건데? 우리 큰며느리 고르는 자리야. 오스카가 특별히 마음에 들어 하는 애가 있으면 또 모를까, 없는 상황에서 우리끼리 잘 정해야지."

지금 릴리아나는 재상부에서 예비 왕세자비 후보를 고르는 중이었다. 그리고 릴리아나는 난생처음으로 드레스나 보석 말고 더 중요한 걸 고르는 것이었다. 그녀는 이런 선택 앞에서 신중해질 수밖에 없었다. 드레스나 보석은 잘못 고른다고 해도 인생에 지장이 가지 않는다. 하지만 이건 친아들 오스카의 인생은 물론이고 소그노 왕국의 장래에까지 영향을 끼칠 일이었다. 그녀는 신중했고, 또 그래야만 했다.

"그대는 생각해 둔 영애가 있나?"

그리고 그건 재상부의 총수인 야라 코스텔로와 함께였다. 릴리아나가 원해서 그렇게 되었다기보다는, 원래 관례가 그랬다. 야라가 들고 있던 세라믹 찻잔을 내려놓으며 말했다.

"사실 저는 별생각이 없답니다, 왕비님. 다들 좋은 분들 같아서요."

"재상이 그렇게 소극적으로 나오면 곤란해."

"어차피 왕비님은 저 싫어하시니까 그냥 왕비님 뜻대로 하시면 좋은 거 아닐까요?"

야라는 별 의미를 두지 않고 그렇게 말했지만, 듣는 릴리아나는 아니었다. 그녀가 움찔하며 물었다.

"내가?"

"아니에요? 설마 저 좋아하셨어요?"

더 깜짝 놀라며 되묻는 야라를 보며, 릴리아나가 부루퉁한 표정으로 대꾸했다.

"자꾸 남편하고 이상한 기류를 풍기니까 그렇지."

"누가요? 제가요?"

야라가 눈을 동그랗게 뜨며 물었다.

"그렇게 보였나요? 하긴."

"'하긴'은 무슨 뜻이야?"

"별 의미는 없어요. 하여튼…… 뭐, 그런 이유라면 싫어하실 만도 하네요."

"뭐?"

릴리아나가 눈을 네모꼴로 뜨며 물었다.

"그 말은, 내가 그대를 싫어하는 이유가 진짜라는 말이야?"

"음……. 반은 맞고 반은 틀리네요."

그렇게 말한 야라가 빙긋 웃으며 덧붙였다.

"다 왕비님을 위해서예요."

"……."

이건 또 뭔 개소리야. 릴리아나가 똥 씹은 표정을 하며 자신을 쳐다보자, 그걸 빤히 바라보고 있던 야라가 희미한 미소를 얼굴에 띠며 말했다.

"그래도 왕비님께서는 점점 행복해지고 계세요."

이건 또 갑자기 무슨 소리란 말인가. 릴리아나가 어벙한 표정을 짓는 사이, 야라가 계속 말했다.

"예쁜 공주님도 점점 자라고 계시고, 국왕 폐하께서도 달라지고 계시니까요."

"그 작자는 결혼 전부터 지금까지 한 번도 변한 적이 없어."

"하하……. 정말요?"

"……몰라."

새침하게 대답한 릴리아나가 놀리듯 말했다.

"부부간의 일이야. 끼어들지 마."

"네."

그렇게 대답한 야라가 저도 모르게 킥킥거리며 웃었다. 그런 그녀를 빤히 응시하던 릴리아나가 곧 아무렇지도 않게 이야기를 돌렸다.

"하여튼…… 귀족은 많고 영애들은 더 많아. 이거, 누굴 고르지? 야라 코스텔로, 정말 좋은 방법 없어?"

"간단한 방법이 하나 있긴 하죠."

야라의 말에 릴리아나가 눈을 빛내며 물었다.

"뭔데?"

"왕비님도 잘 아시는 방법이에요."

야라가 빙긋 웃으며 말했다.

"경매요."

"그건……!"

릴리아나가 난감한 표정으로 말했다.

"특이한 케이스였어. 알잖아? 원래 우리 나라의 귀족 여자들은 일정 금액 이상의 지참금만 가지고 있다면 누구나 그 자격을 가져. 그리고 난 나라 재정 때문에 돈에 미친 지금의 폐하 덕분에 기회를 잡았던 거고."

"그건 아니죠, 왕비님. 절대로 아니에요."

야라가 단호한 목소리로 릴리아나의 말에 반박했다.

"왕비님께서는 굳이 경매에 참여하지 않으셨어도 충분히 왕비가 될 수 있으셨어요. 전쟁 영웅이자 당시에는 재상이셨던 안드리 공작님이 부친이시잖아요? 더구나 이 나라에서 제일가는 부호의 외동딸이시고. 자격은 왕비님만큼 충분한 분이 안 계셨죠."

야라가 명확한 목소리로 덧붙였다.

"정 경매가 남들 보기에 아니다 싶으시면, 가장 간단하게 작위순, 재산순으로 정리하셔서 후보군을 선출하는 것도 좋은 방법이에요. 어차피 그 사람의 인품을 잠깐 몇 분 안의 대화로 판단하는 건 어려운 일이잖아요? 더군다나 여우 같은 영애들이라면 더더욱요."

"그렇긴 하지."

요즘 애들이 워낙 영악해야지. 릴리아나가 깊은 한숨을 쉬며 야라의 말에 수긍하는 티를 냈다.

"그것도 좋은 방법이야. 하지만 하나가 빠졌어, 야라."

"뭔데요?"

"외모."

릴리아나가 씩 웃으며 말했다.

"우리 왕실은 대대로 미남 미녀만 배우자로 뽑았거든. 그러니까 한 번쯤은 만나서 이야기를 나눠 보자고."

"그것도 좋죠. 그럼 일단은 작위순, 재산순으로 추린 다음에 면접을 보면 되겠네요."

그렇게 말한 야라가 서류를 열 장 정도 집어 든 다음 끈을 이용해 예쁘게 하나로 묶었다. 그녀가 일어나려 하자, 릴리아나가 의아한 표정으로 물었다.

"손님은 난데 왜 그대가 일어나?"

"중앙궁에 가야 해서요."

그 한마디에 릴리아나의 표정이 나빠졌다. 야라는 그 변화를 본 건지 못 본 건지 아무렇지 않게 말을 남긴 채 일어났다.

"쉬었다 가세요."

"……."

곧 야라가 자리를 떴고, 혼자 남겨진 릴리아나는 이미 식은 차를 옆의 화분에 부어 버린 뒤 이상한 표정을 지으며 중얼거렸다.

"뭐야, 지금? 나한테 일부러 저러는 거야?"

"이거 고민이군."

"뭐가 고민인데요?"

"깜짝이야."

혼자 멍하니 중얼거리던 더글라스가 진심으로 깜짝 놀란 표정을 지었다. 늘 그렇듯 제복을 입은 야라가 무심한 표정으로 더글라스에게 서류 다발을 내밀었다. 돈다발도 아니고 서류 다발이라니, 참 무드 없다. 그가 한숨을 쉬었다.

"일을 하고 나면 또 쌓이는군."

"일 좋아하시는 분이 갑자기 왜 이러신데요? 안 어울리게."

"아무리 좋아해도 이렇게 많으면 지치는 법이지."

"그래서 무슨 고민이 또 있으신데요?"

"아아."

더글라스가 피곤한 표정으로 눈두덩을 누르며 대답했다.

"별건 아니야. 오스카가 올해로 열일곱 살이잖아. 곧 결혼하는 것 때문에 생각이 많아져서."

"안 그래도 그것 때문에 왕비님이 바쁘세요. 그보다, 자식 일에는 관심 없으신 줄 알았는데 의외네요."

"어쨌든 첫아들이고, 이 나라의 왕세자잖아. 차기 왕비를 뽑는 일인데 어떻게 생각이 없을 수 있겠어."

더글라스가 말은 그렇게 사무적으로 해도, 속내는 꼭 그렇지만도 않다는 걸 야라는 잘 알고 있었다. 그녀가 설핏 웃으며 질문했다.

"근데요, 폐하. 너무 이르지 않나요? 심지어 저도 아직 안 했는데."

"그대는 너무 늦은 거지."

더글라스가 날카로운 목소리로 정곡을 찔렀다.

"그래서 말인데, 결혼할 생각이 아예 없는 건가?"

"제가 결혼할 틈이 있어야죠. 이렇게 매일 죽어라 일만

하는데, 언제 결혼을 합니까. 다른 것보다⋯⋯."

야라의 얼굴이 살짝 어두워졌다.

"하고 싶어도 못 하지요, 저는."

"⋯⋯그래."

그가 이해한다는 듯 고개를 끄덕였다. 갑자기 어두워진 분위기에 야라가 적응하지 못하는 표정으로 얼른 기류를 환기시켰다.

"그래도 폐하 덕분에 제가 이렇게 살지요."

"낯간지럽게."

"칭찬입니다만."

야라가 씩 웃으며 화제를 돌렸다.

"그런데 정말로 그게 고민이신 거예요? 저 되게 당황했어요. 어차피 오스카 왕자님 별로 예뻐하지도 않으시면서."

"누가? 내가?"

"네."

야라가 아무렇지 않게 긍정했다.

"솔직히, 부자 관계가 너무 딱딱하다고 생각하지 않으세요? 왕자님은 세자가 되셨을 때부터 폐하를 '부왕 폐하'라고 부르고 계세요. 왕비님은 진짜로 '왕비님.' 하고 부르시더군요."

누가 보면 서자인 줄 알겠어요. 야라의 말에 더글라스가 한숨이 섞인 목소리로 대꾸했다.

"나도 그게 좀 걱정이야."

"폐하께서 걱정하시면 안 되죠. 왕자님께서 어렸을 때부터 워낙 폐하 눈치를 보시느라 일이 이 지경까지 온 건데."

야라가 약간 속상한 목소리로 말했다.

"애정 표현을 좀 해 주실 순 없으세요? 왕자님께서는 어렸을 때부터 정무와 학업에 시달리시기만 했지, 폐하의 사랑 같은 건 받은 적이 거의 없잖아요."

"……나름의 관심을 보였다고 생각했는데."

뭐요? 야라가 황당하다는 표정을 지으며 하나의 가설을 세웠다. 오 마이 갓. 그건 진짜 말도 안 되는 일이다. 그래도 혹시 모르니 물어보기로 했다.

"설마……."

야라가 혹시나 하는 표정으로 말을 꺼냈다.

"일을 많이 주고, 공부를 많이 시키는 걸 관심이라고 생각하신 건 아니시겠죠, 폐하?"

"……."

맞는 모양이었다. 맙소사, 신이시여! 이 남자는 참으로 답이 없는 아비라고 생각하며, 야라가 짜증스럽게 말했다.

"세상에. 그건 관심이 아니라 괴롭힘인 거 모르세요, 폐하?"

"흠…… 내 방식이 잘못된 건가?"

"한참 잘못됐죠. 세상에."

그녀가 골 아프다는 듯 머리를 짚었다. 역시나 이 남자는 예나 지금이나 변한 게 전혀 없다.

야라가 말했다.

"비앙카 공주님께 하는 것처럼만이라도 하세요. 그분께는 잘하시면서."

"내가?"

이번에는 또 부정이다. 이 남자는 진짜로 육아 교육 같은 걸 좀 받아야 한다. 관심을 괴롭힘으로, 괴롭힘을 관심으로 착각하다니. 도대체 뇌가 어떻게 생겨 먹어야 이런 사고방식이 나올 수 있는 걸까? 진심으로 궁금해지는 야라였다.

"난 걔 못생겨서 싫어."

"……."

이거 자기 비하 아닙니까? 따님은 댁의 피가 반은 흐르는 분이신데요. 아님 아내 비하? 그건 더 못됐고. 야라가 황당한 표정으로 더글라스를 쳐다보며 딴죽을 걸었다.

"아아, 그래서 거금을 들여서 공주님이 탄신 연회에서 입으실 드레스까지 주문하시고?"

비앙카는 릴리아나가 사비로 자신의 탄신 연회 드레스를 맞췄다고 알고 있었지만, 이는 사실과 달랐다. 더글라스가 먼저 예산을 내주었다. 물론 더글라스는 그것을 나중에 깜짝 선물로 알려 주기 위해 지금까지도 입을 다물고 있었지만. 더글라스는 헛기침을 몇 번 한 뒤 궁색한 변명을 내놓았다.

"……거적때기를 입히면 군주와 왕실의 위엄이 손상되잖아."

"……."

아, 진짜 답 없는 남자. 아까 폐하께서 달라지고 계신다고 말씀드렸던 거, 취소예요, 왕비님. 이런 남자와 애를 셋이나 낳고 사는 릴리아나 왕비가 새삼 대단해 보이는 야라였다.

한편, 미운 일곱 살이 된 비앙카는 요즘 짜증이 늘었다.

"심심해!"

……심심하다는 게 그 이유였다. 물론 속은 서른 살 넘게 먹은 성인이 품을 생각은 아니었지만, 환생과 함께 정신 연령도 거의 그쯤으로 퇴보해 버린 비앙카에게는 별로 문제 될 거 없는 일이었다. 비앙카의 투정에 올가가 특유의 자애로운 미소를 지으며 말했다.

"제가 있잖아요, 공주님?"

"……."

그랬다. 그녀의 영원한 친구이자 동반자, 유모인 올가가 있었다. 그렇지만 문제가 있었다. 아무리 비앙카라도 엄마와 동년배인, 여자를 저 좋자고 소꿉놀이시킬 수는 없는 노릇이었다. 입장 바꿔 생각했을 때, 자신도 아기와 놀아 줘야 한다는 이유 하나만으로 그 나이에 친딸도 아닌 아이와 소꿉놀이를 하면 뭔가 많은 생각이 들 것 같았다. 물론 그건 아이를 그렇게 좋아하지 않는 비앙카의 편견 어린 생각이었지만.

"내 또래가 있었으면 좋겠어."

"공주님 또래요?"

하긴. 공주님이라고 언제까지고 유모의 품에 싸고돌 수만은 없는 노릇이었다. 사회성이나 훗날의 사교계 데뷔를 위해서라면 또래 친구가 필요했다. 올가는 잠깐 고민하는 표정을 짓다가 곧 입을 열어 물었다.

"또래 친구가 있으면 좋으시겠어요?"

"응!"

정신 연령은 같지 않더라도, 몸의 연령은 비슷하거나 같은 친구! 일곱 살의 비앙카에게는 그게 가장 시급했다. 같이 놀 수 있는 친구! 공감대가 맞는 친구! 물론 원래의 나이를 생각해 보면 올가와 가장 말이 잘 통했지만 말이다. 고민하던 올가가 해답을 내리듯 입을 열었다.

"놀이 친구를 하나 붙여 드리는 것도 좋을 것 같아요. 제가 한번 왕비님께 말씀드려 볼게요."

그럼 아마 물어볼 것도 없이 합격일 것이다. 이미 딸 바보가 되어 버린 비앙카의 어머니는 딸이 원한다면 놀이 친구를 한 백 명도 넘게 붙여 줄 수 있을 터였다. 물론 거기에도 돈이 들기 때문에 더글라스가 한사코 막겠지만. 그리고 사실 친구란 건, 수가 중요한 게 아니었다. 한 명만 있더라도 날 진심으로 사랑해 준다면 그 세상은 꽉 차게 되는 거니까! 비앙카는 그냥 한두 명이면 족하겠다고 생각하며 요구 사항을 말했다.

"너무 많으면 이름 외우기도 힘들어."

나 머리 나쁘거든. 비앙카가 해맑게 웃으며 말했다.

"한두 명 정도만 있으면 충분할 것 같아."

"알겠어요, 공주님."

올가가 빙긋 웃으며 답했다.

"제가 곧 왕비님을 찾아뵙고 말씀드려 볼게요."

"엄만 여기 안 올까?"

"요즘 정말 바쁘시다고 들었어요. 왕비궁 시녀들에게 듣기론, 왕비가 되어 가장 바쁜 나날을 보내고 계시다고 하더군요."

그 정도야······? 암만 결혼이 인륜대사에 오스카의 경우에는 국가적인 행사이긴 하지만······. 늘 쇼핑에 빠져 게으르고 잉여로운 하루를 보내던 릴리아나가 그렇게 일을 열심히 한다니 상당히 의외이긴 했다.

도대체 얼마나 어마무시한 며느리를 들이시려고? 새삼 궁금해진 비앙카였다.

"아, 미치겠네."

"뭐가요?"

그 시각까지도 열심히 일을 하고 있던 릴리아나는 갑자기 들려오는 목소리에 화들짝 놀라 뒤를 쳐다보았다. 그리고 발견한 올가에 릴리아나가 안도의 한숨을 내쉬며 핀잔을 주었다.

"시녀들은 뭐 하고 있는 거야? 이방인이 왔으면 보고를 해야지."

"왕비님 일하시는 거 방해하고 싶지 않다고 제가 로비했거든요. 왕비궁 보안에 더 신경 쓰셔야겠어요."

"그래야겠어."

약간 떨떠름한 목소리로 대답한 릴리아나가 올가에게 바로 용건을 물었다.

"어쩐 일이야? 설마 우리 비앙카에게 무슨 일이라도 생긴 건 아니겠지? 그게 아니라면 다음에 이야기하자. 나 지금 정말 바쁘거든."

"왕비님 바쁘신 거 저도 아주 잘 알아서 좀 나중에 말씀 드리려고 했는데……."

"그럼 나중에……."

"비앙카 공주님께 무슨 일이 생긴 건 아닌데, 공주님 일 때문에 온 건 맞아서요."

"……앉아 봐. 얼른."

일에 치여 바쁘다고 투덜거리던 우리 왕비님은 어디로 가셨나? 올가가 속으로 작게 웃으며 서류 더미가 왕창 쌓인 책상 앞에 조신하게 앉았다. 그녀는 여전히 서류에서 눈을 떼지 않는 릴리아나를 보며 약간 신기하다는 목소리로 말했다.

"뭔가 묘하게 닮았어요."

"뭐가?"

퉁명스러운 릴리아나의 대답에도 올가는 굴하지 않고 대답했다.

"폐하와요. 죽기 전에 왕비님의 이런 워커홀릭 같은 모습을 볼 수 있다니……. 제가 이 나이 먹고까지 산 보람이 있네요."

"그러기엔 우리나 폐하나 아직 너무 젊어. 아직 새파란 자식들도 있고. 설마 그런 실없는 소리 하러 온 거야? 나 바쁘다니까?"

릴리아나는 더글라스와 닮았다는 말에 기분 나빠하면서도 어쩐지 묘하게 기분 좋아 보이는 표정을 지었다. 거봐, 부부는 닮는다니까? 올가가 속으로 웃으며 릴리아나에게 드디어 본론을 말했다.

"공주님이 놀이 친구가 필요하다고 하셔서요. 그거 인가를 받으러 왔어요."

"놀이 친구?"

드디어 릴리아나가 서류를 내려놓고 올가에게로 온전히 시선을 맞추었다. 아, 나 여기 들어와서 처음 시선 받아 봐. 묘한 기분이 든 올가가 희미하게 웃으며 릴리아나에게 주장했다.

"이제 막 사회화가 시작될 시기시잖아요. 또래 친구들과 만나는 것도 중요해요."

"일리 있는 말이야."

깔끔하게 올가의 말에 동의한 릴리아나는 잠깐 과거를 회상했다. 자신도 외동이었기 때문에, 아버지였던 안드리 공작은 당시 조실부모했던 올가를 공작저에서 지내게 했다. 물론 '놀이 친구'라는 용어를 쓰기에 당시의 두 사람은 꽤 나이가 있었고, 무엇보다 둘은 정말로 진실한 친구였다. 물론 지금도 그렇지만. 한쪽이 다른 한쪽에게 존칭을 쓴다고 해서 두 사람 사이의 관계가 무조건 상하 수직적인 건 아니었다.

"그래서 추천하고픈 영애가 있나? 그 나이 또래의 예의 바르고 공주가 배울 점이 있는 영애여야 할 텐데?"

"안 그래도 제가 여기 오기 전에 조사도 좀 해 보고, 생각도 많이 해 봤답니다, 왕비님."

"그래?"

"소피아 아시죠?"

"아."

올가의 말을 들은 릴리아나가 작게 웃음을 터뜨렸다.

"이런. 등잔 밑이 어두웠네? 가장 적임자가 코앞에 있었는데."

"제 딸애지만 정말 착하고, 마음씨도 고와요. 약간 천방지축이라 걱정스러운 점이 아주 없지는 않습니다만…… 그점이 공주님께 긍정적이고 밝은 면으로 작용하길 바랄 뿐이에요."

"소피아 정도면 아주 훌륭한 딸이고, 공주의 놀이 친구로서도 완벽한 수준이지."

만족스러운 미소와 함께 대답한 릴리아나가 올가에게 물었다.

"그런데 공주가 한 명이면 충분하다던가? 그래도 한 서너명, 아니 대여섯 명은 있어야 재미있지 않겠어?"

"속은 잘 모르겠지만, 한두 명이면 충분하다고 하셨어요. 너무 많은 놀이 친구도 보기 좋지 않습니다. 그럴 바엔 시녀가 나아요."

"하긴."

그건 그래. 조용히 수긍한 릴리아나가 말했다.

"좋아. 딜리스 자작 영애인 레이디 소피아를 공주의 놀이친구로 정식 임명할게. 폐하께는 내가 따로 말씀드릴 테니 너무 걱정하지 말고."

"네, 왕비님."

"부족한 게 있으면 언제든 말하고."

"그럼요."

하지만 부족함이 생기기도 전에 과함으로 채워 주시잖아요. 속으로 조용히 읊조린 올가가 얌전히 미소 지었다. 그녀는 이번에는 책상 위에 수북이 쌓여 있는 서류로 눈을 돌리며 다른 이야기를 꺼냈다.

"그보다, 세자비 간택은 잘 진행되고 있나요?"

"더글라스 이 양반, 분명 일이 이렇게 복잡한 걸 미리 알고 나한테 간택을 맡긴 게 틀림없어. 나 요즘 잠도 제대로 못 잔다니까? 내 피부 다 상하겠어! 큰일 났다구!"

말은 그렇게 해도 은근 그 일을 즐기고 있다는 사실은 올가가 누구보다도 먼저 눈치채서, 그녀는 말없이 조용히 미소만 지었다. 그러는 동안 릴리아나는 계속 쉬지 않고 말했다.

"그리고 도대체 왜 이렇게 결격 사유가 있는 영애들이 많은 거야? 정말…… 결격 사유 없는 집안을 찾는 게 더 쉽겠어."

"코스텔로 공작님 말씀으론 그냥 경매에 부치라고 말씀드렸다던데요."

"맞아."

릴리아나가 약간 떨떠름한 표정을 지으며 말했다.

"그런데 혹시 모르잖아. 돈이 전부는 아니니까."

"……."

그런 말을 돈을 엄청 써서 왕비가 된 릴리아나가 하니 좀 아이러니한 일이긴 했다. 물론 릴리아나의 경우에는 굳이 돈을 그렇게 쓰지 않았더라도 워낙 안드리 가문의 힘이 막강했으니 왕비가 그리 어려운 자리는 아니었겠지만. 릴리아나가 말을 이었다.

"혹시 몰라서 좀 더 살펴보고 있어. 만약 좋은 영애를 발견해 낸다면 굳이 경매를 진행하지 않아도 괜찮겠지."

"뭐, 사실 취지는 좋아요. 다만 전하께서 요즘 너무 무리하셔서, 건강에 해는 가지 않을는지 좀 걱정되네요."

진심으로 걱정의 말을 남기는 올가에게, 릴리아나가 태연자약하게 답했다.

"괜찮아. 나름 할 만하니까."

"비앙카 공주님께서 왕비님을 보고 싶어 하시거든요. 요즘 통 안 오신다고."

"그래?"

그 말에 갑자기 릴리아나의 표정이 흔들렸다. 아들도 좋고, 며느리 될 아이를 구하는 것도 좋지만, 딸내미도 그녀가 가장 사랑하는 사람들 중 하나였다. 사실 다섯 손가락, 아니 세 손가락 안에 들었다. 어쨌든 릴리아나는 그 말을 듣고 심각하게 고민하기 시작했다. 하긴, 그러고 보니 내가 우리 딸내미를 본 지가 너무 오래됐네. 이러다 엄마 얼굴 까먹는 거 아냐?

……물론 일곱 살이나 먹은 아이가 며칠 못 봤다는 이유로 안면이 있는 사람을, 심지어는 부모를 잊어 먹는 일은 거의 없었지만, 릴리아나는 모든 가능성을 열어 두고 생각해 보았다. 아, 설마 날 며칠 못 봤다고 내가 엄마인 걸 잊어버린 건 아니겠지? 올가를 엄마로 생각하고 있는 건 아니겠지? 절대 말도 안 되는 이야기를 머릿속에서 풀어 나가던 릴리아나는, 잠시 후 못 참겠다는 표정으로 자리에서 벌떡 일어났다. 그 움직임으로 엎어져 있던 얇은 서류 종이 몇 장이 작게 흔들렸다. 그녀가 비장하기까지 한 목소리로 말했다.

"그래. 요즘 우리 딸내미를 너무 못 봤어. 어차피 탄신 연회 때 입을 드레스도 완성됐겠다, 한번 가 볼까?"

"좋은 생각이긴 한데…… 드레스가 벌써 다 됐다구요?"

"돈을 들였으면 돈값을 해야지."

릴리아나가 신조처럼 여기는 말을 내뱉은 다음 우아하게 질리언을 불렀다. 곧 질리언과 다른 시녀들이 조용히 나타나 릴리아나를 예쁘게 꾸며 주기 시작했다. 올가가 약간 당황한 표정으로 물었다.

"공주님 만나러 가시는데 이렇게까지 풀 메이크업을 하

실 필요가 있으세요? 국왕 폐하면 또 모를까."

"못 본 사이에 날 추레하거나 지질한 사람으로 기억하면 어떻게 해."

"……."

외모 지상주의라고 보기에는 약간 애매한 말을 내뱉은 릴리아나가 우아하게 머리를 땋아 올린 다음 은색으로 빛나는 티아러를 얹었다. 힘을 제대로 준 걸 보면 영락없이 더글라스를 만나러 가는 꼴이다. 릴리아나는 시녀들에게 비앙카 공주의 탄신 드레스를 준비해 따라오라고 지시한 다음 올가와 함께 방을 나섰다.

"엄마!"

릴리아나의 등장에 가장 기뻐한 건 뭐니 뭐니 해도 딸내미인 비앙카였다. 그녀는 대략 일주일 만에 처음 보는 릴리아나를 보며 팔을 번쩍 들고 반겨 주었다.

"엄마아!"

짧은 다리로 릴리아나를 향해 도도도도 소리를 내며 뛰어가던 비앙카가 덥석 릴리아나의 품에 안겼다. 체중과 가속도로 약간 버거울 법도 한데 다행히 릴리아나는 무사히 비앙카를 잘 받아 주었다. 그녀가 사랑스럽다는 듯한 미소를 눈동자에 가득 장착하고선 비앙카의 이마에 사정없이 키스했다.

"에구, 우리 공주님. 엄마 보고 싶었어?"

"옹!"

사실 요즘 좀 못 봐서 심심했거든! 엄마의 삐까뻔쩍 화려한 보석도 보고 싶었구! 비앙카가 릴리아나의 품에 얼굴을 비비며 애교를 부렸다.

"요즘 왜 안 왔어?"

그렇게 말한 비앙카가 품속에서 살짝 고개를 들어 올린 다음 눈물을 글썽이며 물었다. 릴리아나는 순간 그녀의 사랑스러운 딸에게 눈 오는 날 얇은 드레스 한 장만 입고 고해성사라도 해야 할 것 같은 착각에 사로잡혔다. 엄마가 미안해, 딸! 릴리아나가 비앙카를 품 안 가득 끌어안고 외치듯 말했다.

"미안해! 요즘 너무 바빴거든."

"바빴어?"

"응."

"오스카 오라버니 때문에?"

"응."

릴리아나가 어느새 웃음 띤 얼굴로 비앙카에게 설명했다.

"너희 오빠 곧 유부남 돼."

"……."

이분은 과연 일곱 살 먹은 애기가 그 말뜻을 알 거라고 생각하는 걸까. 보다 못한 올가가 옆에서 말해 주었다.

"결혼한 남자를 유부남이라고 해요."

"그렇구나!"

비앙카가 해맑게 웃으며 릴리아나에게 물었다.

"그래서 누구랑 하는데?"

"아직 못 정했어."

그래서 걱정이야. 릴리아나의 푸념 어린 말에 비앙카는 어깨를 으쓱였다. 그러다 다른 생각이 난 릴리아나가 얼른 화제를 다른 쪽으로 돌렸다.

"그보다 딸, 놀이 친구가 필요하다고 했다며?"

"올가가 말했어?"

눈을 빛내며 묻는 비앙카의 곱슬곱슬한 머리를 조심히 쓰다듬으며, 릴리아나가 부드럽게 속삭였다.

"응. 올가가 말했어."

"그럼 이제 친구 생겨?"

"올가의 딸이 네 놀이 친구로 올 거야."

그렇게 말한 릴리아나가 몸을 옆으로 돌려 올가에게 물었다.

"올가, 소피아가 몇 살이었지?"

"11살이에요, 왕비님. 공주님보다 4살 많아요."

"딱 좋아. 너무 동갑이어도 별로야. 배우는 게 있어야 하니까."

나름 교육적인 이유를 댄 릴리아나가 빙긋 미소를 지으며 비앙카에게 말했다.

　"예쁘고 예의 바른 소녀란다, 비앙카. 너도 분명 마음에 들어 할 거야."

　"응. 기대돼!"

　"좋아. 그리고……."

　입을 살짝 가린 뒤 웃은 릴리아나가 무슨 비밀스러운 것을 말하려는 사람처럼 비앙카의 귀에다 대고 속삭였다.

　"사실은 전해 줄 소식이 하나 더 있거든."

　"어?"

　전해 줄 소식? 그게 뭐지? 비앙카가 고개를 갸웃거리는 사이, 릴리아나가 속삭였다.

　"자, 눈을 감아 봐."

　하여튼 우리 엄마 깜짝 선물 너무 좋아해. 비앙카가 어깨를 한 번 으쓱거린 다음 선심 썼다는 듯한 표정을 지으며 눈을 꼭 감았다. 무슨 선물을 준비하셨기에 이래? 비앙카는 기대로 가슴이 심하게 두근거리는 것을 느끼며 릴리아나가 얼른 눈을 뜨라고 말하기만을 기다렸다. 기다림은 그리 길지 않았다. 잠시 후에 릴리아나가 말했다.

　"자, 이제 눈을 떠!"

　비앙카는 그 말이 들리자마자 곧바로 눈을 떴다. 그리고 마주친 환상적인 광경에 입을 떡 벌렸다.

"우와! 우와!"

비앙카가 흥분한 목소리로 소리쳤다. 세상에, 마상에. 이게 뭐야? 옆에서 그 모습을 바라보고 있던 릴리아나가 뿌듯한 표정으로 물었다.

"어떻게, 우리 딸, 드레스가 마음에 드십니까?"

"완전 좋아, 엄마!"

그 격렬한 반응에 릴리아나의 입꼬리가 한층 올라갔다. 그 와중에도 비앙카는 자신의 드레스를 구경하느라 여념이 없었다. 세상에, 미치겠다. 이렇게 예쁜 드레스가 세상에 실존하다니. 릴리아나의 영향으로 이 세계의 수많은 드레스들을 접했다 자부하고 있던 비앙카였으나, 이런 드레스는 결단코 처음이었다. 지나치게 화려한 드레스는 결코 과하다는 느낌이 들지 않았다. 비앙카는 속으로 생각했다.

'몸이 크는 게 아까울 정도야.'

어차피 이 드레스는 그녀의 몸이 크면 더 이상 입을 수 없었다. 비앙카는 그것처럼 원통한 일이 없을 것 같았다. 세상에, 이렇게 예쁜 아가들을 고작해야 일 년밖에 입을 수 없다니! 그 모습을 보고 있던 릴리아나가 슬쩍 웃으며 물었다.

"마음에 들어?"

그렇다니까! 말이라고 해? 비앙카가 거세게 고개를 끄덕였다.

"나 이거 입어 봐도 돼?"

"당연하지. 입어 보고 싶어?"

"응!"

입고 아빠한테 갈 거야. 비앙카의 말에 릴리아나가 예쁘게 미소 지으며 말했다.

"좋은 생각이야."

더글라스는 늘 그렇듯 바쁜 일상을 보내고 있었다. 분명히 일을 다른 관료들과 함께 나누어서 하는데, 어째서 자신만 늘 이렇게 바쁜 건지 의문이 생길 정도로, 그는 일에 파묻힌 일상을 보내고 있었다. 그나마 다행인 건 그가 이 빠듯한 일상을 나름 즐기고 있다는 사실이었지만.

"폐하, 국무 회의에 가실 시간입니다."

벌써 시간이 그렇게 됐나. 그는 품 안에서 회중시계를 꺼내 시간을 확인한 다음 자리에서 일어섰다. 그때 시종의 목소리가 다시 한 번 들려왔다.

"이런…… 폐하, 공주님께서 오셨는데요."

그의 한쪽 눈썹이 꿈틀거리며 위로 올라갔다.

"공주?"

"비앙카르체 공주님 말입니다, 폐하."

시종은 잠깐 뜸을 들이다 더글라스에게 물었다.

"역시 돌려보내는 게 낫겠지요? 지금 회의에 가셔야 하니……."

"아니."

더글라스가 시종의 말을 끊으며 말했다.

"들여보내."

"폐하, 하지만 회의가……."

"30분 늦춰."

더글라스가 단호하게 말을 맺자, 시종이 잠시 후에 '알겠습니다.' 하고 대답했다. 곧 비앙카의 모습이 더글라스의 두 눈에 들어왔다.

"아빠!"

"……."

더글라스는 비앙카의 모습에 순간 몸을 굳혔다.

비앙카는 예뻤다. 사랑스러웠다. 입고 있는 드레스는 처음 보는 것이었는데, 아마 그의 짐작이 맞는다면 그가 어마어마한 돈을 들여 새로 맞춘 비앙카의 탄신 연회 드레스일 것이다. 그 사실을 인지한 더글라스의 입꼬리가 슬며시 올라갔다.

"혼자 왔나?"

"엄마랑 같이 왔어."

비앙카의 말에 릴리아나가 조금 수줍은 모습으로 더글라스에게 인사했다.

"안녕, 폐하."

예법을 무시한 인사에도 더글라스는 굳이 지적하지 않았다. 이미 18년 동안 그렇게 살아왔기 때문에 사실 지적한다고 해서 의미는 없었다. 그녀가 그러는 것을 모르는 이 또한 그리 많지 않았으니까. 더글라스가 물었다.

"비앙카 공주……는 못 보던 드레스인데?"

"엄마가 맞춰 준 드레스예요, 폐하."

"……."

내가 맞췄어. 아직 진실을 모르는 딸에게 약간의 서운함을 느끼며, 더글라스가 감상평을 내밀었다.

"뭐…… 봐 줄 만하군."

"……."

그의 한 줄 평에 릴리아나는 속으로 키득거리며 웃었다. 18년 동안 살면서 저 인간이 뭘 보고 '예쁘다'고 말한 것을 단 한 번도 들은 적이 없었다. 그리고 얻은 결론은 '봐 줄 만하다'가 더글라스가 할 수 있는 최고의 칭찬이라는 것이다.

릴리아나가 뿌듯한 얼굴로 웃었다.

"비싼 값을 하네요. 마음에 들어 하셔서 다행이에요."

"이번 파티에 입고 갈 건가?"

"네."

"흐음……."

더글라스가 비앙카의 모습을 아래위로 훑어 내렸다. 그리고 비앙카는 곧 들려오는 더글라스의 목소리에 표정이 굳어질 수밖에 없었다.

"근데 무슨 페스트리 같군. 뭔가 뒤뚱뒤뚱하달까."

"……."

물론 페스트리 모양인 건 맞았다. 하지만 우리 아빠, 표현을 너무 못해. 이건 그래서 예쁜 드레스라구! 비앙카가 물었다.

"그래서 별로야?"

"아니. 예뻐."

"그렇지? 아빠가 보기에도 예쁘지?"

"그런 것 같네."

그가 피식 웃으며 비앙카의 머리를 쓰다듬었다.

"근데 넌 마음에 드냐?"

두말하면 잔소리다. 비앙카가 큰 목소리로 소리쳤다.

"난 완전 마음에 들지!"

"그래. 이거 보여 주려고 온 건가?"

"응!"

비앙카가 고개를 끄덕이자, 더글라스가 다시 한 번 웃었다. 그러더니 드디어 진실을 말했다.

"근데 그 드레스, 내가 돈 냈어."

뭐라? 뜻밖의 진실에 비앙카의 눈이 동그래졌다. 그녀는 얼른 더글라스와 릴리아나의 얼굴을 번갈아 살펴보았다. 진짜로 사실인지 표정이 별로 어색하지 않았다. 헐? 정말? 진짜?

⋯⋯아빠가 왜? 우습게도 가장 먼저 든 생각이 이것이었다. 릴리아나가 그 마음을 읽기라도 했는지 먼저 말했다.

"우리 딸내미 생일이라고 아빠가 신경 쓰신 거지. 그죠, 폐하?"

"⋯⋯."

그는 긍정도 부정도 하지 않은 채 침묵으로 답했지만, 비앙카는 이미 거기에서 긍정을 읽어 버렸다. 헐, 세상에. 여러분! 우리 아빠가 사람 됐어요! 분명 저 돌잔치도 돈 아깝다고 안 열어 줬던 양반이었거든요! 근데 이번에는 드레스를 맞춰 줬대요! 그것도 국고로!

그러니까 이건, 정말로 세상 오래 살고 볼 일이었다. 비앙카가 명한 표정으로 더글라스를 바라보는 사이, 그가 자신의 아래에 있던 비앙카를 번쩍 들어 올렸다. 아이는 무거웠다. 그가 말했다.

"살이 쪘나?"

"⋯⋯."

나 참! 그럴 때는 그냥 '컸다'고 하는 거야. 비앙카가 입술을 비죽이며 말했다.

"살 안 쪘어. 그냥 자란 거야."

그리고 그런 말은 숙녀에게 실례라고! 더글라스가 잘 모르겠다는 목소리로 말했다.

"그러고 보니 키가 좀 큰 것 같기도 하고."

"……."

"금세 숙녀 되겠네."

"칭찬이야?"

"금방 시집갈 수 있겠어."

헐. 이 남자는 어째 대화 흐름이 죄다 '기승전시집'이냐? 나 아직 일곱 살이야. 한국에선 초등학교도 안 들어갈 나이! 그놈의 지참금, 내가 치사하고 더러워서 그만큼 벌고 말지!

비앙카가 쏘아붙였다.

"나 다른 남자한테 시집 안 갈 거야."

"가야지? 노처녀 먹여 살릴 돈은 이 나라에 없어."

"아빠랑 결혼하면 안 돼?"

콜록콜록. 그 말에 옆에 있던 릴리아나가 옆에서 헛기침을 했고 더글라스가 낮게 소리 내어 웃었다.

비앙카는 회심의 미소를 지었다. 우리 아빠가, 이런 거에 환장했거든. 여기나 거기나 아빠들은 다 비슷하다?

"응?"

"안 돼."

"왜?"

"이미 너희 엄마랑 결혼했으니까."

"……."

그 한마디에 릴리아나의 얼굴이 붉어졌다. 비앙카는 그 모습을 보고 속으로 키득키득 웃었다. 아유, 우리 엄마 좋아하는 거 봐. 하여튼 이 집은 아닌 척하면서 금슬이 좋다니까?

하지만 겉으로는 아무렇지 않게 다시 물었다.

"한 번 더 해. 엄마랑 하고 나랑도 하면 되지."

"너희 엄마가 질투심이 워낙 많은 여자라."

그가 듣기 드문 나긋한 목소리로 말했다.

"안 되겠다. 넌 다른 남자랑 해."

"헐."

보통 딸 바보들은 다른 남자랑 결혼하라고 잘 안 하지 않아……? 이분만 이러는 거야? 나 대한민국에 있을 때 우리 아빠는 '우리 딸 데려가려면 최소 해병대는 나와야 한다!' 이랬는데.

비앙카가 아리송한 표정으로 고개를 갸웃거리는데, 더글라스가 비앙카를 사뿐히 바닥에 내려놓았다. 그가 말했다.

"이제 가 봐."

"벌써?"

"아빠 회의 가야 해."

무심한 듯 다정하게 말한 더글라스가 릴리아나에게 몸을 돌렸다. 그가 건조한 목소리로 말했다.

"왕비는 밤에 나 좀 보지."

"……그러죠, 뭐."

어머? 어머? 이 어른들 좀 보게? 나 곧 있으면 동생 생기는 거야?

비앙카는 남몰래 음흉한 미소를 지었다가, 가기 전 마지막으로 무언가 까먹었다는 듯 더글라스의 옷깃을 잡았다. 더글라스가 의아한 표정으로 아래를 내려다보았다. 비앙카가 고개를 숙여 보라는 듯한 제스처를 취했고, 더글라스는 순순히 그렇게 했다.

쪽!

순식간에 비앙카가 더글라스의 볼에 뽀뽀했다. 얼른 볼에서 입술을 뗀 비앙카가 귀여운 표정을 지으며 더글라스에게 말했다.

"고마워요, 아빠."

"……."

그리고 더글라스의 볼이 붉게 물들어 가는 모습을 분명히 바라보며, 릴리아나는 속으로 큭큭 웃었다.

"그럼 소피아는 언제쯤 와?"

공주궁으로 복귀한 비앙카가 천진하게 묻자, 올가가 미소를 지으며 답했다.

"여기서 자작령까지 좀 거리가 있어서 바로 오진 못할 거예요."

딜리스 자작이 다스리고 있는 영지는 왕성에서 좀 거리가 있었다. 때문에 소식이 전해지기까지도 시간이 오래 걸릴 것이고, 소식을 듣고 짐을 꾸리는 데도 분명 시간이 걸릴 것이고, 또 왕궁까지 오는 데도 시간이 걸릴 것이다. 실망한 비앙카가 풀 죽은 목소리로 물었다.

"그래도 내 생일 전까지는 오겠지⋯⋯?"

"아직 탄일까지 많이 남으셨어요, 공주님."

올가가 걱정하지 말라는 듯 비앙카의 볼을 부드럽게 쓸어 주었다.

"너무 걱정하지 마세요. 먼 거리이긴 하지만 공주님의 탄일 전까지는 틀림없이 도착할 거랍니다."

올가는 간만에 딸을 볼 수 있다는 사실 때문인지 평소보다 더 기분이 좋아 보였다. 아니, 잠깐만. 그렇게 되면 딜리스 자작은 이제 딸도 없이 지내야 하잖아? 헐. 왜 하필이면 딜리스 영지가 수도에서 그렇게 먼 건지 한탄스러울 뿐이었다. 그렇다고 해서 작위를 마음대로 올려 주거나 영지를 바꿔 버릴 수도 없는 노릇이고. 비앙카가 물었다.

"소피아는 어떤 애야?"

"공주님께 충성스러운 놀이 친구가 될 수 있는 착하고 다정한 아이예요. 가끔씩 천방지축이긴 하지만요."

"그래서 더 좋을지도 몰라."

너무 FM대로만 사는 건 재미없잖아? 더구나 '시녀'도 아니고 '놀이 친구'라면 더더욱! 비앙카는 설레는 표정을 지으며 소피아의 모습을 머릿속으로 그려 보았다. 과연 어떻게 생겼을까? 올가를 닮았다면 분명 예쁘고 귀엽고 사랑스러울 거야!

비앙카의 애달픈 기다림은 정확히 3주가 되어서야 끝이 났다. 빠르게 딜리스 영지에서 소식을 전해 받은 딜리스 자작이 군말 없이 딸을 공주의 놀이 친구로 보내기로 한 것이었다. 물론 아직 어린 딸을 멀리 보낸다는 것 자체가 아버지로서는 부담스러운 일이었지만, 어쨌든 그는 왕실의 명에 굳이 토를 달지 않았다.

그리고 드디어 비앙카와 소피아의 첫 만남이 이루어졌다!

"오…… 완전 떨려."

비앙카가 두근거리는 마음을 숨기지 않으며 올가를 올려다보았다. 그녀 또한 오랜만에 만나는 딸을 생각하며 기대감에 가득 찬 듯했다. 비앙카는 빙긋 웃으며 시녀가 말하는 것을 들었다. 지금 성문을 통과했다고 했다.

"공주님, 딜리스 자작 영애께서 도착하셨습니다."

그리고 마침내 그 말이 들렸을 때, 비앙카가 해맑은 목소리로 소리쳤다.

"얼른 들어오라고 해!"

"네, 공주님."

약간 웃음기를 띤 시녀의 목소리와 함께 문이 열렸고, 그 또래의 평균보다 키가 큰 듯한 소녀가 안으로 들어왔다.

소피아 딜리스는 어머니인 올가를 쏙 빼닮은 이목구비를 가지고 있었지만, 머리 색이나 눈동자 색은 그 아버지인 딜리스 자작을 닮았는지, 머리카락은 이국적인 푸른빛을 띠었고, 눈동자는 자수정에 가까운 색을 냈다. 총평 하자면 예뻤고, 사실 비앙카에게는 그 사실이 많이 중요했다. 비앙카가 밝은 목소리로 크게 인사했다.

"안녕!"

공주로서의 위엄 따위는 이미 던져 버린 지 오래였다. 다행히 시녀들이 문을 닫고 물러간 탓에 그런 품위 없음을 목격한 사람은 실질적으로 올가와 그 딸인 소피아뿐이었다. 소피아는 난생처음으로 보는 '높으신 분'의 존재에 당황하다가, 곧 씩씩하게 인사했다.

"안녕하세요. 소피아 딜리스라고 합니다."

11살에서 조금 더 성숙한 인사였다. 비앙카는 종종걸음으로 다가가 소피아에게 자기소개를 했다.

"난 비앙카! 올해로 일곱 살이고……."

남은 건 신분을 말하는 것이었는데, 참 애매했다. 무어라고 소개할 것인가? 왕의 딸? 댁의 엄마 친구 딸? 고민하던 비앙카는 그냥 간단하게 자신을 정의했다.

"공주야."

"알고 있어요, 공주님."

소피아가 배시시 웃으며 말했다.

"놀이 친구가 되어 기뻐요! 공주님도 만나 뵙고 싶었고, 엄마도 너무 보고 싶었거든요."

그 말을 들은 비앙카는 어쩐지 가슴 한쪽이 찔려 오는 것을 느꼈다. 뭐, 사실 올가라고 자의로 공주의 유모 일을 지원한 건 아니었을 것이다. 그냥 친구를 가장한 원수인 릴리아나가 거의 떠밀 듯 일을 맡겨서 하게 된 것뿐이지. 상식적으로 누가 어린 딸을 두고 유모를 하고 싶겠는가? 그것도 그 딸을 가까이에서 볼 수 있는 것도 아니고 아주 멀리 떨어져 살고 있다면.

"다행이야."

비앙카는 진심을 담아 그렇게 말했다. 초반에는 약간 수줍은 모습을 보였던 소피아는, 비앙카와 인사하고는 무슨 자신감을 되찾기라도 한 건지 갑자기 씩씩하고 자신감 넘치는 모습으로 변했다. 아마 이게 원래 성격인 듯했다.

"엄마!"

아직 어린 11살 아이는 비앙카에게 인사만 하고 올가에게 매달렸다. 올가는 그녀를 따뜻하게 안아 주면서도, 약간 난감한 목소리로 소피아를 타박했다.

"소피, 왕실 분들 앞에서는 예의 바르게 굴어야 한다고 늘 말했잖니."

"그치만 엄마, 우리 너무 오랜만에 보는걸요."

서운함이 가득한 소피아의 목소리에, 얼른 끼어든 이는 비앙카였다.

"난 괜찮아!"

그렇게 말한 비앙카가 변명하듯 한마디를 더 추가했다.

"솔직하게 말해서, 나도 엄마를 오랫동안 못 보면 너무 슬플 것 같아."

그게 설령 쇼핑광에다가 육아는 유모에게 전부 다 떠맡긴 엄마라고 해도 말이다. 소피아는 유모가 있었다고 해도 4살 때까지는 올가의 보살핌을 받았을 거다. 그런 엄마를 갑자기 못 보게 되면 자신 같아도 너무 슬플 거라고, 비앙카는 생각했다.

"앞으로 잘 지내자, 소피!"

깜찍한 목소리로 대차게 인사한 비앙카는 왠지 이 예쁜 소녀와 잘 지낼 수 있을 것 같은 느낌이 들었다.

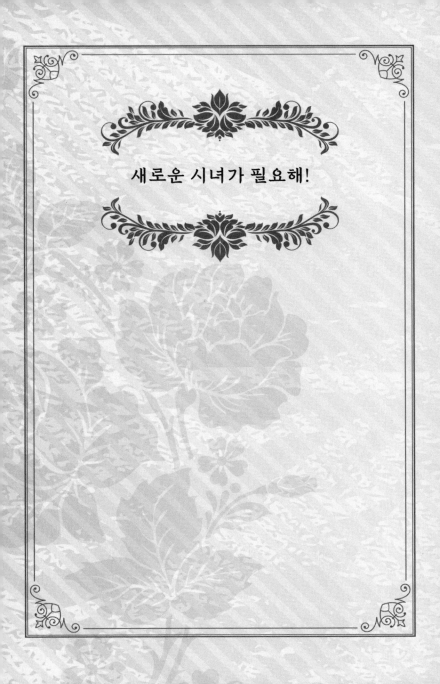

새로운 시녀가 필요해!

"축하드려요, 공주님!"

곧바로 비앙카의 7번째 생일이 다가왔다. 비앙카는 사방에서 쏟아져 들어오는 선물과 축하 인사 카드로 정신이 없을 지경이었다. 비앙카는 또박또박 대답했다.

"고마워, 올가."

"벌써 만으로 일곱 살이시라니."

젖먹이일 때부터 비앙카를 키워 왔기 때문인지 올가는 꽤나 감격해하는 듯한 표정이었다.

"전 정말 기뻐요, 공주님."

"나도 기뻐."

"자아, 공주님."

올가가 나긋한 목소리로 비앙카에게 말했다.

"오늘은 정말 예쁘게 하고 파티에 가시는 거예요. 아셨죠?"

"어차피 드레스가 예뻐서 이것만 입고 있어도 예쁜데."

"그래도요."

올가가 흐뭇하게 웃으며 비앙카에게 말했다.

"이따 왕비님께서 오시기로 하셨어요."

올가의 말에 비앙카가 익숙하다는 듯 고개를 끄덕였다. 릴리아나는 그녀가 세 번째 생일을 맞았을 때부터 꼬박꼬박 그녀를 데리러 공주궁까지 왔다. 비앙카가 물었다.

"소피아는?"

"하하."

대답 대신 저도 모르게 웃어 버린 올가가 빠르게 웃음을 수습한 뒤 답했다.

"이건 비밀인데요. 공주님께 탄신 선물로 꽃을 선물해 드리겠다고 정원의 꽃을 꺾으러 나갔지 뭐예요?"

참으로 소피아다운 발상이었다. 그녀는 공주궁에 입성한 이후, 이런 천진난만한 모습을 지속적으로 보여 주었다. 비앙카가 내심 기대하며 장미꽃을 가장 좋아한다고 말하려던 순간, 릴리아나의 목소리가 들렸다.

"비앙카? 준비 다 끝났니?"

비앙카는 얼른 목소리가 들리는 쪽으로 달려가 엄마를 맞았다.

"엄마!"

"우리 아가!"

릴리아나는 부러 호들갑을 떨며 비앙카를 안아 주었다. 물론 입은 드레스의 가격을 생각해 매우 조심스러운 움직임이었다.

릴리아나가 물었다.

"올가, 준비는 다 끝난 거야?"

"이제 머리만 단장하시면 돼요."

"묶는 건 좀 그렇고…… 간단하게 올릴까? 푸는 건 좀 지저분한데."

"안 그래도 묶어 드리려고요."

릴리아나가 조심스럽게 비앙카를 스툴 아래에 내려 주었다. 비앙카가 까르르 웃으며 릴리아나를 칭찬했다.

"엄마 오늘 예뻐!"

"너도 예쁘단다, 아가."

"엄마, 그리고 오늘 향기도 나!"

"향유를 잔뜩 발랐거든."

그렇게 말한 릴리아나가 비앙카의 이마에 키스했고, 비앙카는 자연스럽게 눈살을 곱게 접었다. 비앙카가 깜찍한 목소리로 물었다.

"엄마, 오늘 파티 때 외할아버지도 와?"

"그럼."

릴리아나가 사근사근하게 웃으며 덧붙였다.

"네 작은 오빠도 오는걸."

"와!"

별로 기쁘진 않지만 뭐…… 이 정도 리액션은 해 줘야겠지? 비앙카가 새침한 표정을 지었고, 올가는 옆에서 탄성을 터뜨렸다.

"잘됐어요! 공주님이 아델리오 왕자님을 보고 싶다고 하셨거든요."

"정말?"

아니, 내가 언제? 이봐, 올가. 이런 식으로 진실을 날조해도 되는 거야? 비앙카가 차마 숨길 수 없는 황당함을 고스란히 내보였지만, 릴리아나의 기특하다는 듯한 시선에 그 표정도 슬그머니 거둘 수밖에 없었다. 아, 일곱 살이 돼도 먹고살기 힘들어, 진짜. 비앙카의 볼에 작게 뽀뽀한 릴리아나가 속삭이듯 비앙카에게 말했다.

"우리 아기 다 컸네."

"나 이제 아기 아냐."

엄밀하게 말하면 태어날 때부터 '아기'는 아니었다. 어머님, 제가 이래 봬도 전생 나이까지 합하면 정신 연령은 어머님과 언니 동생 할 나이랍니다.

"엄마 눈에 딸은 할머니가 되어도 아가란다."

"할머니는 되기 싫은데……."

"나도."

릴리아나가 키득거리며 비앙카의 볼에 다시 한 번 입을 맞췄다. 어느새 올가는 비앙카의 머리카락을 한데 묶어 솜씨 좋게 올려 주고 있었다. 마지막으로 빛나는 은색 티아러까지 씌우자, 비앙카의 모습은 영락없는 공주님이었다. 릴리아나가 만족스러운 표정으로 말했다.

"역시 넌 천생 공주야. 정말 잘 어울린다, 비앙카. 너무 예뻐."

"엄마도 그래."

"자, 이제 다들 가셔야죠."

릴리아나가 사랑스러운 눈으로 비앙카를 바라보며 물었다.

"엄마가 안아 줄까?"

"나 무거워."

비앙카가 새침하게 대답했다.

"그리고 나 혼자 걸을 수 있어."

"그랬어? 우쭈쭈."

"나 애기 아니라니까."

아직까지 변하지 않는 아기 취급에 비앙카가 새초롬하게 화를 냈지만, 릴리아나의 눈에는 언제까지고 비앙카가 아기로 보일 수밖에 없었다. 그녀가 비앙카의 볼을 아프지 않게 꼬집으며 말했다.

"알았어, 알았어. 자, 얼른 가자."

주인공이 늦으면 안 되니까. 릴리아나가 비앙카의 삐져나온 잔머리를 잘 정리해 주며 속삭였다.

"오늘은 절대 늦으시면 안 됩니다, 폐하."

파티가 열릴 때만 입는 야라의 드레스는 와인빛이었다. 더글라스가 알았다는 듯 고개를 끄덕였다.

"그대는 어째 공주의 생일날만 되면 이렇게 유난이군."

"폐하의 유일한 따님이시니까요. 제가 비정상이 아니라 폐하께서 비정상이시랍니다."

톡 쏘아붙인 야라가 더글라스에게 물었다.

"선물은 당연히 준비하지 않으셨겠고."

"어째서 그렇게 생각하지?"

뜻밖의 말에 야라가 깜짝 놀란 표정을 지었다. 뭐야, 설마 아닌 건가? 하지만 폐하가 그러실 리가 없는데? 당황한 그녀의 표정이 잘 드러났는지 더글라스가 낮게 웃었다. 역시 재미있는 여자다.

"비밀이야. 그렇다고 해도 알려 주지 않을 거다."

"흥, 이따가 가서 별것 아니기만 해 봐요."

쏘아붙이듯 말한 야라가 흥미로운 미소를 지어 보였다.

도대체 뭘 준비했기에 이렇게 자신만만하실까, 우리 폐하?

"그러는 그대는 준비했나?"

"두말하면 잔소리죠."

"뭔가 불길한 건 내 착각인가?"

"네. 절대로 불길하지 않아요. 왜냐하면 다 제 사비로 썼거든요."

"나와 겹치는 건 아니겠지?"

"글쎄요."

야라가 잘 모르겠다는 듯 고개를 갸웃거렸다. 하지만 곧 아무렇지 않게 말했다.

"아마 겹치지는 않을 거예요. 아닌가? 흠. 잘 모르겠네요."

"겹친다면 곤란한 일이 될 거야."

"뭐, 어때요? 중요한 건 마음이니까요."

그녀가 상관없다는 듯 엷게 미소 지으며 그에게 말했다.

"그러니 오늘은 늦지 마시고요. 지난 파티 때 늦으셔서 공주님이 매우 서운해하셨거든요."

"그때 일은 어쩔 수 없었잖아."

일 년 전 있었던 탄신 연회에서, 더글라스는 급작스럽게 국빈을 대접하느라 연회에 매우 늦고 말았다. 그가 억울하다는 듯 말했다.

"발론트 대사의 잘못이지 내 잘못은 아니었어."

"오늘은 국빈 대접도 없으시니 늦을 일은 없으시겠네요."

야라가 씩 웃으며 그에게 말했다.

"저는 잠시 준비할 게 있어서 오늘 에스코트는 힘들겠어요."

"어쩐 일이야? 늘 자청했으면서."

"이제 좀 줄이려고요. 저도 나이도 있고."

그녀가 희미하게 웃으며 덧붙였다.

"이제 폐하께서도 필요 없으시지 않나요, 저?"

"확실히 이제는 그대도 나이가 있지."

"세상에."

야라가 질색하는 표정으로 그에게 불평했다.

"제 젊음이 다 사라진 게 누구 때문인데 그러십니까, 폐하."

"제발 좀 데려가 달라고 사정사정한 게 누구더라?"

"허!"

야라가 빨개진 얼굴로 큰 소리를 냈다. 그게 언제 적 일인데!

"기억력이 좋으신 거예요, 절 놀려 먹으려고 작정하신 거예요?"

"그게 놀릴 만한 일은 아니지, 확실히."

"……뭐, 그렇죠."

그녀가 떨떠름한 얼굴로 중얼거렸다.

"하지만 이제는 지난 일이니까요. 벌써 20년 됐나? 그쯤 됐네요. 이젠 기억도 잘 안 나네."

그렇게 말한 야라가 짧게 한숨을 쉬며 한탄했다.

"저도 참 많이 늙었네요."

"그러니 어서 결혼해."

"말도 안 되는 소리. 그럼 저 이 나라 떠야 해요."

야라가 실실 웃으며 그에게 물었다.

"제가 이 나라를 뜨길 원하시는 거죠, 그렇죠?"

"큰일 날 소리 하지 마. 적어도 벽에 똥칠할 때까지는 일 해야지."

"어이쿠, 무서워라."

그럼에도 야라의 표정은 그리 싫은 기색을 비치지는 않았다. 야라가 살짝 고민하는 표정으로 말했다.

"공주님 결혼하실 때까지만 일할까 생각 중이에요."

"……많이 잡아도 10년 남았는데?"

"설마 절 30년 넘게 부려 먹을 생각이셨어요?"

야라가 경악하며 물었고, 더글라스는 고개를 저었다. 그녀가 안심하려는 사이, 뒤이어 청천벽력 같은 말이 들려왔다.

"말했잖아. 벽에 똥칠할 때까지는 일해야 한다고. 그때 즈음이면 비앙카는 아이를 낳았겠지."

"맙소사."

야라는 고개를 설레설레 저었다. 이 콩가루 왕실을 최대 10년 더 보좌해야 한다니. 안 될 말이다. 아마 제명에 못 살지도 모르겠다. 그녀가 말했다.

"생각해 볼게요. 이미 돈은 차고 넘쳐서 어쩌면 그냥 아무도 모르게 이 나라를 뜰 수도 있어요."

"그건 국가 기밀 유출이야. 찾아서 사살해 버려도 난 책임 못 져."

"무서운 말씀을 눈 하나 깜짝 않고 하시네."

그녀가 투덜거리며 더글라스에게 말했다.

"하여튼 저 좀 늦을지도 몰라요. 왕비님하고 깨 볶고 있으세요."

"깨는 어제도 볶았어."

"지금 제 앞에서 염장 지르시는 거예요?"

야라가 영 못마땅한 얼굴로 말을 남긴 뒤 뒤돌아 가 버렸다. 그 모습을 빤히 지켜보고 있던 더글라스가 쿡쿡 웃었다.

"자, 그럼 나도 슬슬 가 볼까."

"할부지!"

안드리 공작을 발견한 비앙카가 얼른 그에게로 달려갔다. 비앙카의 존재를 발견한 안드리 공작이 달려오는 비앙카를 감격한 얼굴로 안아 주었다.

"어이쿠, 우리 공주님!"

"할부지, 나 안 보구 시포쏘요?"

원래 이런 혀 짧은 소리는 오늘로 정확히 일곱 살이 된 그녀의 취향이 아니었지만, 안드리 공작에게만큼은 예외였다. 오랜만에 보는데 이 정도 팬 서비스는 맘 넓게 해 줘야지! 안드리 공작이 껌뻑 죽는 얼굴로 둥가둥가를 시전했다.

"많—이 보고 싶었지."

"근데 왜 비앙카 보러 안 와요?"

"미안해요, 공주니—임."

안드리 공작이 둥가둥가를 멈추지 않으며 비앙카를 달랬다.

"그래도 이렇게 봤잖아요. 응?"

"됐어요."

비앙카가 새초롬하게 고개를 돌리며 말했다.

"할아버지, 나 언제 한번 할아버지 댁에 가면 안 돼요?"

"할아버지 집에?"

안드리 공작이 과장되게 깜짝 놀란 표정을 지으며 말했다.

"되지 왜 안 돼요—. 우리 비앙카 공주님 오면 할아버지가 맛있는 거 많—이 해 줘야지."

"우와! 엄마한테 말해 볼래요."

비앙카가 한 번 까르르 웃은 후 안드리 공작에게 물었다. 한 사람이 안 보였다.

"근데 왜 오빠는 없어요?"

"아, 네 오라비는…….'

"할아버지!"

그때 익숙한 목소리가 들렸다. 비앙카는 속으로 조용히 웃으며 아델리오를 반겼다.

"오라버니?"

"비앙카?"

비앙카를 발견한 아델리오의 입가에 희미한 미소가 스쳤다. 4년 만이었다.

"여전히 못생겼구나."

"……."

그리고 6년 전과 다름없이 싸가지 없는 오라비였다. 비앙카의 이마에 작은 힘줄이 돋았다.

"비앙카 예쁜데?"

"맞아. 공주님은 예쁘시지."

"아냐, 못생겼어."

안드리 공작까지 거들었지만, 아델리오는 변함없이 웃으며 비앙카의 박색을 주장했다. 야, 이 자식아! 그러는 너는 얼마나 잘생겼…… 아, 이 부분은 도무지 비난을 못 하겠어. 진짜 잘생겼거든. 나이답지 않게.

비앙카는 차분히 아델리오의 얼굴을 뜯어보았다. 못 본 사이에 더 잘생겨졌네, 자식.

아직 변성기는 안 왔는지 목소리는 변함없이 청아했다.

"오라버니 잘생겼어."

"……."

"비앙카는 이뻐."

"……그래."

아델리오가 한숨을 쉬며 말을 바꾸었다.

"확실히 아기일 때보다는 낫네."

그렇지? 네가 생각해도 내가 참 예쁘…….

"덜 쭈글쭈글해."

"……."

고작 그……거야?

"아, 그리고 좀 더 사람 같아졌네."

"……."

이게 아델리오 식 칭찬이라면 칭찬이었다. 잠깐, 그렇다면 그 전까지는 내가 짐승 같았다는 거야? 이 자식이!

하지만 잠시 후에 비앙카는 생각을 바꾸어 먹었다. 그래, 내가 고양이나 강아지처럼 깜찍하고 귀엽다는 뜻일 수도 있잖아? 긍정적으로 생각해, 비앙카. 어차피 이현령비현령인데, 뭐.

"비앙카 고양이 같아?"

"고양이보다는……."

아델리오는 잠깐 고민하다가 대답했다.

"개……."

잠깐, 잠깐. 거기까지만 해라, 오빠야? 이거 전체 관람가야.

"아델리오, 공주님께 못 하는 말이 없구나."

보다 못한 안드리 공작이 따끔하게 아델리오를 혼냈고, 그제야 아델리오는 새초롬한 표정을 지으며 입을 닫았다. 안드리 공작이 한숨을 쉬며 품에 안겨 있는 비앙카를 달랬다.

"공주님이 이해하세요—오. 저 녀석이 부끄럼이 많아서 그래요."

"……."

두 번 부끄러움 많았다간 나 욕받이 되겠는데요, 외할아버지? 비앙카가 어색하게 웃었다.

"오늘 좀 괜찮네."

그가 '흥.' 소리를 내며 중얼거렸다. 그 소리를 들은 비앙카가 해맑게 웃으며 드레스를 자랑했다. 어때, 이쁘지, 이 자식아? 너 같은 애는 절대 입어 볼 수조차 없는 특급 드레스다!

"드레스야. 예쁘지? 아빠가 맞춰 줬어."

"아버지가?"

비앙카의 말을 들은 아델리오가 이상하다는 듯한 표정을 지었다. 마치 '아버지는 결코 그런 쓸데없는 일을 하시지 않아.' 하고 표정으로 말하는 것 같아서, 비앙카는 한 번 더 못 박아 말했다.

"응! 아주 비싼 값을 주고 샀어."

"흠……."

아델리오는 별로 곱지 않은 시선으로 드레스를 쳐다보다가, 곧 한숨을 쉬며 대꾸했다.

"그랬구나."

"별로야?"

반응이 영 신통찮아서, 비앙카가 궁금한 표정으로 물었다.

"왜, 오라버니는 별로야?"

"……아냐, 괜찮네."

의외라서 그러지. 아버지는 한 번도 이런 데에 돈을 쓴 적이 없었다. 그러니 놀라울 수밖에. 속으로 조용히 말을 삼키며, 아델리오는 건성으로 대답했다.

"예뻐."

"오라버니도 나중에 입어 볼래?"

"……그런 건 여자들이나 입는 거야."

맞다. 이건 여자들이나 입는 거다.

……하지만 네가 말하니까 그것조차 왠지 여성 차별적

발언 같구나, 오라버니야. 떨떠름한 표정을 지으며 고개를 끄덕인 비앙카가 다른 질문을 했다.

"나 오라버니 사는 데 가도 돼?"

"우리 집?"

비앙카가 정정했다.

"외할아버지 댁."

"그게 우리 집이지, 뭐."

"달라."

비앙카가 다시 한 번 정정했다.

"오라버니 집은 여긴걸."

"……."

아델리오가 비앙카를 묘한 눈으로 쳐다보다 물었다.

"그래서 언제 올 건데?"

"……그러게."

그러고 보니 막상 그걸 생각을 안 해 봤네. 이런. 비앙카가 얼른 말을 급조해 냈다.

"다, 다음 주?"

"다음 주?"

아델리오가 고개를 갸웃거리며 안드리 공작에게 물었다.

"할아버지, 괜찮아요?"

"이 할아버지는 언제든 괜찮지요. 하지만 너희 엄마는 너무 이르다고 생각할지도 모르겠어요-오."

안드리 공작이 비앙카의 볼살을 만지며 다정하게 말했다.

"하지만 언제든 오세요, 우리 공주니—임. 이 할아비는 당장 오늘 저녁에 와도 괜찮거든요."

"꺄! 근데 가면 맛있는 거 많이 해 줄 거예요?"

"배 터지게 해 줄게요—오."

"우와!"

비앙카가 탄성을 지르며 안드리 공작의 볼에 뽀뽀했다. 안드리 공작이 기뻐 죽을 것 같은 표정을 짓는 사이, 누군가가 올가의 드레스를 잡아당겼다.

"엄마."

"어머, 소피."

소피아였다. 그녀가 약간 칭얼대는 투로 물었다.

"아빠는?"

"지금 오고 계신대. 약간 늦으실 거야."

"이런."

그녀가 약간 풀 죽은 듯한 표정을 짓자, 올가가 소피아의 이마에 작게 입을 맞추었다.

"자, 아버지는 곧 오실 테니 너무 걱정하지 말고…… 예의를 갖춰 인사부터 드리렴, 아가. 안드리 공작님과 아델리오 왕자님이시란다."

베이지색 드레스를 입은 소피아가 예의 바르게 안드리 공작과 아델리오에게 인사했다.

"안녕하세요, 전하. 안녕하세요, 왕자님."

"예의 바른 아가씨로구나."

안드리 공작이 흐뭇한 표정으로 말했다.

"네 아비의 머리카락을 쏙 빼닮았구나. 눈도 아비를 빼닮았고. 아버지 판박이야."

"우리 아빠랑 엄마를 알아요?"

"그럼, 알지."

안드리 공작이 인자하게 웃으며 대답했다.

"내가 너희 엄마 아버지 결혼을 엄청나게 반대했거든."

"네? 왜요?"

"음……."

잠깐 고민하는 표정을 짓던 안드리 공작이 곧 명쾌한 목소리로 답을 내놓았다.

"너희 아버지가 너무 못생겨서."

"우리 아빠 잘생겼어요!"

소피아의 말에 안드리 공작이 피식 웃으며 소피아의 머리를 쓰다듬고는 말했다.

"엄말 닮아 미인이구나."

"그건 감사합니다."

우리 엄마가 좀 예뻐요. 소피아가 기분 좋은 표정으로 고개를 숙였다. 그때 아델리오가 천진한 표정으로 올가에게 물었다.

"올가, 이 애는 누구야?"

"왕자님, 제 딸아이랍니다."

"올가 딸?"

"네. 딜리스 자작 영애랍니다. 지금은 비앙카 공주님의 놀이 친구로 지내고 있어요."

"놀이 친구?"

아델리오가 고개를 갸웃거리며 올가에게 물었다.

"그게 뭐야?"

"그냥 공주님과 같이 놀며 지내는 거죠. 말벗이나 친구처럼요."

"흐응, 그렇구나."

아델리오가 고개를 끄덕이며 소피아를 흘긋 보았다. 어째, 무언가가 마음에 들지 않았다. 그가 물었다.

"그럼 하루 종일 얘랑 같이 있는 거야?"

"누가요?"

"비앙카 말이야."

"아마 대부분요?"

"……."

그 말을 들은 아델리오의 표정이 좀 더 새초롬하게 변했다. 하지만 아무도 거기까지는 눈치채지 못했다.

그때, 익숙한 목소리가 그들 사이를 파고들었다.

"비앙카 공주님."

"야라?"

비앙카가 가물가물한 목소리로 이름을 맞혔고, 야라는 뛸 듯이 좋아했다.

"어머! 맞아요, 공주님. 야라예요. 야라 코스텔로. 용케 기억하시네요. 제 이름을 기억해 주시다니 영광이에요."

야라는 비앙카가 자신을 기억해 준다는 사실에 뛸 듯이 기뻐했고, 비앙카는 속으로 안도의 한숨을 쉬었다.

'휴.'

못 알아봤으면 엄청 서운해할 뻔했다. 비앙카가 희미하게 웃었다. 야라와는 아직까지 많은 접점이 없던 탓에 그리 친숙한 관계는 아니었다. 하지만 분명 좋은 사람이었다. 무엇보다도 얼굴이. 비앙카가 솔직하게 말했다.

"야라 예뻐."

"어머, 감사해요."

여자에게 예쁘다는 말은 최고의 칭찬이다. 그리고 실제로도 야라는 예뻤다. 비앙카가 알고 있는 게 맞는다면, 야라는 올해로 마흔 하나일 터다. 그런데도 그녀는 고작해야 20대 후반으로밖에 안 보였다. 그게 관리의 힘인지 유전자의 힘인지는 모르겠지만, 어쨌든 그녀는 예뻤다. 부정할 수 없는 사실이다. 어째 야라 이 언니는 6년이 지났는데도 그대로야! 늙지를 않아! 나중에 크면 꼭 피부 관리 비법을 물어봐야지.

"공주님도 오늘 정말 아름다우시네요."

"고마워."

"참, 제가 생일 선물을 준비했는데."

"선물?"

"네."

야라가 비앙카에게 작은 롤리팝 하나를 건네며 말했다.

"인형을 좋아하시는 것 같아서 그걸로 드리려고 했는데, 요즘 단걸 즐겨 드신다고 해서요. 급하게 바꾸었답니다."

"정말?"

"네. 정말이요. 공주궁으로 돌아가시면 선물이 짠! 하고 기다리고 있을 거예요."

정말? 비앙카가 동그래진 눈으로 물었다. '정말' 하고 야라의 두 눈이 대답하고 있었다.

"기대하셔도 좋아요."

싱긋 웃으며 비앙카에게 속삭인 야라가, 이번에는 아델리오에게로 시선을 돌렸다. 그녀가 어린 왕자에게 인사했다.

"오랜만에 뵈어요, 왕자님."

"재상님, 안녕."

"리오, 버릇없게."

뒤늦게 안드리 공작이 그를 꾸짖었지만, 야라는 그냥 두라는 듯 고개를 저었다.

"오스카 왕자님에 비하면 차라리 이 편이 낫답니다, 전하."

세자께서는 어찌나 예의가 바르신지, 너무 딱딱하셔서 차라리 예의가 없기를 바랄 정도예요. 야라의 말에 안드리 공작이 한숨을 쉬었다.

"나이를 먹어도 여전하구나, 그놈은."

"나이를 드시니 더 그러신 거지요. 물론 일국의 세자이니 흠은 안 됩니다만, 너무 일찍 어른이 되신 것 같아 저는 걱정이랍니다."

"확실히 버릇없는 것보다야 예의 바른 게 더 낫긴 하지. 그렇지 않니, 리오?"

"……주의할게요."

"그래, 착하구나."

안드리 공작이 인자하게 웃으며 야라에게 물었다.

"한데 폐하께서는 어디 계시나?"

"저보다 일찍 가셨는데, 이런……."

야라가 난감한 표정으로 말했다.

"실은 저도 잘 모르겠습니다. 분명 오늘은 늦지 않겠다고 하셨는데……."

야라의 말에 비앙카가 얼른 고개를 두리번거리며 더글라스를 찾았다. 아빠 어디 있니? 나와라, 얍! '못 찾겠다, 꾀꼬리'를 속으로 외치며 열심히 더글라스의 머리끝을 찾던 비앙카가 곧 탄성을 질렀다.

"아빠 저기 있어!"

"어디요, 공주님? 아……."

올가가 중얼거렸다.

"단상에 계시네요."

그 말이 끝나기가 무섭게, 더글라스의 목소리가 들렸다.

"다들 조용히 하지."

분명 작은 목소리였는데도, 그걸 용케 알아들은 귀족들은 금세 입을 다물었다. 실로 놀라운 단합력에 비앙카는 속으로 혀를 내둘렀다. 귀족들은 전부 소머즈라도 되는 거야?

"다들 알고 있겠지만, 오늘은 비앙카르체 루드비카 코피아 델 소그노 공주의 일곱 번째 생일이다."

그렇게 말한 더글라스가 장내를 두리번거리며 비앙카를 찾았다. 비앙카가 손을 번쩍 들었다. 아빠, 나 여기에 있어. 여기!

"공주는 잠깐 앞으로 나와 보지."

"공주님, 어서 가세요."

올가가 들뜬 목소리로 비앙카를 재촉했다. 비앙카가 혼자서 아장아장 단상 앞까지 걸어갔다. 귀족들이 탄성을 지르며 길을 비켜 주었다. 그녀의 귀여움과 사랑스러움을 찬양하는 말소리가 간간히 들려왔고, 비앙카는 세상 뿌듯해진 얼굴로 계단을 오르기 시작했다.

"웃차!"

단상 계단을 하나하나 올라가는 비앙카의 뒷모습은 사랑스러움 그 자체였다. 아마 이 시대에 사진기라는 게 있었다면 누구든 그 뒷모습을 찍어 저장했을 것이다. 이제는 어느 정도 자라 팔다리가 길쭉길쭉한 모델 같은데도 저렇게 깜찍할 수 있다니!

더글라스가 힘겹게 단상 위를 올라오는 비앙카를 빤히 쳐다보다가, 곧 한숨을 쉬며 그녀를 번쩍 들어 올렸다. 졸지에 비행기를 타게 된 비앙카가 작게 소리 질렀다. 으악, 깜짝이야! 아빠, 이렇게 갑자기 사람 놀래키기 있기, 없기?

"끄악!"

"쉬이, 괜찮아."

무심하게 애를 달랜 더글라스가 그녀를 직접 안아 들었고, 비앙카는 언제 놀랬냐는 듯 편안하게 더글라스의 품에 안겨 콧잔등을 긁적였다. 단상 위에서 아래를 내려다보니 사람들이 개미처럼은 아니더라도 확실히 작게 보였다.

"오늘 공주의 생일을 맞아 특별히 선물을 준비했다. 주방장?"

더글라스가 눈짓을 하자, 머리 위로 하얗고 긴 모자를 쓴 남자 두어 명이 게리동을 끌고 나왔다. 그리고 거기에 담겨 있는 것은…….

'뭐야, 저게?'

비앙카는 경악하며 게리동에 담긴 것을 쳐다보았다. 지금 내가 보고 있는 게 뭐지?

진지하게 고민하던 비앙카는, 곧 들려오는 더글라스의 말에 그녀의 눈이 잘못되지 않았음을 확신했다.

"널 위한 케이크다, 공주."

게리동 위에 있던 것은, 비앙카의 얼굴이 그려진 7단 케이크였다.

5단도 아니고 7단! 비앙카는 속으로 경악했다.

'떫? 이 사람 진짜…… 우리 아빠 맞아?'

"마음에 드니?"

더글라스는 어쩐지 설레 보이는 표정으로 비앙카에게 물었다.

그 표정과 목소리에서 칭찬을 기대하는 듯한 의도가 분명하게 드러났기 때문에, 비앙카는 그 부분에서 한 번 더 놀랐다. 물론 케이크는 아주 마음에 들었다!

비앙카는 지금 격렬하게 환호까지 할 수 있는 상황이었지만, 그녀가 쉽사리 그렇게 하지 못한 것은 순전히 매우, 매우 놀랐기 때문이었다. 그 짠돌이 더글라스가 자신을 위해 이렇게까지 사치스럽게 변할 수 있다니!

그녀는 전생에서도 7단 케이크까지는 받아 본 적이 없었다. 그건 돈 문제를 떠나서 만들기가 너무 어려웠다. 여기 주방장은 도대체 얼마나 능력자인 거야?

비앙카가 까르르 웃으며 더글라스에게 안겼다.

"고마워요, 아빠."

"흥, 별것도 아닌 걸 가지고 유난스럽군."

말은 그렇게 했지만 꽤나 뿌듯한 모양이다. 더글라스가 비앙카를 왼손으로 안은 채, 다른 한 손으로는 나이프로 케이크를 직접 잘랐다. 비앙카는 그 중 한 조각을 고사리 같은 손으로 떼어 낸 다음 한 입 베어 물었다.

케이크는 진짜, 진짜 맛있었다!

"세상에……."

한편, 그 모습을 보고 있던 왕비 릴리아나는 제 눈을 의심해야 했다. 돈이라면 벌벌 떠는 저 인간이 3단도 아니고 5단도 아니고 무려 7단 케이크? 릴리아나가 놀란 표정으로 고개를 가로 저으며 탄식했다.

"오래 살고 볼 일이야. 폐하께서 저런 일까지 하시다니."

"확실히 요 몇 년 새에 폐하께서 많이 변하셨지요."

이머진이 후후 웃으며 덧붙였다.

"많이 다정해지셨어요. 아마 공주님의 영향이 크지 않을까요?"

"나도 그렇게 생각해."

"맞아요. 왕비님도 많이 변하셨거든요."

"내가?"

이머진의 말에 릴리아나가 피식 웃으며 자기 비하를 했다.

"뭘. 골 비고 쇼핑 좋아하는 건 똑같지."

"……."

저…… 굳이 그렇게까지 자기 비하를 할 필요는 없고요. 이머진이 어색하게 웃으며 릴리아나에게 물었다.

"그보다, 세자비 간택은 잘돼 가고 있나요?"

이머진의 질문에 그녀를 빤히 응시하던 릴리아나가 푸핫 웃음을 터뜨리며 물었다.

"손님들이 어지간히 궁금해하나 봐?"

"중차대한 사안이니까요."

조금의 부끄러운 기색 없이 은은히 미소 지은 샤마카 백작 부인이 덧붙였다.

"그러니까 이런 건 함부로 말하고 다니면 제 목이 달아나겠죠. 저만 알고 있을게요, 전하. 네?"

"안 돼."

릴리아나가 웃으면서도 단호한 표정으로 이머진의 청을 거절했다. 그런 뒤에 구차하지만 이유를 하나 덧붙였다.

"아직 명확히 결정 난 게 없어. 잘못된 정보를 전해 줄 수야 없지."

"이런."

이머진이 약간 놀랍다는 얼굴을 하며 말했다.

"역시 며느리는 며느린가요? 왕비님답지 않게 선택이 늦으시네요."

"내 인생에서 가장 길게 고민하는 중이야. 맙소사! 정말 나답지 않긴 하다."

"좋은 거예요. 며느리를 대충 고르실 순 없잖아요?"

거기다 다른 누구도 아닌 세자비신데요. 이머진의 말에 릴리아나가 두어 번 고개를 끄덕였다가, 곧 슬며시 화제를 돌렸다.

"그보다 폐하께서 저런 선물을 준비하시다니, 정말 놀랐지 뭐야."

"어머, 맞아요. 세상에 짠돌이로 소문나신 폐하께서 저런 거대한 케이크라니! 공주님의 이번 탄신 연회도 왕비님 사비로 준비하지 않으셨어요?"

"맞아. 그래서 난 솔직히 조금도 기대하지 않았거든."

"그래도 폐하께서 공주님이 태어나신 이후로 좀 바뀌고 계신 거 같아요. 예전보다 왕실 일에 좀 더 신경 쓰시는 것 같기도 하고…… 가족분들께도 그렇고요."

"그런가?"

릴리아나는 고개를 갸웃거리며 이머진의 말을 가만히 곱씹었다. 뭐, 생각해 보면 좀 바뀌긴 했다. 비앙카가 입을 드레스도 예산에 편성해 주지 않나, 이번에는 생전 안 하던 탄신 선물을 준비하지 않나. 릴리아나가 피식 웃으며 중얼거렸다.

"뭐, 확실히 그런 것 같긴 해."

그러다가 릴리아나는 갑자기 무언가를 깜빡했다는 듯

'아!' 소리를 내며 혼잣말했다.

"근데 오스카 얘는 어디에 갔길래 안 보이는 거야?"

"다들 어디 있는 거야."

손에는 칵테일 잔을 든 오스카가 두리번거리는 시늉을 하며 걸었다. 잔업이 남아 파티에 조금 늦게 참석한 오스카는, 유감스럽게도 길치였다. 그에게 넓디넓은 파티장에서 가족들을 찾아내는 일은 사막에서 오아시스를 찾는 것만큼이나 어려운 일이었다. 설상가상으로 오늘따라 귀족들이 그를 붙잡고 대화를 하는 빈도도 높았다.

'빨리 비앙카를 봐야 하는데.'

"으아!"

그때 바로 지척에서 비명이 들렸다. 그 소리에 놀란 오스카는 저도 모르게 칵테일 잔을 떨어뜨렸다. 쨍그랑! 요란한 소리와 함께 유리잔이 대리석 바닥으로 떨어져 산산조각이 났다. 시선을 멀리 두고 있던 오스카의 눈이 자연스럽게 커졌다.

"아…… 괜찮으신가요, 영애?"

"죄, 죄송합니다!"

아마 서로 부딪힌 모양이었다. 쌍방 과실이라고도 볼 수 있겠지만, 어쨌든 오스카가 한눈팔며 걷느라 주의를 기울이

지 않은 것도 잘못이었다. 그는 얼른 사과했다.

"미안합니다. 제 부주의로……."

"저는 정말로 괜찮아요, 영식."

여자가 예의 바르게 인사했다. 오스카는 그제야 자신과 부딪힌 어린 소녀를 찬찬히 쳐다볼 수 있었다. 허리까지 내려오는 아름다운 적갈색 머리카락에 오렌지 오팔을 닮은 보석 같은 눈동자가 인상적이었다.

"그보다 다치신 데는 없으세요?"

소녀의 질문에 오스카는 대충 자신의 몸을 훑으며 대꾸했다.

"어…… 어? 피!"

오스카가 새파래진 얼굴로 작게 소리쳤다. 아까 유리잔이 깨지며 그의 손을 베었는지, 오른손 부근에서 시뻘건 핏물이 뚝뚝 떨어지고 있었다. 그 모습을 본 소녀가 기겁하는 표정을 지었다.

"세상에! 어떻게 해……. 죄송해요."

"아니, 뭐…… 따져 말하자면 영애의 잘못도 아닌데요. 그렇게 깊은 상처도 아닌 것 같고. 정말 괜찮습니다."

오스카는 피를 무서워했다. 그래서 솔직히 말해 전혀 괜찮지 않았지만 그렇게 말했다. 어쩐지 아까부터 손이 은근히 아파 온다 했다. 오스카는 핏물이 뚝뚝 흐르는 오른손을 왼손으로 부여잡으며 속으로 신음을 삼켰다. 그 모습을 걱정스러운 모습으로 빤히 바라보던 소녀가 곧 무슨 생각이라도 난 건지 그에게 말했다.

"실례가 안 된다면 제가 상처를 좀 보아도 될까요?"

"예?"

갑작스러운 이야기에 오스카는 당황했고, 어쩐지 진지해 보이는 소녀의 표정에 무의식적으로 고개를 끄덕였다. 그러자 소녀는 얼굴이 갑자기 밝아지더니, 그를 데리고 약간 구석진 곳으로 데려갔다. 그리고 '잠깐만 기다려 주세요.'라는 말을 남기고 사라져 버렸다. 혼자 남은 오스카는 피가 흐르는 오른손을 멍하게 쳐다보다가, 곧 눈을 찡그렸다.

"저 빨리 왔지요?"

얼마 지나지 않아 소녀가 양손에 무언가를 들고 등장했다. 흰 손수건과 고형의 약, 그리고 적색 와인이었다.

그녀가 그의 앞에 무릎을 꿇고 앉더니 그의 피 묻은 손에 와인을 들이부었다. 상처에 액체가 들어가자 아까보다 고통이 심해졌다. 오스카는 저도 모르게 앓는 소리를 냈다.

"이렇게 해야 나중에 썩지 않는대요."

"……."

오스카는 '유리잔에 베인 걸로 설마 썩기야 하겠어?'라는 생각이 들었지만, 그냥 입을 다물기로 했다.

소녀는 오스카가 무슨 생각을 하는지도 모른 채 상처 치료에 전념했다. 진지한 표정으로 상처 부위에 녹색의 알 수 없는 약을 발랐다. 마지막으로 손수건으로 상처 부위를 세

게 묶고, 끝부분을 리본 모양으로 묶고 나서야, 소녀의 좁혀졌던 미간은 비로소 펴질 수 있었다.

"다 되었어요."

소녀는 그렇게 말하며 오스카를 향해 웃어 보였다. 순간 오스카의 심장에 통증이 일었다. 마치 심장이 유리잔 조각에 베인 것처럼. 그건 사람들이 통상적으로 말하는 '첫눈에 반했을 때'의 증상이었지만, 그런 쪽으로 무지한 오스카가 그걸 알 리 없었다. 그는 속으로 갸우뚱거렸다.

'뭐지?'

"고맙습니다. 궁의에게 치료받으면 되는데."

"궁의를 불러오려면 시간이 걸리니까요. 제가 한 건 임시니까 꼭 의사에게 상처를 보이세요."

그렇게 말한 소녀는 다시 한 번 이를 드러내고 환하게 웃었다. 참 잘 웃는 것 같다고 생각하며, 오스카는 별생각 없이 그녀에게 말했다.

"비앙카 공주의 탄신 연회에 참석한 건가요? 드레스가 예쁘네요."

"감사해요."

소녀는 그렇게 대답하더니 또 한 번 수줍게 웃어 보였다. 하지만 상대 쪽은 상태가 더 심각했다. 마침내 오스카의 얼굴이 본인의 의지를 배반한 채 새빨개졌고, 소녀는 그것을 이상하게 여겼다. 그녀가 오스카에게 얼굴을 들이대며 물었다.

"어? 얼굴이 빨가신데요. 혹시 어디 아프신 건……."

"아, 아니!"

당황한 오스카가 얼른 대답했다.

"괜찮습니다. 칵테일을 너무 많이 마셔서 그래요."

정작 한 잔도 다 마시지 못했지만, 오스카는 그렇게 거짓 말했다. 그 말을 들은 소녀는 수긍한다는 표정으로 고개를 두어 번 정도 끄덕여 보였다. 그런 다음 굽혔던 무릎을 펴고 일어나 그에게 말했다.

"제가 너무 큰 실례를 끼친 것 같아 죄송합니다. 모쪼록 즐거운 시간 보내세요."

"아, 잠시만……."

그가 얼른 소녀를 붙잡자, 소녀가 의아한 표정으로 물었다.

"왜 그러세요? 혹시 제 도움이 더 필요하신 일이라 도……."

"아뇨, 그런 게 아니라……."

붉어진 얼굴로 침을 꿀꺽 삼킨 오스카가 말을 이었다.

"가문…… 아니, 성함이…… 어떻게 되시나요?"

"아."

소녀가 살짝 입을 벌리고 미소를 지은 다음, 곧 부드러운 목소리로 답했다.

"하몬 가문의 장녀 헤스터라고 합니다."

대대로 왕실 요리사를 배출하는 것으로 유명한 가문이었다. 소그노 왕국에서는 기술자들도 그 능력이 빼어나다면 귀족의 작위를 받을 수 있었다. 오스카가 멍 때리고 있는 사이, 소녀의 목소리가 들려왔다.

"영식께서는요……?"

물어봤고, 대답도 나왔으니 이제는 이쪽에서 신원을 밝힐 차례였다. 오스카는 잠깐 머뭇거리다가, 곧 사실대로 말했다.

"오스카 할리 라우스 안 소그노."

"어……."

"그게 제 풀 네임입니다."

"그럼……."

헤스터가 깜짝 놀라며 물었다.

"오스카 왕자님이세요?"

"네……."

"아니, 아니, 말씀 낮추……."

"괜찮습니다. 이게 편해서요."

희미하게 웃어 보인 오스카를 바라보며, 헤스터는 순간 자신이 지금 설레어하고 있다는 사실을 깨달았다. 아, 이러면 안 되는데. 지금 뭐 하는 짓이야. 그녀가 초점이 잡히지 않는 눈동자를 굴리며 더듬더듬 말했다.

"아…… 그럼 어서 궁의를 불러야……."

"레이디 헤스터의 치료도 훌륭해서요. 천천히 보이겠습니다."

오스카는 약간 멍한 목소리로 그렇게 말했고, 헤스터는 고개를 끄덕인 뒤 약간 수줍은 듯한 미소를 남긴 채 종종걸음으로 얼른 자리를 떴다. 그래서 결국 혼자 그 자리에 남게 되었을 때, 오스카는 가만히 자신의 가슴 위로 손을 올려 보았다. 조용히 울렸던 심장이 평소와는 달리 야단법석을 떨며 뛰고 있었다.

"냠냠."

비앙카는 입가에 케이크의 크림이 덕지덕지 묻는 것도 개의치 않은 채 계속해서 7단 케이크를 퍼먹었다. 단거, 디저트라면 환장하는 그녀에게 케이크의 크림이 주는 느끼함 따위는 별로 중요하지 않았다. 그 모습을 흐뭇하게 바라보던 더글라스가 비앙카를 불렀다.

"공주."

"응?"

정신없이 먹던 비앙카가 그제야 고개를 들어 올리자, 더글라스가 여전한 미소를 지어 보이며 물었다.

"맛있어?"

"응!"

그걸 말이라고! 케이크는 원래 맛있는 것이다. 심지어 이건 왕궁 요리사가 만든 케이크다. 맛이 없을 리가? 활기차게 대답한 비앙카가 곧 깜빡 잊었다는 듯 손뼉을 쳤다. 더글라스가 그 모습을 의아하게 바라보는 사이, 비앙카가 아장아장 더글라스에게로 걸어와 그를 빤히 올려다보았다. 그러자 더글라스가 물었다.

"왜?"

"아빠."

비앙카가 깜찍한 표정으로 더글라스에게 말했다.

"나 좀 들어 올려 주세여."

비앙카는 이런 요구를 잘하지 않는 딸이었다. 더글라스는 새롭다는 느낌이라도 받았는지 오묘한 표정을 지으며 그녀의 원대로 해 주었다. 비앙카가 더글라스의 볼로 얼굴을 가져가 그의 볼에 뽀뽀를 남겼다. 더글라스의 눈이 왕방울만 해졌다.

"감사합니당."

"……."

전혀 예상치 못한 말에 더글라스가 당황하는 사이, 비앙카는 속으로 큭큭 웃었다. 역시 우리 아빠의 별미는 이런 순진함이라니까. 비앙카의 뽀뽀로 더글라스의 볼에도 케이크 크림이 일부 묻었지만, 더글라스는 별로 개의치 않아 하며 비앙카를 보다 안정적으로 들어 올렸다. 참고로 그는 약한 결벽증이 있는 남자였다.

"……뭘. 케이크가 마음에 들었나 봐?"

"응! 마시써."

"그래."

다행이다. 더글라스가 설핏 웃었다. 그때 다른 누군가가 비앙카를 불렀다.

"비앙카 공주님?"

비앙카가 반사적으로 고개를 돌리자, 거기에는 한 소녀가 서 있었다. 적갈색의 긴 머리카락을 늘어뜨린 소녀가 비앙카에게 인사했다.

"탄신을 경하 드려요, 공주님. 하몬가의 헤스터라고 합니다."

"안녕하세요."

비앙카가 예의 바르게 고개를 꾸벅 숙이자, 헤스터의 얼굴은 금세 새빨개졌다.

헐, 어떻게 해! 너무 귀여우시잖아!

공주님이 귀엽다는 소리는 이미 익히 들어 알고 있던 헤스터였지만, 막상 대면하니 그 귀여움이 상상을 초월했다. 국왕 폐하와 왕비님의 외모가 워낙 수려하시니 대충 예상은 했지만, 그래도 이렇게까지 사랑스러우실 줄이야! 헤스터가 비앙카의 오물거리는 입술에서 시선을 떼지 못한 채 긴장으로 침을 꿀꺽 삼켰다.

"약소하지만 공주궁으로 선물을 보내 드렸어요. 디저트를 좋아하신다고 하셔서 페르난사 제도에서만 특별히 생산되는 사탕으로 준비했는데, 마음에 드실지 모르겠네요."

그렇게 말하며 헤스터는 사탕 하나를 비앙카에게 건넸다. 올가가 친절하게 사탕을 싼 종이 껍질을 까 비앙카의 입에 넣어 주었다. 오물거리는 비앙카를 긴장된 눈으로 쳐다보며, 헤스터가 조심스럽게 물었다.

"입에 맞으세요?"

입에 맞느냐고? 비앙카는 조금의 고민도 없이 바로 답했다.

"응!"

세상에 이런 사탕이 있을 수가 있나? 이런 단맛이 있을 수 있나? 비앙카는 자신이 지금까지 먹었던 모든 디저트는 이 사탕에 비하면 새 발의 피도 못 된다는 걸 깨달아 버렸다. 앞으로 다른 사탕 먹기는 글러 버렸군.

"이거…… 또 있어여?"

비앙카가 기대에 찬 눈빛으로 묻자, 헤스터는 그녀가 정말로 그 사탕을 마음에 들어 하고 있음을 깨닫고선 기쁨의 미소를 지었다. 마음에 드셔서, 정말 다행이었다. 헤스터가 부드러운 목소리로 말했다.

"물론이죠, 공주님."

그녀는 혹시 몰라 좀 더 챙겨 왔던 사탕들 중 하나를 더 꺼내 직접 포장지를 벗겨 비앙카의 입에 넣어 주었다. 비앙카의 볼이 거대한 알사탕 두 개로 인해 더 볼록해지자, 주변에 있던 모든 사람들의 표정이 더 풀어지기 시작했다. 비앙카가 입 안에서 알사탕 두 개를 굴리며 평소보다 더 엉성해진 발음으로 헤스터에게 감사 인사를 했다.

"고마오, 헤수터. 사탕 노무 마시또요."

"감사해요, 공주님."

헐, 이름이 불렸어! 헤스터는 속으로 감격하면서 미소 지었다. 그때 사탕만 오물거리며 달콤함을 즐기던 비앙카가 갑자기 큰 목소리를 내며 누군가를 불렀다.

"어? 오스카 오라버니다!"

오스카였다. 헤스터는 그 소리를 듣고 갑자기 긴장했다. 아까 자신과 부딪히며 그가 상처를 입었던 탓에, 혹시 왕족 상해죄로 벌을 받으면 어쩌나 걱정했던 탓이다. 물론 오스카는 그런 일로 책임을 물을 쪼잔한 사람은 아니었지만, 상대적으로 아래쪽의 신분인 헤스터로서는 걱정이 되는 게 사실이었다.

"오라버니! 왜 이렇게 늦었어?"

비앙카가 괜히 불만스러운 표정을 지으며 따져 묻자, 오스카는 내심 기분이 좋아지는 것을 느꼈다. 그가 약간 의기양양해진 표정으로 물었다.

"……기다리기라도 한 거야?"

"그럼!"

사실은 별로 기다리지 않았지만, 오라버니의 기분을 위해 특별히 그렇게 말해 주지! 비앙카가 선심 쓰는 표정으로 말했다.

"많이 기다렸지. 왜 늦었어?"

"일이 많아서."

대답을 마친 오스카가 새침한 표정으로 비앙카의 불룩한 볼을 만지며 물었다.

"볼이 왜 이렇게 못생겼어?"

"……."

귀여운 거라고 해 줄래요, 이 싸가지 없는 오라버니야?

이게 어떻게 못생긴 거야? 다른 사람들 표정을 봐! 지금 나보고 귀여워 죽겠다는 표정이잖아! 하여튼 말 한마디를 이쁘게 안 한다니까?

"안 못생겼어!"

"못생겼어."

그렇게 말한 오스카가 아무렇지 않게 비앙카의 통통한 볼을 꾹 눌렀다. 딱딱한 사탕이 만져지자, 오스카가 살짝 인상을 찌푸리며 물었다.

"사탕이야?"

"응."

"단거 많이 먹으면 이빨 썩는다."

"이쁜 언니가 줬는데."

"누구? 재상님?"

"아니."

비앙카가 고개를 도리도리 저으며 헤스터를 가리켰다.

"저 언니. 헤스터."

그제야 오스카는 헤스터를 발견하고선 고개를 돌렸다. 그리고 우연찮게 그녀와 눈이 마주쳤다. 순간, 두 사람 사이에 뜻 모를 정적이 흘렀다.

"……."

"……."

오스카는 슬며시 붉어지려는 얼굴을 막으며 홱 고개를 돌렸다. 그는 사탕에 대해 다시 말하지 않았다. 대신 다른 이야기로 넘어갔다.

"부왕 폐하께 케이크를 생일 선물로 받았다며? 나도 못 누려 본 호사를 네가 누려 보는구나."

하지만 비앙카는 이미 그 말이 귀에 들려오지 않았다. 이미 오스카의 평소와는 달라진 얼굴 표정의 변화를 눈치챈 그녀가 흥미롭다는 표정을 감추며 고개를 갸웃거렸다.

'이 사람들 봐라?'

뭐야, 첫눈에 반하기라도 한 거야? 우리 오빠 표정이 어째 영…… 심상치 않은데? 비앙카는 이 두 사람을 앞으로 좀 지켜봐야겠다고 생각하며 대충 맞장구쳤다.

"같이 먹어, 오라버니."

"먹여 줘."

가지가지 한다. 비앙카가 선심 썼다는 듯 케이크를 조금 떼어 내 오스카의 입에 넣어 주었다. ……그 모습을 바라보는 더글라스가 질투의 눈빛을 비앙카에게 쏘았다. 그것을 무시하지 못한 비앙카가 역시나 선심 썼다는 듯한 표정으로 고개를 뒤로 돌려 더글라스에게 물었다.

"아빠도? 먹여 주까?"

"그러든지."

좋으면서 아닌 척은. 비앙카는 속으로 피식 웃으며, 아까보다 더 큰 조각을 떼서 더글라스의 입가에 내밀었다. 그 미묘한 변화를 눈치챈 더글라스가 입가에 피어오르는 미소를 숨기지 못하며 케이크를 받아먹었다. 하여튼 우리 아빠, 이럴 때만 눈썰미가 좋다니까.

"근데 엄마는 어디 갔어?"

"샤마카 백작 부인하고 같이 계셔."

"힝."

우리 엄마, 나보다 이머진 아줌마가 더 좋은 거야? 그런 거야? 약간 토라진 표정을 하고 있는데, 갑자기 비앙카가 저도 모르게 인상을 찡그렸다. 그러더니 다급하게 올가를 불렀다.

"올가, 올가!"

얼마나 급했는지 발음이 아나운서 수준으로 상당히 명확했다. 갑작스러운 반응에 모두가 당황했고, 내려 달라는 비앙카의 급한 요청에 더글라스는 비앙카를 바닥에 내려 주었다. 비앙카가 올가의 귓가에 입을 가져다 대고 무언가를 속삭였다.

"……나 화장실."

아하! 올가는 그제야 속으로 안도의 한숨을 쉬었다. 나는 또, 뭐 큰일 난 줄 알았네. 올가가 빙긋 웃으며 왼쪽 검지를 그녀의 붉은 입술 중앙에 가져다 대었다. 그 신호를 이해한 비앙카가 그제야 안심한 표정을 지었다. 내가 아무리 예쁘고 귀여운 척하는 아기라도 생리 현상까지는 노출하고 싶지 않았으니까!

"이만 공주궁으로 돌아가시는 게 좋을 것 같아요, 공주님. 너무 오래 계셨네요. 피곤하실 것 같아요."

"벌써?"

난색을 표한 것은 더글라스와 오스카였다. 그러나 올가는 강경하게 밀고 나갔다.

"너무 무리하셨다가 아프시기라도 하면 곤란합니다, 국왕 폐하, 왕자님. 오늘은 이만하시고 공주님을 궁으로 보내시는 게 좋겠어요. 일곱 돌을 맞으셨다지만 아직은 어리시니까요."

"그래, 무리는 하면 안 되지."

더글라스가 수긍하는 답을 하며 얼른 가 보라는 제스처를 취했고, 오스카는 마지막에 비앙카에게 뽀뽀를 요구했다. 비앙카는 하는 수 없다는 표정을 지으며 오스카의 이마에 작게 뽀뽀했고, 그걸 또 질투한 더글라스로 인해 그의 이마에도 똑같이 뽀뽀를 남겨 주어야 했다. 두 부자는 하나뿐인 딸내미, 여동생의 사랑스러운 뽀뽀를 정말 어지간히도 좋아했다!

"어휴, 시원해!"

화장실에서 나온 비앙카가 상큼한 표정을 지으며 물기 묻은 손을 귀여운 노란색 수건에 잘 닦았다. 그 모습을 본 올가가 흐뭇한 미소를 지으며 물었다.

"시원하세요, 공주님?"

"응!"

깜찍한 목소리로 대답한 비앙카가 올가에게 물었다.

"근데 아까 야라 언니가 선물 줬다고 했지?"

"네."

야라가 들었다면 좋아할 만한 호칭에 작게 웃은 올가가 대답했다.

"사실 저는 아까 잠깐 보고 왔어요."

"정말?"

"네."

올가가 미소를 잃지 않은 채 계속 말했다.

"정말 멋진 선물이에요. 공주님, 정말 좋으시겠어요."

"정말? 뭔데 그래, 올가?"

"비밀이에요. 지금 가서 보시면 되잖아요."

"좋아!"

발랄하게 소리친 비앙카가 도도도도 소리를 내며 방까지 달려갔다. 뒤에서 올가가 '공주님, 다쳐요!' 라고 주의를 주었지만 별로 개의치 않아 하는 모습이었다. 마침내 방문 앞까지 도착했을 때, 키가 작은 그녀가 얼른 시녀에게 문을 열어 달라고 재촉했다.

"우와!"

방으로 돌아온 비앙카는 방 한편을 가득 채운 야라의 선물들에 저도 모르게 탄성을 내질렀다. 선물은 디저트였다. 마카롱, 다쿠아즈, 과일 젤리, 푸딩, 초콜릿과 피스타치오가 알알이 박힌 쿠키, 슈, 머랭 쿠키, 오믈렛 빵, 티라미수 등등등……. 셀 수 없이 많은 디저트가 온 방 안을 가득 채우고 있었다.

세상에, 이게 다 몇 개야? 비앙카가 특유의 오도도도 소리를 내며 가득 쌓인 디저트 사이로 달려갔다. 그녀는 이렇게까지 많을 줄은 몰랐는지 꽤나 놀란 눈치였다.

"와, 재상님이 정말 많이 준비하셨네요."

뒤따라온 올가의 말에 비앙카가 '맞아!' 하고 크게 소리쳤다. 그래, 거대한 7단 케이크도 좋지만 역시 우리 야라 언니가 짱이다. 이렇게 섬세하고 다양한 선물이라니! 전생에서도 이런 화려한 선물은 받아 본 기억이 별로 없었다.

"근데 이거 상하지 않을까?"

"차가운 곳에 보관하면 될 거예요. 그리고 어차피 금방 드실 거잖아요?"

그건 그랬다. 이 정도 양이라도 작정하고 먹으면 사나흘이면 다 먹을 수 있었다. 더군다나 그녀 혼자 먹을 것도 아니고, 공주궁의 다른 시녀들과 함께 나눠 먹을 거라면! 더군다나 소피아도 디저트를 꽤나 좋아했기 때문에 어려운 일은 아닐 터였다.

"응. 다른 사람들에게도 나눠 줘야겠어."

"어머, 마음씨도 착하셔라."

올가가 빙긋 웃으며 비앙카의 곱슬곱슬한 머리를 쓰다듬어 주었다. 그녀가 다정스러운 목소리로 물었다.

"오늘 피곤하셨죠? 얼른 주무시는 게 좋겠어요."

"아냐. 올가가 더 피곤하겠지, 뭐."

핫, 방금 너무 속 깊은 소리 하지 않았나? 자신의 성숙함에 순간 흠칫 놀란 비앙카는 스스로 뿌듯해하는 표정을 지었다. 어떻게 해. 나도 이제 점점 커 가나 봐! 물론 실제 나이는 서른 살이 넘었다는 사실을 전혀 인지하지 못한 채였다.

"그러고 보니 내일부터는 또 바빠지겠네요."

"응? 왜?"

"공주궁에 시녀를 충원해야 해서요. 공주님을 모시는 역할로 한 명 정도 더 뽑으려고요."

"많이 지원할까?"

"그럼요."

공주의 시녀는 단순히 허드렛일을 하는 그런 하녀가 아니라, 공주의 시중을 들어 주고 말벗도 되어 주는 비서 같은 존재로, 중요한 직책이었기 때문에 주로 귀족 가문의 영애들이 맡는 게 일반적이었다. 물론 공짜는 아니었다. 왕궁에서 보수도 나왔고, 후일 결혼하는 데도 긍정적인 영향을 끼칠 수 있었다. 당연히 현대에서 환생한 비앙카는 그것까지는 알지 못했기 때문에 왜 굳이 귀족 영애들이 사서 고생하는지 잘 이해하지 못했다. 올가의 설명을 들은 뒤에야 그녀는 조금 이해하는 듯한 모습을 보였다. 그녀가 물었다.

"누가 뽑는 거야? 엄마가?"

"왕비님이 뽑으시지만, 아마 지금 왕세자비 경선 때문에 바쁘실 거예요. 공주님이 원하시는 분이 특별히 계신가요?"

"난 누가 누군지도 몰라."

아직 어린 애한테 그런 것까지 기대하진 말라고. 시크 하게 대답한 비앙카가 머리를 긁적이다 한 사람을 입에 담았다.

"아까 헤스터 언니가 괜찮던데."

"……설마 선물 때문은 아니겠죠, 공주님?"

맞았다. 뜨끔해진 비앙카가 항변했다.

"아냐! 얼굴도 예쁘고 성격도 좋아 보였어! 올가는 그렇게 생각하지 않는 거야?"

"아뇨, 뭐……. 인상이 나쁘지는 않던데."

곰곰이 생각하다 어깨를 으쓱인 올가가 말을 이었다.

"뭐, 그래 봤자 본인이 지원하지 않으면 말짱 꽝인걸요. 싫다는 사람을 시킬 수는 없잖아요."

"그건 그래. 다른 좋은 사람도 있겠지, 뭐."

"우리 공주님, 아까 그 사탕이 정말 마음에 드셨나 봐요."

그걸 말이라고? 그런 사탕은 대한민국에서도 먹어 본 적이 없었다. 비앙카가 요구했다.

"말 나온 김에 하나 줘."

"안 돼요. 늦은 시간에 드시면 이가 썩는답니다."

의외로 단호하게 나온 올가가 대안을 제시했다.

"내일 아침에 드릴게요."

"힝."

비앙카는 지금 당장 헤스터가 준 사탕을 먹고 싶었지만, 올가가 한 번 안 된다고 하면 그걸 바꿀 수 있는 방법은 거의 없었다. 그녀는 깔끔하게 포기를 택했다. 안 되는 건 포기할 줄도 알아야 하는 거다. 생각을 마친 비앙카가 이내 하품을 했다. 그 모습을 본 올가가 물었다.

"이런. 주무시겠어요?"

"웅. 졸려."

"자아, 그래도 씻고는 주무셔야죠."

나긋한 목소리로 속삭인 올가가 비앙카를 안정감 있게 안아 들었다. 그리고 비앙카는 올가의 품에 안겨 욕실까지 가는 사이 스르륵 잠에 빠져들었다.

"왕비님, 공주궁의 시녀 충원에 대해 딜리스 부인이 서신을 보내왔는데요."

질리언의 말에 릴리아나가 고개를 갸웃거리며 물었다.

"시녀 충원이라니?"

"지난번에 인가를 내리셨어요. 한 명 정도 충원하고 싶다고 딜리스 부인께서 그러셨거든요."

"아, 맞아, 맞아."

그랬지, 참. 요즘 왕세자비를 뽑느라 정신이 없었던 탓에 다른 건 거의 다 까먹고 있는 중인 릴리아나였다. 그녀가 물었다.

"그런데 갑자기 왜?"

"선발권이 누구에게 있는지 여쭤 오셨어요."

"설마 나보고 하라는 건 아니겠지?"

"서신 내용은 그런 눈치던데요."

"오, 맙소사. 질, 나는 지금 이 일로도 매우 바쁘다고."

릴리아나가 불평했다. 그녀는 요즘 왕국 내에서 두 번째로 재산이 많은 가문인 베델 가문의 차녀에 대해 뒷조사를 벌이느라 정신이 없었다. 물론 첫 번째는 말할 것도 없이 그녀의 친정가인 안드리 가문이었다.

베델 공작이 권력욕과 명예욕이 낮지 않은 사람이었기 때문에, 정황상 베델 영애가 왕세자비가 되는 건 뻔한 일이었다. 릴리아나는 미리 조사를 해 두는 것도 나쁘지 않겠다고 생각했고, 덕분에 아주 바쁜 나날을 보내고 있었다. 그녀가 말했다.

"시녀라면 어차피 비앙카를 보필하는 일일 텐데 올가와 비앙카의 재량에 맡겨 두는 게 낫지 않겠어? 정 뭣하면 내게는 최종 인가만 받으면 될 일이지."

"네. 그럼 그렇게 전달하겠습니다."

이 소식은 그대로 공주궁에 전해졌고, 올가는 그리 놀랍지도 않다는 듯한 반응을 보였다. 릴리아나 왕비가 처음으로 쇼핑이 아닌 다른 것 때문에 바쁘다는 사실은 이미 왕궁

내에 파다하게 퍼졌다. 올가가 비앙카에게 말했다.

"다행스럽게도 공주님께서 원하시는 영애를 시녀로 뽑을 수 있을 것 같아요."

"정말?"

"네. 왕비님이 바쁘시다네요."

고개를 끄덕이며 답한 올가가 비앙카에게 말했다.

"한 일주일 정도 시간을 두고 지원을 받기로 해요. 어때요? 이 정도면 기간은 충분하겠죠?"

"응!"

비앙카가 앙증맞은 표정으로 소리쳐 대답했다. 누가 과연 새 시녀로 들어오게 될까? 그건 생각만 해도 두근두근한 일이었다.

비앙카의 7번째 탄신 연회가 끝난 지 얼마 되지 않은 어느 날, 왕성에 사는 영애들은 소소하게 티 파티를 열었다. 그들에게 그것은 관례적인 일이기도 했지만, 때로는 즉흥적인 일이기도 했다. 그냥 심심하다거나 마땅히 할 일이 없다거나, 혹은 무언가 새 소식을 듣고 싶으면 열리는 것이 티 파티였다. 헤스터 하몬은 평소 그런 자리에 참여하는 것을 별로 즐기지 않았지만, 평소 친분이 있던 영애 하나가 하도 같이 가자고 졸라 댄 탓에 어쩔 수 없이 자리에 참석하게 되었다.

유감스럽게도 대화의 흐름은 그녀가 생각했던 그대로였다. 사교계에서 심심찮게 들을 수 있는 가십이 주를 이루었다. 워낙 남 이야기 하는 것을 싫어하고 차분한 성격이었던 탓에 이런 대화가 그리 즐겁지 않았던 헤스터로서는 약간 괴로운 자리였다. 어느 귀족이 바람피운 이야기로 시작해, 다른 하층 귀족의 사생아 이야기를 거친 화제는 어느 순간 헤스터의 귀가 번쩍 뜨일 만한 것으로 바뀌고 있었다.

"참, 그 소식 들으셨어요?"

그건 참 우연히 일어난 일이었다. 영애 하나가 말을 덥석 받아 물었다.

"무슨 소식이요?"

"공주궁에서 시녀를 모집한다네요."

"얼마나요?"

"한 명이요. 검소하기도 하시지!"

"폐하의 검소함은 유명하잖아요. 당장 웬만한 파티도 왕비님의 사비로 치르시면서!"

"그건 그래요. 그래도 폐하와 왕비께서 비앙카 공주님만은 정말 끔찍하게 생각하시나 봐요."

"그건 그래요. 그게 아니라면 그 구두쇠로 소문나신 폐하께서 비싼 돈 들여 가며 7단 케이크를 만드셨겠어요?"

그렇게 말한 영애가 연이어 기가 차다는 듯한 말을 터뜨렸다.

"7단 케이크라니! 전 그런 케이크는 듣도 보도 못했는데, 어제 귀한 경험을 했지 뭐예요?"

"맞아요. 가격을 떠나 만들기가 어렵잖아요? 그걸 만든 요리사도 대단하지."

"참, 그러고 보니 왕실 요리사는 대부분 하몬 가문 출신이지요?"

화제가 금세 하몬 가문으로 넘어가자, 헤스터가 어색하게 웃어 보였다. 그녀가 대답했다.

"지금 중앙궁에 요리사로 계신 분이 특히나 재능이 있으신 분이라고 정평이 났답니다."

"그러신 것 같아요. 레이디 헤스터도 요리를 잘하시나요?"

"대부분의 하몬 가문 사람들은 요리를 좀 한답니다."

"어머! 그럼 이번에 공주님의 시녀로 지원해 보시는 건 어떠세요? 듣기론 공주님이 그렇게 미식가시래요."

"그것도 좋죠. 하지만 왠지 경쟁이 치열할 것 같은데요."

공주의 시녀 자리는 예로부터 경쟁이 치열했다. 시집을 잘 갈 수 있는 프리 패스로 여겨지는 관행 때문이었다. 헤스터의 말에 다른 영애들이 동의한다는 듯 고개를 끄덕였다.

"제가 아는 영애만 해도 벌써 셋이 지원하겠다고 했어요. 하지만 또 알아요? 요리를 잘한다는 걸 어필하면 플러스 점수를 받을지도 몰라요."

"그런가요……?"

헤스터는 잠깐 고민하는 표정을 지었다. 공주의 시녀가
된다는 건 정말로 영광스러운 일이었다. 때문에 고민은 그
리 길지 않았다. 잠시 후에 그녀가 특유의 부드러운 미소를
지으며 말했다.

"그럼 한번 지원해 보죠, 뭐."

"총 15명이 지원했어요."

올가는 담담하게 말했지만, 듣는 비앙카는 깜짝 놀랄 수
밖에 없었다. 세상에, 이런 일에 그렇게 많은 사람이 지원했
다고? 비앙카가 물었다.

"그럼 경쟁률이 15:1이야……?"

"그런 셈이죠."

"맙소사. 어떻게 뽑지?"

비앙카가 진지하게 고민하는 사이, 서류를 넘겨 보던 올
가가 아무렇지 않게 말했다.

"아, 그때 그분도 지원하셨네요."

"누구?"

"레이디 헤스터요."

"와, 정말?"

헤스터가 지원했다는 말에 비앙카가 얼른 물었다.

"이 언니가 내 시녀가 되면 그때 그 사탕 또 먹을 수 있어?"

"……공주님 설마 그때 영애가 주신 사탕 다 드셨……?"

"큼, 큼!"

민망해진 비앙카가 상황 회피를 위해 크게 헛기침했지만, 애기가 하는 헛기침이 특별히 권위적일 리 없었다. 올가가 소리쳤다.

"공주님!"

"히잉. 미안해."

"아니, 어떻게 드신 거예요?"

"시녀한테 부탁했지……."

"그러다 이 다 썩는다니까요!"

올가가 진짜로 충격을 받았는지 잔소리를 멈추지 않았다.

"자꾸 이러시면 저도 제재를 가할 수밖에 없어요!"

"힝…… 알았어."

"이 썩으면 얼마나 아야 하는데요. 공주님 아야 하고 싶으세요?"

그럴 리가. 비앙카는 고개를 도리도리 저었다. 그런 건 제 취향이 아니었다. 물론 모두의 취향도 아니었지만.

"어쨌든 사탕 더 있냐고 물어보고 싶다……."

"……안 그래도 그 사탕 구하려고 찾아보긴 했는데, 진짜 귀한 사탕이더라고요. 아마 레이디 헤스터도 얼마 안 가지고 있을 가능성이 커요."

"그보다 시녀는 진짜 어떻게 뽑지?"

"공정한 건 면접인데, 대부분은 그냥 이렇게 뽑히는 경우가 많죠. 공주님과 친분이 있거나, 공주님이 좋아하시는 분. 이건 관료를 뽑는 게 아니라 시녀를 뽑는 거니까요."

"그래?"

잠깐 고민하는 표정을 짓던 비앙카가 곧 깜찍한 표정으로 말했다.

"그럼 그냥 헤스터로 하자!"

"그녀가 마음에 드세요?"

올가가 미심쩍은 듯한 표정으로 물었다.

"설마 지금 사탕 때문에 넘어가서 그러시는 건 아니죠?"

바…… 반은 맞았다. 비앙카는 괜히 시선을 회피했고, 올가는 한숨인지 웃음인지 비슷한 걸 흘리더니 말했다.

"뭐, 하몬 가문이 대대로 왕실 요리사를 배출했기 때문에 곁에 두시면 입은 풍요로우실 거예요. 지금 공주궁의 주방사도 하몬 가문 사람이거든요."

"와, 정말?"

"네. 그 집안이 요리라면 왕국 내에서 내로라하는 가문이거든요."

빙긋 웃으며 설명한 올가가 비앙카에게 말했다.

"그럼 레이디 헤스터에게 최대한 빨리 입궁해 달라고 말을 전할게요."

"아!"

왕궁에서 온 편지를 받아 든 헤스터가 탄성을 흘렸다. 별 기대는 하고 있지 않았는데, 생각했던 것보다 긍정적인 답이 와서 다행이었다. 그녀가 설레는 표정으로 뜯어 보았던 서신을 다시 봉투 안에 넣으며 중얼거렸다.

"공주님의 시녀가 되었어!"

맙소사, 그럼 이제부터 그 깜찍하고 사랑스러우신 분을 계속 볼 수 있는 거야? 내가 원한다면 24시간 내내? 헤스터는 발을 굴리며 좋아했다. 이런 행운이 다 있나!

"나 좀 봐. 이럴 때가 아니지!"

편지에는 될 수 있는 한 빨리 공주궁을 방문해 달라고 되어 있었다. 그렇다면 당연히 그렇게 해야지! 그녀는 단장을 하기 위해 큰 소리로 유모를 불렀다.

"유모, 나 좀 도와줘!"

"오스카 왕자님, 그렇다면 이 부분은 말씀하신 대로 처리하도록 지시하겠습니다."

"그 전에 내가 부왕 폐하를 뵙고 한 번 보고를 드리지."

"네, 왕자님. 원하신다면요."

더글라스가 보낸 시종이 고개를 꾸벅 숙인 뒤 방을 나섰다. 오스카는 근래에 더글라스가 맡긴 도로 공사 사업에 몰두하느라 정신이 없었다. 거기에 어머니인 릴리아나가 거의 매일 보내 주는 신붓감 후보의 초상화까지. 그는 몸이 10개라도 부족할 지경이었다. 물론 늘 그랬지만.

그는 곧바로 중앙궁으로 가기 위해 자리에서 일어났다. 세자궁의 시종 둘이 막대한 양의 서류들을 들고 그의 뒤를 쫓았다. 그는 속으로는 마지막으로 비앙카를 봤던 날을 생각하면서, 언제 한번 핑계를 대고 찾아가야겠다고 다짐했다.

"아니, 도대체 여기가 어디야?"

그때 어디선가 들어 본 듯한 목소리가 들렸다. 고개를 들자, 두 번째로 보는 듯한 여자 하나가 주변을 두리번거리고 있었다. 여자는 헤스터였다. 하몬가의 영애. 그의 시선이 자연스럽게 그녀에게 향했고, 동시에 첫 만남 때의 두근거림이 상기되었다.

"여기가 아닌가?"

한편, 심각한 길치였던 헤스터는 공주궁을 찾지 못해 매우 애를 먹고 있었다. 때문에 공주궁과는 아주 반대쪽에 있는 오스카의 세자궁까지 흘러들어 왔던 것이다. 지나가는 시종이나 시녀 들에게 물어보려 주변을 열심히 살펴보던 헤스터는, 어느 순간 오스카를 발견하고선 화들짝 놀랐다. 그녀는 어벙한 표정을 지으며 어리바리하게 굴다가, 곧 그에게 인사를 해야 한다는 사실을 깨닫고선 얼른 그가 있는 쪽으로 다가갔다. 물론 그 모습을 그대로 지켜보고 있던 오스카는, 그게 자연스러운 일임에도 불구하고 심장이 지나치게 빨리 뛰는 현상을 목격해야만 했다.

"오스카 왕자님, 소그노의 작은 태양을 뵙습니다."

"아…… 레이디 헤스터."

그리고 어리바리한 건 상대 쪽도 마찬가지였다.

"두 번째로 보네요."

"네. 상처는 좀 괜찮으세요?"

그게 언제 적 일인데 아직까지 기억하고 있었다. 정말 별 것 없고 하잘것없는 관심이었음에도 오스카는 거기에 의미를 부여했다. 그걸 기억하고 있었어?! 그가 빨개지려는 얼굴을 애써 막으며 대답했다.

"네. 덕분에 괜찮습니다."

오스카가 슬며시 물었다.

“그런데 어디 가는 중인지⋯⋯.”

“아.”

헤스터는 그제야 자신이 이곳까지 온 이유를 깨닫고선 오스카에게 부탁했다.

“실은 제가 비앙카 공주님의 시녀로 일하게 될 것 같아서요⋯⋯. 그런데 제가 길을 잘 못 찾아서⋯⋯. 저, 죄송하지만 여기서 공주궁으로 가려면 어떻게 가야 하나요?”

“여기서 완전히 반대쪽입니다. 말로는 설명이 어려울 것 같네요.”

“아⋯⋯ 그런가요?”

그렇다고 해서 일국의 왕세자에게 좀 데려다 달라고 부탁할 수도 없는 노릇이었다. 그녀가 어떻게든 혼자 가 보자고 생각하며 길을 물으려던 때, 오스카의 입이 먼저 열렸다.

“데려다 드리겠습니다.”

“네에?”

그 말에 헤스터의 눈이 역대급으로 커졌다. ‘내가 잘못 들은 거지?’라고 말하는 듯한 표정이었다. 오스카가 핑계를 댔다.

“그 근처에 볼일이 있어서요.”

사실이었다. 공주궁에서 중앙궁은 거리가 가까웠다. 그제야 뒤에 있던 시종들이 서류를 잔뜩 짊어지고 있는 모습을 확인한 헤스터가 물었다.

"국왕 폐하를 만나 뵈러 가시나 봐요."

"네. 뭐…….'

"다행이에요. 전 혹 폐가 될까 봐 걱정했거든요."

그렇게 말하면서 헤스터는 이를 드러내고 웃었다. 이번에는 오스카도 어찌할 바 없이 얼굴이 붉어지고 말았다.

"공주님, 레이디 헤스터와 오스카 왕자님께서 오셨습니다."

'레이디 헤스터' 까지는 이해가 되었다. 근데 오스카 이 오빠는 왜? 비앙카는 의아한 표정을 지으면서도 두 사람을 들이라고 말했다. 곧 정중하게 양손을 모은 채 들어오는 헤스터 하몬과, 특유의 소심한 표정을 지은 오스카가 눈에 들어왔다. 저 둘, 도대체 무슨 조합이지? 비앙카가 물었다.

"헤스터는 그렇다 쳐도…… 오라버니는 무슨 일이야?"

"너 보려고 들렀어."

"…….'

말은 그렇게 하는데 어째 눈치가 그게 아니다. 자신은 곁 다리이고 진짜는…… 헤스터인 느낌? 뭐야, 뭐야. 나 감 되게 좋아. 진짜 둘이 뭔가 있는 거 아니지? 썸이라든가, 썸이라든가, 썸이라든가, 그런 거. 비앙카가 의미심장한 표정을 지으며 오스카에게 물었다.

"그런데 둘이 어떻게 같이 와? 아는 사이야?"

"어⋯⋯. 저번 파티 때 한 번 만난 게 다야."

그럼 이번이 두 번째네? 뭐야, 그럼 설마 첫눈에 반하기라도 한 거야? 비앙카가 '호오.' 하는 표정을 지으며 오스카에게 물었다.

"그러니까 둘이 어떻게 같이 왔냐구."

"그게⋯⋯, 길을 잃었더라고."

"헐."

공주궁이 얼마나 찾기 쉬운데 길을 잃어? 엄청난 길치인 게 분명하다고 생각하면서, 비앙카가 헤스터에게 말했다.

"길치였음 말을 하지! 시녀를 보냈을 텐데⋯⋯."

하하. 저도 제가 이렇게까지 심각한 길치인 줄은 몰랐죠, 공주님⋯⋯. 면목 없다는 표정으로 어색하게 웃어 보인 헤스터가 비앙카에게 말했다.

"어쨌든 뽑아 주셔서 정말 감사합니다, 공주님. 실은 저, 그날의 파티 이후로 공주님이 머릿속에서 떠나질 않았거든요."

뜬금없는 고백에 비앙카의 볼이 폭삭 붉어졌다. 뭐야, 이 언니? 사람 설레게 하는 게 특긴가? 비앙카가 큼큼 헛기침을 하며 헤스터에게 말했다.

"그렇게 고백을 하면 막 설레잖아⋯⋯."

"네? 하하."

시원하게 웃은 헤스터가 수줍게 말했다.

"그래서…… 영광입니다, 공주님."

"나도 헤스터 좋아!"

그리고 헤스터가 주는 사탕도 좋아! 본심을 숨긴 비앙카가 깜찍하게 웃어 보이자, 이번에는 헤스터의 얼굴이 펑 달아올랐다. 미치겠어! 너무 사랑스러워! 세상에, 딜리스 부인은 이런 모습을 장장 7년이나 독점해서 보신 건가? 전생에 나라를 구하신 게 틀림없어!

"근데 오라버니는 안 바빠?"

비앙카가 병풍처럼 서 있는 오스카를 쳐다보며 묻자, 헤스터와 비앙카에게 시선을 집중하고 있던 오스카가 살짝 놀라는 모습을 보이며 더듬거렸다.

"그…… 이제 가야지."

"잠깐 이리루 와 봐."

당당하게 명령을 내리자 오스카가 비앙카의 말대로 해 주었다. 그녀가 요구했다.

"눈 감고 손 내밀어 봐."

"응?"

"얼른!"

비앙카가 보채자 순한 오스카는 또 그렇게 해 주었다. 비앙카가 무언가를 오스카의 손에 쥐여 준 다음 그의 손을 말았다. 그런 후에야 비앙카는 오스카에게 눈을 뜨라고 말해 주었다. 눈을 뜬 오스카가 자신의 손을 펼쳤을 때 발견한 것은 붉어진 그의 볼을 닮은 라즈베리 맛 마카롱 한 개였다. 그는 참지 못하고 푸핫 웃음을 터뜨렸다.

"이게 뭐야?"

"보다시피 마카롱이야. 오후에 당 보충해야지! 요즘 밥은 제대로 먹고 다녀?"

"아하하."

어머니도 안 물어보는 식사 여부를 여동생이 물어보다니, 재미있는 일이다. 그는 빙긋 웃으며 자신보다 한참 아래에 있는 비앙카의 머리를 쓰다듬었다.

"그래. 고마워."

"그거 내가 아끼는 맛인데 오빠니까 특별히 주는 거야!"

"그래그래. 알았어."

흐뭇한 미소를 지은 오스카가 비앙카에게 다정스레 말했다.

"이만 가 볼게."

"얼른 가. 또 와야 해! 알았지?"

"알았어."

어쩔 때는 애 같으면서, 또 어쩔 때는 어른 같은 모습이 신기했다. 태어났을 때부터 늘 어른이어야만 했던 그와는 다른 모습이 싫은 건 절대로 아니었다. 가끔은 부럽기도 했지만. 그는 그이고, 그녀는 그녀였으니까. 자신이 대신 어른이었기 때문에 그녀가 아이일 수 있다는 사실이 가끔은 차라리 감사하기까지 했다.

오스카는 마지막으로 헤스터의 모습을 흘긋거린 다음에야 비앙카의 방을 떴고, 그 모습을 정확히 잡아낸 비앙카는 자신의 오라버니가 헤스터에게 호감을 가지고 있다는 사실을 완전히 확신할 수 있었다. 그냥 시종에게 말해 놔도 될걸, 어쩐지 직접 왔더라! 그러니까 자신은 그냥 핑계이고 실상은 헤스터와 같이 있고 싶었던 것이다. 덤으로 자상한 왕자님처럼 보일 수도 있고. 이렇게 보니 우리 오빠, 은근 고수네?

"공주님, 저번에 드렸던 사탕은 다 드셨나요?"

헤스터의 목소리에 비앙카가 상념을 끄고 그녀에게 고개를 돌렸다. 사탕 이야기에 비앙카의 얼굴이 금세 환해졌다. 그녀가 큰 소리로 대답했다.

"응! 너무 맛있었어!"

"잘됐어요! 실은 그 사탕 한 봉지가 저희 집에 더 있거든요. 마음에 드시면 가져다 드리려고요."

오, 예! 먹을 거 주는 사람은 착한 사람이고, 그중에서도 맛있는 먹을 거를 주는 사람은 아주 착한 사람이다. 난 이커플 찬성일세! 사탕 한 봉지에 마음이 넘어가 버린 비앙카가 까르르 웃자, 그걸 지켜보는 주변 사람들은 기분이 몽글

해지는 것을 느꼈다. 사탕 하나에 좋아하는 저 순수함이라
니!

"고마워, 헤스터. 앞으로 잘 부탁해!"

"헤스터 언니, 저도 잘 부탁드려요."

입을 모아 잘 부탁한다고 말하는 어린 동생들을 사랑스러
운 표정으로 바라보던 헤스터가 다정한 목소리로 말했다.

"저야말로 잘 부탁드려요."

비누, 비누를 만들자!

그 후 비앙카의 생활은 순풍에 돛 단 듯 평화롭게 지나가고 있었다. 처음 이 가족을 감싸고 있던 진한 콩가루 냄새도 점점 옅어지는 것 같았다. 그리고 거기에 자신의 애교가 톡톡한 몫을 해냈다고 굳게 믿고 있는 비앙카는 요즘 하루하루를 백수처럼 보내고 있었다. 나름 전생에서와 비슷한 생활을 하고 있다고 느낀 비앙카는 그 사실에 무척 만족스러워했다. 뭐니 뭐니 해도 돈 많은 백수가 최고이올시다!

"공주님, 제가 아빠를 할 테니, 공주님은 엄마를 하세요."

"좋아, 소피."

해맑은 목소리에 소피가 빙긋 웃은 뒤 물었다.

"엄마 이름은 뭐로 할까요, 공주님?"

"제인으로 해, 소피."

"그럼 아빠 이름은요?"

"존."

성의 없게 남녀의 이름을 불러 준 비앙카는 곧 소피아와 함께 인형 놀이를 시작했다. 요즘 비앙카가 소피아와 함께 가장 많은 시간 동안 하고 있는 놀이였다. 이쯤 되면 실제 나이가 24세에서 31세로 진화한 비앙카가 시시해한다고 걱정할 수도 있겠지만, 전혀 그럴 필요가 없었다. 애당초 비앙카의 정신 연령은 전생에서도 스물넷이라고 보기에는 조금 부족한 수준이었기 때문이다.

더군다나 다시 태어나서 7년을 더 자라는 동안 특별히 정신 연령이 올라갈 법한 일을 한 것도 아니었으니 비앙카는 이곳에 왔을 때와 똑같은 정신 연령이라고 봐도 무방했다. 무엇보다, 그녀는 원래부터 인형 놀이를 좋아했다.

"제인, 오늘 저녁은 뭐야?"

"존이 먹고 싶은 걸로 요리할 거예요."

"와아, 정말? 그럼 난 오늘 치킨 스튜를 먹고 싶어."

……그러니까 이런 대사를 열한 살 먹은 아이와 주고받는다고 해서 딱히 시시해한다거나 심심해하는 건 아니라는 소리였다. 비앙카는 진심으로 인형 놀이에 몰두하고 있고, 나름대로 이게 주변의 눈을 속이기 위한 일이라고 속으로 변명했다. 결과적으로 그녀의 주변인들 중 그녀의 정체

를 의심하는 사람은 아직 단 한 명도 없었다. 아직까지는 분명 그랬다.

"우리 아가 뭐 하고 있었니?"

익숙한 목소리에 비앙카가 얼른 뒤돌았다. 엄마다! 이제는 완전히 딸 바보로 변신한 릴리아나가 환한 미소를 지으며 딸에게 다가왔다. 하지만 비앙카는 요즘도 릴리아나가 신상 드레스와 딸내미 중 하나를 고르라면 신상 드레스를 고를지도 모른다 생각하곤 했다. 다행히 아직까지 그런 불상사는 일어나지 않고 있었지만.

"엄마!"

비앙카가 해사하게 웃으며 릴리아나의 품에 안겼다. 릴리아나는 버거워하는 표정 하나 없이 그녀를 가뿐히 들어 올렸다. 무가(武家)의 딸이라 그런지 그녀는 보기보다 힘이 셌다. 릴리아나가 소피아와 그 주변의 인형들을 슬쩍 둘러보고선 비앙카에게 물었다.

"인형 놀이 하고 있었어?"

"응!"

사실 다른 일을 할 게 전혀 없었으니까. 어쩔 수 없는 선택지였다. 자연스럽게 비앙카를 토닥이던 릴리아나의 눈이 곧 그녀에게 예를 갖춰 인사하는 소피아에게로 향했다. 소피아는 아이 답지 않은 성숙한 몸짓으로 릴리아나에게 인사했다.

"왕국의 어머니, 왕비님을 뵙습니다."

"어머, 소피아. 우리 사이에 무슨 그런 인사치레를."

거기다 아직 11살밖에 안 되었으면서 말이야. 릴리아나가 혀를 내두르며 비앙카를 안지 않은 한쪽 손으로 소피아의 머리를 쓰다듬어 주었다.

"그래, 오늘도 열심히 놀고 있니?"

"네, 왕비님."

"어머, 왕비님 오셨어요?"

그때 잠깐 볼일을 보러 나갔던 올가가 방 안으로 들어왔다. 그녀는 오랜만에 만난 친구의 얼굴에 반색했다.

"오랜만에 오셨네. 요즘 바쁜 일이라도 있으셨어요?"

"바쁜 일?"

올가의 말에 잠깐 고민하던 릴리아나가 명쾌한 답을 내놓았다.

"두 가지 일로 바빴어."

"두 가지나요?"

"응. 한 가지는…… 무려 비텔 보스크가 왕국을 방문한다지 뭐야! 왕께서 내게 손님 접대를 맡기셔서, 오랜만에 일하느라 바빴지."

비텔 보스크는 바르치스 제국 출신의 디자이너였는데, 드레스 만드는 솜씨가 신에 버금간다고 소문날 만큼 엄청난 천재였다. 올가가 '그럼 그렇지.' 하는 표정으로 물었다.

"그런데 풍문으로는 비텔 보스크가 아이를 별로 좋아하

지 않는다는데요?"

"우리 애가 어디 보통 애야? 분명 좋아할 거야."

"……."

도대체 그 근거 없는 자신감은 어디서 나오는 건지……. 물론 올가도 그녀의 공주님이 사랑스럽고 깜찍하다는 사실에는 부정의 여지가 없다고 생각했지만, 비텔 보스크도 그렇게 생각할지는 의문이었다. 뭐, 막대한 돈이 달려 있으면 애들을 싫어해도 드레스는 성의껏 만들어 주겠지. 올가가 다른 이유를 물었다.

"두 번째는요?"

"기다려 봐, 올가. 아직 안 끝났어. 이번에 비텔 보스크가 왕국을 방문하면 비앙카의 사교계 데뷔 드레스를 부탁하려고."

"……네?"

뭐? 비앙카는 순간적으로 자신이 무언가를 잘못 들었다고 생각했다. 그녀가 경악한 표정으로 여전히 웃고 있는 릴리아나의 얼굴을 올려다보았다.

저기요, 어마마마? 제가 지금 뭘 잘못 들은 것 같은데요……?

"왕비님, 사교계 데뷔라뇨? 설마 비앙카 공주님을 말씀하시는 건…… 아니시겠죠?"

"아냐, 올가. 제대로 들었어. 내후년이면 우리 공주도 사교계에 들여야지."

"너무 이르지 않나요?"

"하나도. 늦진 않지만 빠르지도 않아. 요즘은 다섯 살이면 다들 사교계에 입성하잖아. 우리 애는 벌써 일곱 살이야. 그, 누구더라…… 아, 맞다. 아베이 백작가의 차녀도 이번에 사교계에 처음 발을 들였어. 왕가가 이런 일에 뒤처져서야 되겠어?"

틀린 말은 아니었다. 아베이 백작가의 차녀는 정확히 올해로 네 돌을 맞은 어린 아가씨였는데, 모친인 아베이 백작부인의 고집에 못 이겨 사교계에 입성했다. 비앙카와는 나이가 거의 2배 차이가 났다. 하지만 여전히 올가는 너무 빠르다는 입장이었다.

"하지만 그 나이면 춤도 제대로 못 추잖아요."

"아니야, 올가. 나도 그 나이 때 춤을 배웠는걸. 문제없어."

그래, 문제는 없었다. 왜냐하면 비앙카 자신도 전생에서 그 나이 때 즈음 발레를 처음 배웠으니까. 아, 그때 그 발레 선생님 엄청 예뻤었는데, 지금쯤 결혼하고 애도 낳으셨겠지? 생각이 점점 의식의 흐름을 따라가고 있을 때, 릴리아나의 목소리가 들려왔다.

"하루라도 빨리 사교계에 발을 들여야 나중에 제국에 갔을 때 도움이 되지."

……뭐라?!

"나중에 제국에 갔을 때 예절을 제대로 못 배웠다고 손가락질받게 할 순 없잖아."

……저기요, 엄마. 엄마가 진짜 날 사랑한다면 제국으로 보낼 생각을 하면 안 되는 거 아닙니까? 황제라며! 그럼 나보다 최소 스무 살 연상일 거 아냐! 뭐야, 그럼. 결국 제국에 보낼 때를 대비하려고 나 사교계에 데뷔시키려는 거야? 그런 거야? 비앙카는 거의 멘붕 직전이었다.

"마마…… 나 싫은데."

소심한 목소리로 반항했지만 릴리아나는 단호했다.

"싫긴. 배워 두면 다 도움이 돼."

"…….."

분명 릴리아나는 대한민국에서 태어났으면 극성 엄마가 되었을 거다. 틀림없다. 비앙카는 울상을 지었다. 평화롭기만 했던 그녀의 일상에 무언가 큰 파도가 휘몰아치려 하고 있었다.

릴리아나가 돌아간 이후 비앙카는 진지한 표정으로 생각에 잠겼다. 그 변화를 눈치챈 소피아가 비앙카에게 물었다.

"왜 그러세요, 공주님?"

"소피아, 너도 아직 데뷔하지 않았잖아."

심지어 넌 나보다 네 살이나 더 많은데. 비앙카의 부루퉁한 말에 소피아가 고개를 끄덕이며 답했다.

"그렇죠."

"근데 왜 난 벌써부터 이런 걸 해야 한다는 거야?"

울상을 지으며 묻자 소피아가 덤덤한 표정으로 깔끔한 대답을 내놓았다.

"저는 일개 자작 영애지만 공주님은 제국으로 시집가셔야 할, 소그노 왕국의 하나뿐인 공주님이시잖아요."

……그래, 너 참 말 잘한다. 11살 맞니? 비앙카가 신경질을 냈다.

"공주 안 해."

다 때려치워! 다른 제국 늙은 황제에게 팔려 갈 바에야 나도 올가 딸 할 거야! 나 소피아 동생 할 거야! 어린애 같은 투정에 똑같이 어린애인 소피아가 어른스럽게 비앙카를 달랬다.

"아이참, 공주님도. 그건 공주님 마음대로 되는 게 아니라구요."

……아니, 그냥 현실 직시인가. 비앙카가 서글픈 표정으로 중얼거렸다.

"나도 올가 딸로 태어나야 했어."

"그래서 전 참 행운아라고 생각해요."

그렇게 말한 소피아가 흰 이를 드러내며 씩 웃었다. 그래, 너 잘났다. 입을 부루퉁하게 내민 비앙카가 이번에는 구원 투수로 올가를 쳐다보았다. 하지만 올가는 절레절레 고개를 저을 뿐이었다.

"전 힘이 없답니다, 공주님. 일개 자작 부인이 무슨 힘이 있겠어요."

"일개 자작 부인이 아니라 우리 엄마 친구잖아."

"그래도 안 돼요. 어떻게 감히 왕비님 결정에 토를 달겠어요."

그리고 솔직히 말하면 전 왕비님 의견이 썩 나쁘다고 생각하지 않아요. 올가의 뒷말에 비앙카는 사랑하는 사람에게 배신당한 사람처럼 참혹한 표정을 지었다. 세상에, 어떻게 유모가 그런 말을! 뒤이어 소피아가 한술 더 떠 말했다.

"왕비님 말씀이 아예 틀린 건 아녜요, 공주님. 사교계 데뷔란 건 원래 일찍 하면 좋은 거잖아요."

"하지만 소피아도 안 하잖아."

"뭐, 원하신다면 저도 할 수는 있어요."

태연하게 그렇게 말하는 소피아를 보며 비앙카는 절규했다. 안 돼! 이 방에 내 편인 사람이 단 한 명도 없어!

"무슨 일이세요?"

그때 누군가가 방 안으로 들어왔다. 동시에 달콤한 냄새가 훅 끼쳤다. 비앙카가 조금 전의 일도 모두 잊어버리고 환호성을 질렀다.

"꺄! 오믈렛 빵이야?"

"바로 맞히셨어요, 공주님. 대단하세요. 방금 구운, 따끈 따끈한 딸기 오믈렛이랍니다!"

화사한 미소를 지으며 달콤한 오믈렛 빵과 함께 나타난 사람은 헤스터였다. 그녀가 걱정스러운 표정으로 물었다.

"무슨 일 있으세요? 안색이 안 좋으세요, 공주님."

"히잉…… 헤스터."

비앙카가 징징거리는 목소리로 헤스터에게 하소연했다.

"어떻게 이럴 수가 있어? 글쎄, 엄마가 날 사교계에 보내 버린대!"

'보내 버린다'는 단어를 사용할 만큼 사교계 데뷔가 충격 적인 일은 아니었지만, 헤스터는 부러 놀란 척해 주었다. 그 녀의 공주님은 딱 보니 그걸 원치 않고 있는 게 틀림없었다. 헤스터가 물었다.

"왕비님께서요?"

"응! 완전 너무하지 않아?"

"음……."

하지만 유감스럽게도 헤스터는, 비앙카의 그런 투정을 잘 이해하지 못했다. 비앙카르체는 누가 뭐래도 공주였다. 공 주의 이른 사교계 데뷔가 흠이 된다는 소리는 동서고금을 막론하고 들어 본 적이 없다. 하지만 그걸 공주 앞에서 사실

대로 말할 수는 없는 법이었다. 그러나 우리의 눈치 빠른 비앙카가 그걸 알아채지 못할 리 없었다. 비앙카가 충격받은 표정으로 물었다.

"맙소사. 헤스터는 이게 정상적이라고 생각해?"

"어…… 그냥 귀족 영애라면 모를까……. 공주님……이시잖아요?"

"헤스터는 몇 살에 데뷔했어?"

"열세 살이요. 근데 그건 제가 특별했던 거예요. 제가 사교 파티를 귀찮아했거든요. 제 친구들은 열 살에 주로 데뷔했어요."

"……."

"어쨌든 좀 더 긍정적으로 생각해 보세요, 공주님. 대신 예쁜 드레스를 입으실 수 있잖아요?"

안 그래도 엄마가 비텔 보스큰가 비컨가 하는 사람한테 드레스 부탁한대. 비앙카가 입을 비죽 내미는 사이, 헤스터의 말이 이어졌다.

"하지만 선택의 여지가 없잖아요? 왕비님 입에서 나오신 말씀이면…… 거의 확정일 텐데요. 그냥 좋은 경험을 좀 더 일찍 한다고 생각하세요."

"어차피 지금 그런 거 해 봤자 꼬실 남자도 없잖아."

그것도 사실이었다. 고작 일곱 살 애가 가서 뭘 하겠는가. 비앙카는 톡 쏘는 목소리로 대꾸한 뒤 머리를 굴리기 시작했다. 자신을 그 끔찍한 곳으로 데려가 주지 않을 사람이 누가 있을까? 일단 엄마와 버금가는 권력을 가졌거나, 혹은 그 이상의 권력을 가진 사람이어야만 했다.

후보군은 금세 추려졌다. 일단 외할아버지인 안드리 공작과, 첫째 오라버니 오스카 왕자, 그리고 아빠! 일단 최종 보스인 아빠부터 공략하는 게 낫겠지? 머릿속으로 온갖 계획을 꾸미던 비앙카에게로 곧 이해할 수 없다는 질문이 날아들었다.

"근데 왜 그렇게 싫어하시는 거예요, 공주님?"

올가였다. 뒤이어 소피아도 물어 왔다.

"저도 이해가 안 돼요, 공주님. 사교계면 예쁜 드레스를 입고 가는 곳이잖아요! 맛있고 달콤한 음식도 잔뜩 있고, 멋지고 예쁜 사람들도 많을 텐데요?"

"……."

확실히 이럴 때 보면 소피아는 아직 애였다. 비앙카가 해탈한 표정으로 허허 웃었다. 그건 아직 네가 몰라서 그래, 소피아. 거긴 그런 환상의 세계가 아니라 지옥도라고!

만약 비앙카가 전생의 그냥 그저 그런 평범한 여대생이었다가 이곳으로 떨어졌다면 소피아처럼 눈을 반짝이며 '예쁜 드레스! 갈래, 갈래!' 할 수도 있었다. 하지만 우리의 비앙카는 이미 전생에 한 번 사교계를 경험해 본 여자로서, 그곳이 얼마나 끔찍한 곳인지 누구보다도 잘 알고 있었다. 그

화려함으로 점철된 곳에 숨겨진 노동이란!

일단 미소는 기본으로 몇 시간 동안 장착해야 했고, 파티 같은 데 한 번 가려면 그 전부터 한참 동안 준비하는 건 기본이었다. 그녀는 화려한 드레스도 사랑했고, 보석류도 사랑했지만, 그 진저리 나는 준비 시간만큼은 도무지 견디기 어렵다고 생각했다.

그리고 릴리아나의 성격상 비앙카가 아직 어리다고 해서 그 시간을 단축시켜 주지는 않을 터였다. 그녀는 결심했다는 듯 주먹을 불끈 쥐며 소리쳤다.

"나 아바마마한테 갈 거야!"

"폐하한테요? 하지만 지금쯤 회의에 가셨을 텐데……."

"기다리면 되지."

그녀는 문제없다는 듯 소리친 후 패기 있게 방에서 뛰쳐나갔다. 그러자 가만히 있던 소피아도 얼른 '공주님, 같이 가요!' 하고 소리치며 그녀를 따라 나갔다. 결국 단둘이 남게 된 올가와 헤스터는 비앙카와 소피아가 놀다 어지럽힌 인형들을 정리하며 대화를 나누었다.

"과연 공주님 뜻대로 일이 이루어질까요?"

"글쎄……."

올가가 어깨를 으쓱거리며 읊조렸다.

"아마 생각처럼 안 될 것 같은데."

비앙카는 그길로 더글라스가 있을 중앙궁 쪽으로 달려갔다. 슬쩍 뒤를 보니 뒤쪽에서 소피아가, 그보다 더 뒤쪽에서 올가가 달려오며 자신을 뒤쫓고 있었다. 한참 뛰어 입 속에서 거친 숨이 간헐적으로 터져 나왔을 때가 되어서야 비앙카는 중앙궁에 도착했다. 그녀는 곧바로 더글라스가 있는 방 안으로 뛰어갔다.

"아빠아아!"

"비앙카?"

특유의 냉소적인 목소리가 그녀의 귓가에 울려 퍼졌다. 더글라스가 제 방으로 뛰어온 딸내미를 보고 놀란 표정을 지었다. 비앙카가 직접 중앙궁을 찾는 일은 드물었고, 대부분은 더글라스가 공주궁을 찾았기 때문이었다.

그가 벌떡 일어나 그녀에게로 다가갔다.

"어쩐 일이지?"

"아빠……."

비앙카가 울상을 지으며 더글라스에게 릴리아나의 만행(?)을 일러바치기 위해 까치발을 들었다. 더글라스가 그녀를 조심히 안아 들었고, 그녀는 콧물을 훌쩍이다 우연히 더글라스의 어깨 너머로 차를 마시고 있는 릴리아나를 발견했다.

응? 엄마가 왜 여기에……. 비앙카는 순간적으로 불길한 느낌에 사로잡혔다.

"그게…… 사실 엄마가…….."

"왕비에게 이야기는 들었다."

……네? 이야기요? 무슨 이야기? 비앙카는 설마 하는 표정으로 릴리아나를 쳐다보았다. 그녀는 웃고 있었다. 비앙카는 '설마? 설마?' 하는 표정으로 이번에는 더글라스를 쳐다보았다. 그는 무슨 츤데레 같은 표정을 지으며 헛기침을 하고 있었다.

설마?!

"사교계에 데뷔하고 싶다고?"

"응?"

저기요, 아버님? 무슨 헛소문을 들으신 건지는 모르겠지만…….

"그래서 드레스가 새로 필요하다고?"

아니야. 그거 아니야.

"뭐…… 굳이 살 필요는 못 느끼겠지만 원한다면 몇 벌 사 주도록 하지."

아니라고!

"한 백 벌 정도면 충분하려나?"

아니야! 이럴 때만 딸 바보인 척하지 마, 제발! 왜 이럴 때만 나 생각하는 척하는데? 지난번에 사 준 드레스로 만족한다고! 그것도 이뻤어! 비앙카가 황당한 표정으로 더글라스와 릴리아나를 번갈아 쳐다보았다.

더글라스는 무슨 생각을 하는 건지 얼굴이 살짝 붉어져 있었고, 릴리아나는 사악한 미소를 짓고 있었다.

더글라스는 예쁜 드레스를 입은 딸내미를 상상하고 있는 게 분명하고, 릴리아나는 '계획대로'를 속으로 외치고 있는 게 분명하다.

제기랄. 엄마에게 선수를 빼앗겨 버렸다.

"고마워요, 폐하. 하지만 백 벌은 좀 무리인 것 같고, 양보단 질이 좋은 게 낫지 않겠어요? 이번에 보스크 경이 오면 한 두어 벌 부탁하도록 하죠."

아까 말을 안 해 둔 것 같은데, 비텔 보스크의 드레스는 천재가 만든 드레스라는 이름에 걸맞게 그 가격이 어마어마하게 비쌌다. 아마 변방의 성 한 채 정도는 살 수 있을 정도의 가격일 거다. 그걸 두어 벌 정도 부탁한다고? 수전노 더글라스가 제정신이라면 절대 릴리아나의 제안을 받아들일 리가…….

"그것도 나쁘지 않군."

……아빠, 이러지 마. 우리 돈 아껴야지. 왕국에 그렇게 돈이 넘쳐나? 아니, 돈이 넘쳐나도 이건 좀 아닌 것 같아. 그렇지? 그리고 아빠 완전 짠돌이잖아. 나 지난번에 생일 드레스 산 지 얼마 안 됐다? 우리 아빠, 제발 평소의 수전노

로 돌아와 줘요.

"그럼 한 세 벌 정도로 하는 게 좋겠어."

"애들은 빨리 크니까요. 그 정도면 적당하겠죠."

이 부부는 어쩐 일로 쿵짝이 잘 맞았다. 제발 이럴 때는 불화가 일어나도 좋다고! 비앙카는 속으로 절규했고, 조심스럽게 말을 꺼냈다.

"아빠, 난 사실……."

"왜 그러지?"

"사교계 데뷔하기 싫은데……."

우물쭈물하면서도 확실하게 말하자, 더글라스의 표정이 의아하게 변했다.

"하지만 왕비 말로는 네가 파티에 가고 싶다고 했다던데?"

"엄마가 거짓말한 거야."

"아니야!"

릴리아나가 항변했다. 얼굴이 살짝 새빨개져 있었다. 역시 우리 엄마는 사기꾼은 못 되겠다. 이렇게 금방 들켜서야. 비앙카가 단호하게 말했다.

"나 파티에 안 갈 거야."

"……예쁜 드레스 입고 싶다며?"

"드레스만 입을 거야."

비앙카가 단호하게 의사를 표시했다. 그러자 더글라스가

왠지 모르게 시무룩한 표정을 지었다. 비앙카는 무언가가 잘못되어 가고 있음을 눈치챘다.

저기요, 아버님? 왜 아버님이 그런 표정을 지으시는 거죠……? 제기랄, 뭔가 낌새가 별로였다.

"간만에 사람처럼 차려입나 했는데 아쉽군."

"……."

"드레스 말고 다른 것도 지원해 줄 의향이 있었는데."

아쉬운 티를 아낌없이 내는 더글라스를 쳐다보며 비앙카가 황당하다는 표정을 지었다. 저기요, 아빠. 아빠 원래 이런 캐릭터 아니었잖아? 돈 아깝다고 딸 돌잔치도 안 해 줬던 양반이 지금 뭐라는 거야!

비앙카는 어느새 완전히 달라져 버린 더글라스를 쳐다보며 적응되지 않는다는 표정을 지었다. 왜 하필 이럴 때만 딸바보 역할이냐고오오!

"어머, 정말요? 잘됐네요. 마침 이번에 새로 들어온 목걸이 중에 비앙카한테 정말 잘 어울리는 게 있었는데."

"……그래?"

"네, 폐하. 아콰마린으로 만든 목걸이인데, 이번에 이머진의 상단에 새로 들어왔다고 해서요. 드레스에 같이 걸면 엄청 예쁠 거예요."

"뭐, 드레스만 입을 수는 없으니 그것도 하나 사야겠군."

……이러다 비앙카에게 어울린다는 건 전부 다 살 기세

다. 비앙카는 위기의식을 느꼈지만, 이미 더글라스가 자신이 사교계에 데뷔하기를 내심 바란다는 사실을 깨달은 비앙카로서는 별달리 할 수 있는 조치가 없었다. 최종 보스가 이 모양이니, 외할아버지나 오스카에게 매달린다고 해도 별로 달라질 건 없을 거다.

아니, 어쩌면 안드리 공작도 더글라스와 비슷한 반응을 보이면서 필요한 건 전부 다 구해 주겠다고 할 것이고, 오스카는 파티에 그녀와 함께 갈 수 있다는 사실에 들떠서 필요한 건 없냐고 더글라스처럼 물어볼지도 모른다.

그러니까 결론적으로, 지금 이 집안에 그녀를 도와줄 수 있는 사람은 아무도 없었다. 단 한 명도! 절망적인 결론에 비앙카는 속으로 절규했다. 제기라아아알!

"베델 가문 측에서 입장을 보내왔어. 왕세자비가 되는 조건으로 내야 하는 지참금의 3배를 내겠다고 하더구나. 지금으로써는 가장 좋은 조건이지."

"……."

"어때, 베델 공녀와 결혼하겠니?"

릴리아나의 말에 오스카는 순간 침묵을 지켰다. 여기서 자신의 의사를 내보여도 되는 것일까? 그는 고민했다. 자신의 속내를 드러내는 것은 17년 평생 하지 않았던 일이다. 그게 유리하다고 본능적으로 판단했기 때문이었다.

하지만 만약 이대로 평소와 같은 태도를 취하게 된다면, 그는 앞으로 죽을 때까지 얼굴도 모르는, 사랑하지도 않는 여자와 살게 될 것이었다. 그건 끔찍한 일이었다. 적어도 자신의 모친은 부왕을 좋아했고, 부왕은 결혼 당시 사랑하는 여자가 없었으니까. 하지만 자신은 아니었다. 그렇기 때문에 이 결혼이 성사된다면 두 사람은 불행해질 게 뻔했다. 오스카가 입술을 달싹이는 사이, 릴리아나가 말했다.

"별로 내키지 않나 보구나. 이미 마음에 담아 둔 사람이라도 있는 거니?"

눈치를 챈 것이다. 그러나 오스카는 끝까지 침묵을 고수했고, 그 모습을 지켜보던 릴리아나는 한숨을 내쉬었다. 그녀의 장자는 감정을 드러내는 데 너무도 인색했다. 차라리 아델리오처럼 증오라도 보여 주면 좋으련만, 오스카에게는 그런 것조차 없었다. 안타까운 일이었다. 릴리아나가 말했다.

"네가 원한다면 강제하지는 않을게. 물론 네 아버진 좋아하지 않으시겠지만…… 그건 내가 어떻게든 해결할 수 있는 문제란다."

"……."

"오스카, 난 네가 행복해졌으면 좋겠어. 왕의 자리는 그렇게 호락호락한 게 아니란다. 그런 자리를 지키면서 옆에 있을 사람마저 좋아하는 사람이 아니라면 얼마나 슬픈 일이니?"

릴리아나가 부드러운 어조로 말했다.

"만약 네가 왕세자비로 마음에 두고 있는 사람이 있다면, 난 네 뜻을 존중할게. 그러니 엄마한테 말해 주지 않겠니?"

"……아직."

오스카가 복잡한 목소리로 말문을 뗐다.

"잘 모르겠어요, 어머니."

"……그래."

릴리아나가 빙긋 미소 지으며 말했다.

"찬찬히 생각해 보려무나. 아직 시간은 많으니까."

왕비궁을 나온 오스카는 정처 없이 걸었다. 연초부터 더 글라스가 결혼 이야기를 입에 담았기 때문에 오늘 릴리아나와의 대화는 그리 어색할 것도 없는 일이었지만, 그는 지금 착잡하기 그지없었다.

"어머, 왕자님!"

지금 자신을 부르는 한 소녀 때문에. 오스카는 얼굴에서 복잡한 표정을 지우고 금세 미소를 지었다. 밝은 사람 앞에서 우울한 모습은 보일 수 없다. 그럼 무슨 일이 있냐고 금방 걱정스럽게 물어 올 게 뻔하니까. 오스카가 부드러운 목소리로 헤스터를 불렀다.

"레이디 헤스터."

"오랜만에 뵙는 것 같아요! 요즘 통 공주궁에 안 오셨죠?"

"일이 바빴습니다."

"저런."

헤스터가 짧게 혀를 찬 뒤 위로하듯 말을 건넸다.

"너무 무리하시는 것 같아서 가끔 보면 걱정스러울 때가 있어요. 식사는 잘하고 다니세요? 요즘 부쩍 마르신 것 같아서……."

"고맙습니다. 다행히 식사는 제때 하고 있어요."

"그럼 다행이구요."

그렇게 말한 헤스터가 환하게 웃었다가, 곧 무언가가 생각난 사람 같은 표정을 지었다. 그녀가 들고 있던 두 개의 종이 봉지 중 하나를 그에게 건넸다. 그가 의아한 표정으로 그것을 받아 들며 물었다.

"이게 뭡니까?"

"원래는 공주님 드리려고 구운 건데……. 별건 아니에요."

봉지 안을 살펴보니 버터 쿠키가 들어 있었다. 참고로 오스카는 느끼한 걸 별로 좋아하지 않아서, 버터도 별로 좋아하지 않았다. 하지만 그는 군말 없이 받아 들었다. 누가 구운 건데. 그가 희미하게 웃으며 감사의 인사를 건넸다.

"고맙습니다."

"어머, 별것도 아닌데요. 제가 직접 구웠으니까 맛은 보장해요. 일하시면서 드세요."

헤스터는 말을 마친 후 약간 수줍게 웃어 보였는데, 그게 오스카를 위로했다. 그녀는 그다음 대화를 어떻게 끌어 나가야 할지 진지하게 고민하다가, 곧 화제가 떨어졌다는 사실을 알고 절망했다. 그리고 분위기가 더 어색해지기 전에, 적당한 인사말을 남겼다.

"그럼 이만 가 보겠습니다, 왕자님. 공주님이 기다리고 계셔서요. 공주궁에 자주 오세요."

"노력하겠습니다."

"그럼 전 이만……."

옅은 미소를 남긴 채 발걸음을 돌리는 헤스터의 뒷모습을 멍하니 바라보면서, 홀로 남겨진 오스카는 저도 모르게 한숨을 쉬었다. 그는 태어나서 처음으로 가장 복잡한 기분을 느끼고 있는 중이었다.

비앙카는 좀 더 확실한 방법을 찾기로 결심했다. 이대로 포기하기에는 그녀의 인생(?)이 너무나도 아깝지 않은가? 그녀는 좀 더 확실하게 이 시기를 누리고 싶었다. 사교계에서 하하 호호 의미 없이 웃으며 보내는 게 아니라.

"어떡하지……."

"그냥 포기하세요, 공주님. 이미 그른 것 같아요."

소피아의 말에 비앙카가 소피아를 소리 없이 노려보았다. 소피, 너 자꾸 초 칠 거야? 하지만 그녀의 노려봄이 무색하게 올가도 한 수 거들었다.

"두 분 모두 원하신다면서요. 그냥 눈 딱 감고 한 번 다녀오세요."

"한번 가면 계속 가야 하잖아."

그녀가 부루퉁한 표정으로 불평했다. 한 번이 어렵지 두 번부터는 쉬운 법이다. 비앙카는 그녀의 평화로운 일상이 사교계라는 지옥으로 더럽혀지기를 결코 원치 않았다. 그런 건 좀 더 나이 들어서 해도 되는 법이다!

심지어 전생에서도 이렇게 일찍 데뷔하진 않았다. 정식으로 데뷔한 건 그녀가 성년의 날을 맞이한 날이었다. 스무 살까지는 바라지도 않지만, 적어도 열 살은 넘겨야 할 거 아니야!……가 그녀의 지론이었다.

"어떻게 하면 안 갈 수 있을까? 올가, 올가가 우리 중에 제일 어른이니까 답을 알려 줘."

"그걸 알면 제가 진즉 말씀드렸죠."

"그건 그래."

심드렁한 올가의 대꾸에, 비앙카는 빠르게 수긍했다. 만

약 올가가 답을 알고 있었다면 진즉 그녀에게 알려 줬을 것이다. 그러니까 지금 상황은 아주 절망적이다. 아무도 이 문제에 대한 답을 모르다니! 비앙카는 스스로가 그리 똑똑한 편이 아니라 생각했고, 그래서 더 난감해졌다. 머리 쓰는 건 원래부터 내 일이 아니었다구!

"딜리스 부인, 왕비님께서 오셨습니다."

"아, 어서 모시세요."

그때 릴리아나가 그녀가 있던 방 안으로 들어왔다. 그녀는 싱글벙글한 표정이었는데, 비앙카는 그 표정을 보고 복장이 터질 지경이었다. 엄마만 좋다 이거지? 엄마만! 그녀가 입을 비죽 내밀고 투덜거렸다.

"왜 왔어?"

"어머, 우리 아가 설마 삐친 거니?"

릴리아나가 키득거리며 웃었다. 손에는 무언가가 한가득 들려 있었다. 간식이라도 가져왔나 해서 보니 아니었다. 드레스 팸플릿이었다. 맙소사! 우리 엄마, 정말 맘을 단단히 먹은 게 틀림없다. 비앙카가 물었다.

"그게 모야?"

"너 보여 주려고 가져왔지, 아가. 드레스 팸플릿이야. 보스크 경에게 맡기는 건 맡기는 거고, 예비용으로 몇 개 더 준비해야지."

오, 세상에. 그러니까 지금 릴리아나는, 비텔 보스크에게 주문할 세 벌의 드레스 말고도 몇 벌을 더 사겠다고 말하고 있는 거다. 비앙카는 머리가 약간 어질해지는 것을 느끼며 릴리아나에게 말했다.

"넌 많은뎅……."

"안 많아. 한 번 입고 버릴 것도 아닌데, 뭐."

태연하게 말한 그녀가 비앙카를 무릎 위에 앉힌 다음 팸플릿을 펼쳐 들었다. 색색의 화려한 드레스들이 비앙카의 눈을 사로잡았다.

제기랄…… 예쁘잖아!

비앙카는 자꾸만 돌아가는 눈을 괜히 탓하며 속으로 끊임없이 다짐했다. 속으면 안 돼, 비앙카! 지금 저건 널 사교계로 끌고 가려는 엄마의 속셈이라구! 하지만 몸은 정직했고, 눈은 계속해서 돌아갔다. 릴리아나가 붕 뜬 목소리로 물었다.

"예쁘지? 뭐로 할까? 여기서 원하는 게 없어도 괜찮아. 팸플릿은 많거든."

하지만 예쁜 게 워낙 많아서 그런 걱정은 할 필요가 없을 것 같았…… 이게 아니라, 설마 내가 이런 걸로 마음을 바꿀 것 같아? 아냐! 절대 아니라구!

비앙카는 괜히 팔짱을 끼며 '흥.' 하는 소리를 냈다. 하지만 곧 스르르 고개를 옆으로 돌리며 드레스 하나를 콕 짚었다. 붉은빛이 도는 드레스였다.

제기랄, 여기 드레스 너무 예뻐.

"역시 우리 딸내미는 보는 눈이 출중하다니까. 또?"

"몰라."

그렇게 말하면서도 아까부터 계속 시선을 집중시켰던 금빛 드레스를 짚는 비앙카다. 릴리아나가 흐뭇하게 웃으며 말했다.

"좋아. 더 없어?"

아, 이럼 그녀의 완벽한 패배다. 솔직히 드레스를 들이밀면 내가 질 수밖에 없잖아, 안 그래? 비앙카가 억울하다는 듯 릴리아나를 쳐다보았다.

늘 제게 친절하기만 하던 릴리아나가 오늘만큼은 악마로 보였다. 하와에게 선악과를 내미는 뱀 같아서, 비앙카는 괜히 릴리아나에게 퉁명스레 굴었다.

"몰라."

"우리 딸, 또 뭐가 마음에 안 드실까? 엄마가 뭐 해 줄까, 응?"

그냥 나 좀 내버려 둬! 나이 차면 엄마가 말 안 해도 내가 내 발로 파티 휩쓸고 다닐게! 하지만 아마 릴리아나라면 '그것만은 안 된다' 고 그녀에게 말할 게 뻔했다. 비앙카는 하루빨리 다른 방법을 찾아야만 했다. 엄마를 설득할 방법을!

"맞다, 우리 딸 마카롱 좋아하지?"

"마카롱?"

요즘 그녀가 잔뜩 빠져 있는 간식이었다. 전생에서는 무지 달아서 쳐다도 보지 않은 간식들 중 하나였는데, 이곳에 와서는 갑자기 입맛이 바뀌기라도 한 건지, 아니면 아기 때로 돌아와 입맛이 더 어려진 건지 마카롱이 맛있어도 너무 맛있었다!

그녀가 슬쩍 호기심 어린 눈으로 릴리아나를 쳐다보았다. 릴리아나는 걸려들었다는 듯, 빙긋 웃으며 뒤에 있던 시종에게 말했다.

"준비한 거 가져와."

"네, 왕비님."

곧 시종이 커다란 접시에 가득 담긴 마카롱을 들고 비앙카가 있는 방 안으로 들어왔다. 비앙카는 흰 접시 위에 산처럼 쌓인 마카롱을 보고선 하마터면 눈이 뒤집어질 뻔했으나, 공주로서의 위엄(?)을 지키기 위해 애써 차분한 척했다.

물론 그건 본인의 착각이었고, 주변 사람들은 모두 공주가 마카롱을 보더니 파블로프의 개처럼 침을 뚝뚝 흘리는 걸 똑똑히 볼 수 있었다. 비앙카는 입가에 흐르는 침을 닦으며 릴리아나에게 말했다.

"나 마카롱 안 좋아해."

새빨간 거짓말에 릴리아나도, 올가도, 심지어는 소피아도 웃었다. 괜히 무안해지기만 한 비앙카가 헛기침했고, 릴리아나는 그런 딸을 좀 더 어르기 위해 다른 미끼도 내걸었다.

"걱정 마, 딸. 네가 그렇게 말할 줄 알고 더 가져왔거든."

씨익 웃는 릴리아나의 얼굴은 비앙카에게 악마처럼 보였다. 우리 엄마, 진짜 준비 단단히 했구나. 대단해. 존경해. 그녀는 차라리 포기하는 게 더 빠르겠다는 생각을 잠깐 하며 릴리아나에게 물었다.

"뭔데?"

"퐁당 쇼콜라."

"헐."

엄마, 이거 반칙이야? 응? 어떻게 지금 나한테 퐁당 쇼콜라를 들이밀 수가 있어? 내가 그걸 얼마나 좋아하는지 알면서! 비앙카는 울상을 지었다. 초콜릿 소스가 흘러나오는 케이크의 일종인 퐁당 쇼콜라는 비앙카가 조안이었을 때부터 비앙카인 지금까지도 변함없이 사랑하는 디저트였다.

그녀가 난감한 표정으로 있는 사이 다른 시종이 김이 적당히 피어오르는 퐁당 쇼콜라를 들고 안으로 들어왔다. 우리 엄마, 아무래도 작정하고 온 게 틀림없다. 저렇게 거대하고 사랑스러운 퐁당 쇼콜라라니! 비앙카는 거의 뒤로 넘어갈 것 같은 기분이었다. 옆에 있던 소피아도 참기 어려웠는지 냉큼 릴리아나에게 물었다.

"저도 먹어도 될까요, 왕비님?"

"그럼, 소피. 네 몫까지 계산해서 구워 왔는걸? 같이 먹자꾸나."

"감사합니다, 왕비님."

소피아가 예의 바른 태도로 릴리아나에게 감사를 표한 후, 해맑은 표정을 지으며 얼른 비앙카의 옆으로 왔다. 하지만 놀이 친구의 본분은 절대 잊지 않았다는 듯, 충분히 따뜻한 퐁당 쇼콜라를 포크로 조금 떼어 비앙카의 입에 가져다 주었다.

"자, 공주님. 아."

"……."

최소한의 자존심이다. 비앙카는 처음에는 입을 벌리지 않았다. 그러자 포크를 들고 있던 소피아가 당황하며 비앙카를 불렀다.

"공주님? 안 드세요?"

"안 먹어."

"아이참."

소피아가 난감한 표정을 지었다. 릴리아나가 비앙카를 재촉했다.

"소피 팔 아프겠다, 비앙카. 어서 먹어야지? 너 이거 좋아하잖아."

"……."

맞다. 비앙카르체는 퐁당 쇼콜라를 무지하게 좋아했다.

그냥 좋아하는 게 아니라, 엄청나게 좋아했다. 하지만 지금 당장은 먹을 수 없었다. 지금 비앙카는 엄마에게 삐쳐 있는 상태였으니까! 방금까지 삐친 척해 놓고 엄마가 사 온 디저트를 넙죽 받아먹는 건 말도 안 되는 일……이라기보다는 조금 자존심 상하는 일이었다.

그녀는 일관되게 고개를 휙 저었다. 결국 초콜릿 무스가 떨어질 위기에 처하자 소피아가 대신 그것을 먹었다. 포크로 남은 초콜릿 무스를 빨며 소피아가 중얼거렸다.

"어머, 왕비님. 너무 맛있어요."

"어머! 다행이구나."

릴리아나가 그것 보라는 듯 품 안에 안겨 있는 딸을 쳐다보았다. 비앙카는 그 소리를 듣자 더욱 참기 어려웠지만, 그래도 참고, 또 참았다. 흥! 어차피 그깟 퐁당 쇼콜라쯤이야, 나도 주방장에게 만들어 달라고 할 수 있다구!

"나도 좀 줄래, 소피아?"

"네, 왕비님."

잠시 뒤에 릴리아나가 퐁당 쇼콜라를 먹는 소리가 적나라하게 들렸다. 우리 엄마, 무슨 홈쇼핑 모델도 아니고 참 맛있게도 먹네. 속으로 투덜거린 비앙카는 여전히 삐쳐 있는 상태였다. 릴리아나는 평소보다 과장되게 맛을 평가했다.

"와우, 내가 지금까지 먹어 본 퐁당 쇼콜라 중에 제일 맛있어."

"……."

"비앙카, 정말 안 먹을 거야?"

으아아아악! 결국 비앙카는 참지 못하고 소리쳐 버렸다.

"내 거 다 먹지 마!"

"걱정 마. 아직 많이 남았거든."

사악한 미소를 지으며 릴리아나가 대답했다. 비앙카는 결국 퐁당 쇼콜라 하나에 넘어가 버린 자신을 한심하다며 탓하는 수밖에 없었지만, 어쩔 수 없었다. 가까이에서 본 퐁당 쇼콜라는 진짜로 맛있어 보였으니까. 제기랄. 환생하는 과정에서 먹다 죽은 귀신이 붙은 게 틀림없었다.

"흥!"

그녀는 여전히 토라진 표정을 하면서도, 포크로 사정없이 퐁당 쇼콜라를 퍼먹었다. 빌어먹게도 그녀가 지금까지 먹어 본 그 어떤 퐁당 쇼콜라보다 맛있었다. 하필 이런 걸 공주궁 주방장이 안 만들었다는 게 가장 슬픈 일이었다.

"맛있어?"

한창 먹는 데만 집중하고 있는데 릴리아나가 슬며시 물어 왔다. 그 말에 입가에 초콜릿 무스를 덕지덕지 묻혀 가며 퐁당 쇼콜라에만 신경을 쏟고 있던 비앙카가 새침하게 대꾸했다.

"못 먹을 정도는 아니야."

"맛있나 보네. 더 만들어 달라고 할까?"

비앙카는 릴리아나의 말에 '응!'이라고 외치고 싶었지만, 그보다는 올가가 더 빨랐다.

"더 드시면 몸에 안 좋아요, 공주님, 왕비님."

"그럼 어쩔 수 없지. 다음에 또 주면 되니까, 너무 실망하지 마, 딸."

누가 실망했다고⋯⋯. 꿍얼거리면서도 내심 실망하고 있는 비앙카였다. 그때 릴리아나가 낮은 비명을 질렀다.

"꺅!"

"므아?"

저도 모르게 귀여운 소리를 낸 비앙카가 무슨 일이 난 건지 확인하기 위해 릴리아나를 쳐다보았다.

그녀는 당황한 표정이었고 두 손으로 안고 있던 비앙카를 한 손으로 받쳐 들었다. 자세히 보니 비앙카가 들고 있던 퐁당 쇼콜라의 초콜릿 무스가 릴리아나에게 떨어져 쇄골 부분에서 범벅이 되어 있었다.

비앙카가 깜빡했다는 듯한 표정을 지었다. 퐁당 쇼콜라의 특성상 이런 일이 일어나기가 쉬웠다.

"엄마, 어떡해⋯⋯."

걱정스럽다는 표정으로 맑은 눈망울을 굴리며 울상을 짓는 비앙카를 잠깐 쳐다보던 릴리아나가 곧 씩씩하게 말했다.

"엄마 괜찮아."

빌어먹을. 우리 딸내미는 이런 순간에도 변함없이 깜찍하고 사랑스럽다.

"좀 씻어야겠네. 끈적끈적해서 닦아 내는 걸로는 어림도 없겠어."

"힝."

"그리고 너한테도 묻었어."

"어?"

정말이었다. 비앙카의 목 쪽에도 초콜릿 무스가 묻어 있었다. 비앙카도 덩달아 울상을 지었다.

"히잉."

"괜찮다니까. 씻으면 돼. 엄마랑 같이 씻을까?"

"응!"

언제 삐쳤는지 모를 정도로 빠른 감정 기복에 곁에서 지켜보고 있던 소피아는 놀라울 지경이었다. 아아, 내가 모시는 공주님이 이토록 단순하실 줄이야.

"올가, 목욕 준비 좀 해 주겠어?"

"네, 왕비님. 잠시만 기다리세요. 질리언, 시녀들과 함께 왕비님과 공주님의 목욕 준비를 도와 드리세요."

"네, 자작 부인."

올가의 명령에 대답한 질리언이 곧 시녀들과 함께 비앙카와 릴리아나의 드레스를 벗긴 다음 배스 가운으로 갈아입혀 주기 시작했다. 그 일련의 과정 속에서 릴리아나와 비앙카는 손가락 하나도 까딱하지 않았다. 비앙카는 새삼 행복함을 느꼈다. 전생에 재벌가 아가씨로 살았을 때도 이렇게까지 게으르게 산 적은 없었는데.

'역시 공주로 태어난 건 참 잘한 일이야!'

……아까까지만 해도 공주로 태어난 걸 후회하던 분이 할 소리는 아니었으나, 그런 부분은 그냥 넘어가기로 하자. 어쨌든 목욕 준비는 금방 마쳤고, 비앙카는 릴리아나와 함께 같은 욕조 안에 들어갔다. 따뜻한 물이 사람을 기분 좋게 만들었다. 노곤한 기분에 비앙카가 작게 소리 질렀다.

"좋아!"

"좋아, 우리 딸?"

릴리아나가 사랑스러운 표정으로 딸을 쳐다보았다. 우리 딸내미, 어쩜 이렇게 사랑스러울까? 초반의 모습과는 비교할 수 없을 정도로 달라진 릴리아나가 비앙카에게 말했다.

"엄만 딸내미가 제국에 가서도 사랑받으면서 지냈음 좋겠는데."

"……."

"다른 뜻이 아니라, 정말 그러라고 널 일찍 사교계에 보내려는 거야, 딸. 그게 그렇게 싫었어?"

"우웅……."

엄마, 엄마의 깊은 뜻은 이해하지만…… 그건 정말 사람이 할 짓이 아니라구. 얼마나 귀찮고 성가신 일인데. 릴리아나를 사랑했지만 여전히 릴리아나의 그 깊은(?) 뜻까지는 이해할 수 없는 비앙카였다. 비앙카의 부루퉁한 표정에 릴리아나가 그녀의 통통한 볼에 작게 키스했다.

"분명 너도 곧 생각이 달라질 거야."

아니야, 엄마. 그럴 일은 없어. 그것보다, 애당초 늙은 황제에게 시집보내려고 하면서 딸의 행복을 바란다는 게 난센스 아냐? 그냥 제국과의 혼약을 파기하지? 딸의 행복을 위해서라면 그게 더 좋은 선택 같은데?

……물론 이런 말들을 그대로 입 밖에 낼 수는 없었으므로, 비앙카는 그저 불만 어린 얼굴을 유지하는 수밖에는 방법이 없었다.

"왕비님, 들어가도 되겠습니까?"

왕비의 시녀인 질리언의 목소리였다. 릴리아나가 높은 목소리로 대꾸했다.

"들어와도 좋아, 질리언."

"네, 왕비님. 그럼 실례하겠습니다."

그 말과 동시에 대여섯 명의 시녀가 욕실 안으로 들어왔다. 비앙카는 순간적으로 벌거벗고 있는 자신이 부끄러워졌지만 오히려 릴리아나가 더 아무렇지 않고 당당하게 굴었기에 하는 수 없이 가만히 있었다. 릴리아나는 그 태연함에서 목욕 시중을 많이 받아 본 태가 났다. 역시 공녀님은 다르다…… 이건가. 재벌가 아가씨는 명함도 못 내밀 귀티였다.

"으음…… 질리언."

그때 릴리아나가 조금 불만스러운 표정으로 질리언을 불렀다. 질리언이 대답했다.

"네, 왕비님. 말씀하십시오."

"꼭 비누를 써야 하는 거야? 난 그거 싫은데."

응? 엄마, 무슨 소리야! 비누를 써야 뽀득뽀득 깨끗해지지. 더구나 엄마는 왕족이라고! 청결에 있어서는 모범을 보여야 한단 말이야. 비앙카가 이해할 수 없다는 듯 고개를 갸웃거리며 릴리아나를 올려다보았지만, 릴리아나는 정말로 비누를 쓰는 걸 좋아하지 않는지 인상까지 작게 찡그리고 있었다. 뭐야, 우리 엄마 알고 보니 목욕을 싫어한다거나……?

"이해합니다, 왕비님."

하지만 그 뒤에 나온 질리언의 말은 비앙카의 머릿속을 더 혼란스럽게 해 주었다. 이해한다니? 이봐요, 질리언 씨. 그쪽은 우리 엄마가 비누로 몸을 씻기 싫다는 걸 이해한단 말이오? 이거 설마 나만 이해가 안 되는 건가? 아, 혹시 소그노 왕국에서는 씻는 걸 별로 안 좋아하나? 옛날 중세 유럽 때는 그랬다고 들은 것 같기도 한데 말이지.

"냄새가 그리 좋진 않으니까요. 하지만 별 방도가 없지 않습니까. 그나마 이걸로라도 씻어야 청결이 유지될 겁니다."

"알아, 안다구. 하지만 말이야, 질, 그 냄새는 도무지 참기가 어려워. 좀만 더 향긋하면 얼마나 좋을까."

응? 이게 무슨 소리야? 향긋이라니. 모든 비누는 다 향긋하지 않나? 이해가 가지 않는다는 표정으로 비앙카가 릴리아나에게 물었다.

"엄마, 비누 냄새가 이상해?"

"이상하지. 설마 넌 좋은 거니?"

만약 정말로 그렇다면 아무리 그녀가 사랑하는 딸이라도 이해할 수 없다는 표정을 짓는 릴리아나를 보며, 비앙카가 말했다.

"한 번도 안 맡아 봤어. 비누로 씻어 본 적이 없거든. 그치, 올가?"

비앙카의 물음에 올가가 고개를 끄덕이며 답했다.

"네, 공주님. 비누가 냄새도 독하고, 성분도…… 양잿물로 만들어서 아기 피부에는 안 좋거든요. 그래서 공주님은 지금껏 물로만 씻으셨구요. 올해부터나 비누로 씻겨 드리려고 했어요."

"맞다. 그랬지? 근데 별로 맡아 볼 만한 건 못 되는데…… 질리언?"

릴리아나의 목소리에 질리언이 얼른 비누를 가져왔다. 하얗고 조그마한 비누였다. 흔히들 생각하는 비누 향이 날 것 같은 외관에 비앙카가 어리둥절해하며 자그마한 코를 비누

근처에 갖다 댔다. 그리고 얼마 지나지 않아…….

"웩!"

여기 비누 왜 이래? 무슨 빨랫비누 냄새 나! 이거 정말 몸 닦는 비누 맞아?

비앙카는 경악한 표정으로 얼른 코를 비누에서 떼어 냈다. 그녀가 원했던, 그리고 기대했던 비누는 이런 냄새가 아니었다. 좀 더 향긋하고 몽글하고 기분 좋은…… 그런 걸 원했는데! 여기 비누는 무슨 빨래할 때나 쓰는 비누의 냄새가 났다.

아니, 사실 그것도 꽤 좋게 쳐준 표현이고, 무슨 양잿물 냄새 같기도 하고 연탄 냄새 같기도 한 고약하고 괴상한 냄새였다. 그러니까 결론을 내리자면, 이런 냄새가 나는 비누는 결코 몸을 닦는 용으로는 적합하지 않았다. 빨래하는 용도라면 또 모를까. 이런 걸로 씻은 적이 없어 정말 다행이었다. 아니, 잠깐? 올해부터 쓴다고 했잖아? 안 돼!

"이런 걸 어떻게 몸 닦는 데 써?"

"그러게 말이다, 아가. 향기 나는 비누가 나오면 좋을 텐데."

슬픈 표정으로 대꾸한 릴리아나가 한숨을 쉬었다. 덩달아 비앙카도 우울해졌다. 잠깐만, 그럼 나…… 여기서 앞으로 계속 살아야 하는데 그럼 나도 이 거지발싸개 같은 비누로 씻어야 해?

여기까지 생각한 비앙카의 안색이 창백해졌다. 오, 세상에. 그것만은 절대 안 된다! 숙녀의 기본은 향기이고, 못해도 악취는 안 나야 하는데, 이 비누로 씻으면 안 나던 냄새도 날 것 같았다. 비앙카가 저도 모르게 소리쳤다.

"싫어!"

"사실 엄마도 싫어. 누가 향기 나는 비누 좀 만들어 주면 좋을 텐데. 그럼 아무리 비싸도 꼭 살 거야."

그러게. 왜 여기에는 그런 비누가 없는 거야…… 하고 생각하던 비앙카의 머릿속에, 순간 전구 하나가 번뜩이며 켜졌다.

잠깐만. 없으면…… 내가 만들면 되잖아? 어차피 비누 베이스는 있는 것 같으니 여기에 첨가물만 넣어서 미용 비누를 만들면 된다.

그녀가 만약 일반인이었다면 어려운 일일 수도 있었겠지만, 천만다행으로 그녀는 전생에 기업 계열사 중 하나인 코스메틱 회사에서 잠깐 일한 적이 있었다. 전공이 그쪽이었기 때문이다. 공부하는 것을 극도로 싫어하는 그녀가 유일하게 흥미를 붙인 분야이기도 했다.

화학 약품을 구하기 어려울 게 분명한 이곳에서 아예 처음부터 비누를 만드는 거라면 어려울지 몰라도, 베이스가 있는 상황에서 미용 비누만 따로 만드는 건 그리 어렵지 않은 일이었다. 비앙카는 희망적인 표정으로 머릿속에서 계획을 구상하기 시작했다. 만일 이 일이 잘만 된다면 이걸 미끼로 사교계에 데뷔하지 않을 수 있을지도 모른다.

뿐이야? 엄마의 사랑을 듬뿍 받는 건 물론이고, 만약 이걸로 사업까지 하게 된다면 더글라스도 그녀를 더 가치 있는 눈길로 바라봐 줄 수 있을 것이다. 한술 더 뜨면 제국으로 시집가는 것까지도 막을 수 있을지 모른다! 비앙카는 희망찬 표정으로 양손을 불끈 쥐어 보였다. 뭔가 일이 술술 풀리는 느낌이다!

"좋았어!"

"아가? 뭐가 좋다는 거야?"

릴리아나가 어리둥절한 표정으로 갑자기 흥분한 딸아이에게 질문했다. 그러자 지금 이 목욕탕에 자신 혼자 있는 것이 아님을 자각한 비앙카는 얼른 감정을 가라앉혔다. 그러고선 새침하게 대답했다.

"아무것도 아니야."

"새침하긴."

하지만 그 모습조차 귀엽다는 반응에 비앙카는 우쭐한 표정으로 릴리아나에게 뽀뽀했다. 그 행동에 딸의 기분이 완전히 풀린 것으로 착각한 릴리아나가 비앙카에게 물었다.

"어머, 이제 맘 다 풀린 거야?"

"흐응."

비앙카는 모호한 소리를 흘리며 대답을 피했다. 좋을 대

로 생각해, 엄마! 조금 있으면 내가 엄마를 설득할 수 있을
만큼 끌리는 물건을 만들어 올 테니까!

"자, 공주님, 왕비님. 이제 목욕하셔야 할 시간입니다."

아, 하지만 잊고 있었다. 그런 일을 하려면 일단 저 고약
한 비누로 목욕부터 해야 한다는 걸.

비앙카는 끔찍한 표정을 지으며 '미용 비누를 어떻게 만
들었더라.' 하고 기억을 더듬어 보았다.

여차 저차 그 고약한 냄새가 나는 빨랫비누로 목욕을 끝
마친 비앙카는 본격적으로 미용 비누를 만들기 위한 계획을
세우기로 했다. 하지만 일에 착수하기에 앞서 도움을 받아
야 할 이들이 있었다.

"올가."

비앙카가 비장한 목소리로 올가를 불렀다. 사실 일곱 살
짜리 꼬맹이가 비장한 목소리를 내 봤자 얼마나 비장하겠느
냐마는, 어쨌든 비앙카는 진지했다. 그게 보는 사람 입장에
서는 그저 귀여운 아가씨가 비장한 '척' 하는 것 같다는 게
문제라면 문제였지만.

어쨌든 올가 딜리스는 비앙카 공주의 유모로서 그 부분에
대해서는 관대하게 넘어가기로 했다.

"네, 공주님. 말씀하세요."

"올가에게 할 말이 있어."

"네? 뭔데요?"

"나 하고 싶은 게 생겼어."

뜬금없는 공주의 고백에 올가가 의아한 목소리로 물었다.

"하고 싶은 거라뇨?"

"비누를 만들 거야."

"비누……요?"

그거야말로 정말 뜬금없는 소리라는 듯 올가가 황당하다는 반응을 보였다. 우리 공주님, 아까 드신 퐁당 쇼콜라가 잘못되었나. 왜 갑자기 이런 소리를 하시지?

"비누는 이미 있잖아요."

"그치만 그건 냄새가 고약해. 올가도 알잖아."

"……알죠."

그 점은 그녀로서도 부정의 여지가 없었다. 사실 선택의 여지가 없다 뿐이지, 올가는 마음 같아선 절대로 비누를 사용하고 싶지 않았다. 하여튼 사람 코는 지구인이나 소그노인이나 똑같았다.

"그래서 향기 나는 비누를 만들고 싶어."

"근데 그걸…… 공주님이 하시겠다구요?"

올가가 당황한 표정으로 비앙카를 쳐다보았고, 비앙카는 무슨 문제가 있냐는 듯 당당하게 올가를 쳐다보았다. 올가는 이 위엄 있는 공주님의 자태 앞에서 어떻게 말을 꺼내야 할지 모르겠다는 듯, 조심스럽게 말을 시작했다.

"저…… 공주님, 근데요……."

"응, 올가. 말해."

"공주님 지금 몇 살이신지 아세요?"

"나? 일곱 살."

"……."

아, 다행히 그건 알고 계시는구나. 난 또, 우리 공주님이 너무 똑똑하셔서 자기를 한 열일곱 살짜리로 착각하고 계시는 줄 알았지.

올가가 큼큼 헛기침을 하며 비앙카를 불렀다.

"공주님."

"왜?"

"그건 너무 힘든 일 아닐까요?"

적어도 일곱 살짜리 공주님에게는요…….

조심스럽게 말을 꺼낸 올가가 슬쩍 비앙카의 눈치를 보았다. 그녀는 비앙카가 자신의 말을 듣고 시무룩해할 것을 예상했지만, 그녀의 예상은 유감스럽게도 한참 빗나갔다. 비앙카는 도리어 당당하게 올가의 말에 수긍했다.

"맞아! 힘들어."

"저…… 그럼 어떻게……."

"그래서 지금 올가를 부른 거잖아."

"······네?"

올가는 순간적으로 불길한 예감이 들었다.

"공주님, 설마······."

"맞아, 올가."

비앙카가 씨익 웃으며 올가에게 말했다.

"올가가 나를 좀 도와줘야겠어."

"······제가요?"

올가로서는 정말로 황당한 소리가 아닐 수 없었다.

자신은 이쪽 분야에 대해 하나도 모르는 일개 자작 부인이다. 그런 사람보고 비누를 만드는 걸 도와달라고?

올가는 차라리 비앙카에게 관련 지식인을 소개해 주는 것이 더 빠를 것이라 판단하고 말했다.

"차라리 제가 도움을 드릴 수 있는 학자를 구해 볼게요, 공주님. 전 비누에 대해 아무것도 몰라요."

"걱정 마, 올가. 책이란 건 이럴 때 쓰라고 있는 게 아니겠어?"

"······."

공주님, 저······ 그러니까 지금 그 말씀은 저보고 공부라도 하라는 뜻? 올가가 설마 하는 표정으로 비앙카를 쳐다보았지만 비앙카는 단호했다.

"같이 공부하자, 올가!"

"······그거 꼭 해야 하나요?"

올가가 슬그머니 물었지만 비앙카는 단호했다.

"같이 하자. 응?"

거기에 애교는 플러스. 간절하고 반짝거리는 눈빛은 플러스알파! 세상에, 공주님. 그런 눈빛으로 쳐다보면 제가 안 넘어갈 수가 없잖아요. 올가가 난감한 표정으로 말했다.

"하지만 저는 정말 이쪽에 대해서 아무것도 몰라요. 아마 왕비님이 더 잘 아실걸요."

"엄마한텐 비밀이다, 올가? 아빠한테도! 아, 오라버니한 테도!"

"네? 왜요?"

올가가 이해할 수 없다는 표정으로 고개를 갸웃거렸고, 비앙카는 금방 대답해 주었다.

"비밀로 해야 해."

"왜요?"

"그래야 깜짝 선물이지."

"세상에, 공주님. 설마……."

올가가 잔뜩 감동한 표정으로 말했다.

"설마…… 왕비님께 선물해 드리려고?"

"응?"

아니, 뭐 틀린 말은 아니긴 한데…… 사실 의도는 그것보다 좀 더 불순하지. 원래 의도는 협박(?)용이니까……. 하지만 분위기를 보니 올가는 이미 비앙카를 효녀로 낙인찍고 있는 것 같았다. 세상에, 본의 아닌 이미지 메이킹이다.

"역시 우리 공주님은 천하의 효녀세요!"

"음……."

"이 사실을 폐하와 왕비님께서 아시면 얼마나 기뻐하실 까!"

올가는 진심으로 기뻐하는 듯했다.

상황이 이렇게까지 흘러가자, 비앙카는 차마 거기다 대고 '사실 사교계 데뷔를 하기 싫어서'라는 대답을 꺼낼 수가 없었다.

만약 그런 대답을 내놓는다면 올가는 대놓고 실망한 표정을 지을지도 모른다.

하는 수 없지. 비앙카는 속으로 한숨을 쉬었다.

계획에 차질을 빚지 않게 하기 위해서라도 이 진실은 숨기는 게 좋겠어.

"맞아, 올가!"

대신 비앙카는 눈을 반짝이며 가식적인 말을 내뱉었다.

"엄마 아빠가 엄청 기뻐할 거야!"

아, 물론 그 이유가 아예 없는 건 아니었다.

비앙카는 스스로도 자신이 그렇게까지 영악한 아이는 아닐 거라고 생각했다. 물론 이걸 만들면 릴리아나는 물론이고 더글라스까지 기뻐할 거다. 뭐, 더글라스의 경우에는 순수하게 기뻐할지 의문이긴 했지만……. 어쨌든 딸내미가 그런 성과를 거두어 냈다고 하면 분명 기뻐할 것이다.

"전 엄청 감동했어요, 공주님. 역시 우리 공주님이야!"

"헤헤."

아, 먹고살기 참 힘들다.

첫사랑은 두근두근

"어서 오십시오, 오스카 왕자님. 요즘 특히 자주 뵙는군요."

사서의 말에 오스카가 힘없는 미소를 지어 보였다. 사서의 말마따나 요즘 그의 스케줄이 최대치를 향해 가고 있었기 때문에 오스카는 요즘 거의 도서관을 발이 닳도록 드나들고 있었다. 그는 시간이 없다는 것을 증명하듯 재빠르게 필요한 책이 모여 있는 서가로 발을 옮겼다. 그때, 그의 눈에 무언가가 들어왔다.

"조금만 더……!"

시녀로 보이는 소녀 하나가 상당히 높은 곳에 있는 책 한 권을 뽑기 위해 끙끙대고 있었다. 그냥 사서를 부르면 될 것이지, 어리석긴.

속으로 혀를 쯧 차며 무시하려던 오스카는, 곧 그녀가 헤스터라는 사실을 알고선 얼굴이 붉어졌다. 유독 요즘 자주 만나는 것 같은데, 착각이라면 착각이었다.

그는 긴장된 표정을 하고선 그 소녀가 있는 서가 쪽으로 걸어갔다. 웬 약초와 관련된 책들이 모여 있는 곳이었는데, 사서를 부르기에는 확실히 너무 먼 거리였다.

"어휴, 왜 이렇게 높은 곳에다 책을 꽂아 둔담?"

헤스터가 신경질적으로 중얼거렸다. 여기 사람들이 전부 장신도 아니고, 자기처럼 키 작은 사람은 어떻게 하라는 건지. 헤스터는 낑낑거리며 발꿈치를 열심히 위로 올렸다.

"조, 좀만 더…… 어?"

헤스터의 발꿈치가 자연스럽게 아래로 내려왔다. 누군가가 그녀의 옆쪽으로 팔을 뻗어 그녀가 뽑으려던 책을 대신 뽑아 준 것이었다. 헤스터가 멍한 표정으로 책을 뽑아 준 남자를 쳐다보다가, 곧 정신을 차리고 말했다.

"오……스카 왕자님?"

"손이 안 닿으면 그냥 사서를 부르시지."

무뚝뚝한 오스카의 말에 헤스터가 어색하게 웃어 버렸다.

"그러게요."

"그나저나 도서관까지는 어쩐 일입니까? 원래도 책을 좋아했던가?"

"아아, 제가 개인적으로 온 건 아니구요. 공주님께 필요

한 책을 구하러 왔어요."

"……비앙카에게?"

그가 아는 비앙카 공주는 일곱 살이었다. 그리고 도서관에서 어린아이용 책은 취급하지 않고 있었다. 오스카가 의아한 표정으로 물었다.

"여기에 그 애가 읽을 만한 책이 있나요?"

"아, 그러게요……. 너무 어려우면 저나 딜리스 부인이 읽고 대신 내용만 말씀드려야죠."

"뭘 하려는 건가요?"

"음……."

헤스터는 처음으로 고민했다. 이걸 말씀드려야 하나, 말아야 하나. 공주님께서는 비밀로 하고픈 눈치셨는데.

……그래도 오스카 왕자님께는 말씀드려야겠지? 헤스터가 머뭇거리다 이야기를 꺼냈다.

"실은 공주님께서 비누를 만든다고 하셔서요."

"……비누, 요?"

오스카는 순간적으로 자신이 잘못 들었나 했다. 비누? 내가 아는 그 고약한 양잿물 냄새 풀풀 나는 그거? 그걸 그 어린애가 만든다고? 오스카가 믿을 수 없다는 목소리로 말했다.

"하지만 비누를 만든다니, 그건 너무 위험한걸요. 공주궁에 비앙카가 가지고 놀 만한 장난감이 없나요?"

"아뇨. 그런 건 아닌데요……."

약간 머뭇거리던 헤스터가 하는 수 없다는 듯 모든 것을 사실대로 말했다.

"사실 왕자님, 이건 비밀인데요."

헤스터가 마른침을 꿀꺽 삼키며 다시 한 번 확인을 받아 냈다.

"……비밀 지켜 주실 거죠?"

"네, 그럼요."

"그럼 말씀드릴게요. 공주님께서 향기 나는 비누를 만드신대요. 왕비님께 선물하기 위해서요."

"그냥 비누도 아니고…… 향기 나는 비누요?"

17년 평생 처음 듣는 말이었다. '냄새'도 아니고 '향기' 나는 비누라니. 오스카가 어안이 벙벙해진 표정으로 헤스터에게 물었다.

"그걸 걔가 어떻게 만든단 말이에요?"

"그건 저도 잘 모르겠는데, 의지가 너무 확고하셔서 전 물론이고 딜리스 부인도 말리실 수 없었어요."

서가에서 책 몇 권을 더 집어 든 헤스터가 오스카에게 다시 한 번 못을 박아 두었다.

"어쨌든 이건 절대 왕비님께 말씀드리지 마세요. 아셨죠?"

"네. 알겠습니다."

그렇게 대답한 오스카가 곧바로 헤스터에게 물었다.

"지금 어디 갑니까?"

"공주님 뵈러 가지요, 공주궁으로요."

"같이 가죠. 저도 공주를 만날 일이 있어서."

거짓말이었다. 그가 비앙카에게 할 말 따위는 없었다. 그래도 헤스터와 시간을 좀 더 보내기 위해서는 사랑스러운 동생을 조금 팔 줄도 알아야 했다. 헤스터는 약간 의아해하는 표정을 짓다가, 곧 별 의심 없이 고개를 끄덕였다. 그녀가 해맑은 미소를 지으며 대꾸했다.

"같이 가셔요, 왕자님."

"오라버니가 여긴 어쩐 일이야?"

헤스터와 오스카라니. 의외의……까지는 아니고, 아니, 의외인가? 하여튼 뜻밖의 조합이었다. 둘이 만날 일이 뭐가 있지? 비앙카의 질문에 헤스터가 해맑은 목소리로 답했다.

"도서관에서 만났는데, 절 도와주셨어요!"

"하하……."

오스카가 어색하게 웃었고, 비앙카는 그제야 눈치챌 수 있었다. 그러니까 이건 100% 확실하다. 그녀의 감은 틀린 적이 없었으니까.

'좋아하는구만.'

그리고 보아하니 짝사랑 같고. 헤스터는 전혀 모르는 눈치다. 이 순진한 헤스터 같으니라고! 하지만 또 따지고 보면 헤스터가 모르는 것도 무리는 아니다. 지금까지 오스카의 행동만 놓고 보면, 그냥 정중한 호의로 봐도 이상할 게 없었으니까! 그래, 혼자 착각하고 삽질하는 것보다야 이게 훨씬 자기에게 이로운 일이긴 한데⋯⋯. 한데 문제는 진짜로 오스카가 헤스터를 좋아한다는 것이다. 이런, 이 둘을 어쩌면 좋아?

"참, 공주님. 이거 비누 제조와 관련된 책들이에요."

헤스터가 총 다섯 권의 두꺼운 책을 비앙카 옆에 쌓아 두었고, 비앙카는 직감적으로 그녀가 당분간 정말 열심히 공부해야 한다는 사실을 깨달았다. 이런, 지금 내가 누굴 걱정할 처지가 아니잖아?

"어쨌든⋯⋯ 오라버니는 여기 왜 온 건데?"

"응? 아⋯⋯ 그러니까⋯⋯."

이유 따위 없으니 대답이 나올 리 만무했다. 오스카는 열심히 머리를 굴리다, 아까 헤스터가 했던 말을 기억해 내고선 대답했다.

"비누 만든다길래 구경하러."

"⋯⋯뭐?"

오스카 대답에 당황한 비앙카가 헤스터를 쳐다보았고, 헤스터는 어색하게 웃으며 비앙카와 눈을 마주쳤다. 맙소사, 헤스터! 설마 오라버니한테 그새 말을 해버린 거야? 하긴 뭐. 다른 사람도 아니고 오스카니까 괜찮겠다 싶기도 했다. 머리 하나는 영특하니 혹시 도움이 될 지도 모르고. 비앙카가 말했다.

"아직 안 만들어. 만들기 전에 공부를 해야 하거든."

"나중에 그거에 대해 좀 더 자세한 이야기를 듣고 싶은데."

"그러지 뭐. 어쨌든 잘 왔어. 소피아가 아까 주방에 가서 머랭을 좀 가져왔거든. 같이 먹자."

그렇게 본의 아니게 디저트 파티가 열렸다. 소피아가 가져온 머랭을 오스카 몫의 접시에 따로 덜어 주었다. 오스카가 달콤한 머랭을 먹으며 아무렇지 않게 이야기를 꺼냈다.

"곧 결혼할 것 같아."

"……?"

비앙카가 뜻밖의 소식에 충격받은 표정을 지으며 먹던 머랭 부스러기를 떨어뜨렸다. 이게 무슨 소리야? 결혼? 벌써……는 아니고 한참 전부터 이야기는 나왔지. 그래도 막상 오스카가 결혼한다니 영 믿기지 않는 비앙카였다. 그녀가 얼른 물었다.

"결혼? 누구랑?"

"베델 공녀."

베델 공녀라면 헤스터도 만난 적이 있었다. 인형같이 생긴 외모에 앙증맞은 행동으로 뭇 영식들의 선망을 받고 있는 영애였다.

'어울리네.'

헤스터는 그런 생각을 하며 오스카의 얼굴을 쳐다보았다. 근데 어째 결혼을 앞둔 당사자의 얼굴이 영 죽을상이었다. 그녀가 무의식적으로 말했다.

"결혼이 영 기껍지 않으신 표정이에요."

그 한마디에, 분위기가 이상해졌다. 비앙카를 비롯한 여자들은 당황한 모습이었고, 그건 오스카도 마찬가지였다. 그리고 헤스터는 자신이 방금 무슨 짓을 했는지를 깨닫고선 경악했다.

'내, 내가 미쳤지!'

"죄, 죄송해요, 왕자님. 이런 무례를……. 그러니까 전…… 불경한 뜻으로 드린 말씀이 아니라…….."

"아냐. 잘 짚어 냈어."

오스카가 한숨을 내쉬며 충격적인 고백을 했다.

"실은 마음에 담은 영애가 있어."

"진……짜?"

이미 알고 있었지만, 비앙카는 모르쇠로 일관하며 물었다. 오스카가 고개를 끄덕였고, 옆에 있던 소피아가 얼른 물었다.

"누군데요?"

"비밀."

오스카가 힘없이 미소 지으며 대답했다.

"아직 내가 좋아한다는 사실도 몰라."

"고백해요!"

"용기가 없어."

"왜요? 차일까 봐?"

어린아이다운 순수한 대답에 거기 있던 모두가 웃었다. 우습지만 비앙카도 포함이었다. 작게 웃던 오스카가 대답했다.

"그것도 있고."

"또요?"

"난 평생 내 마음대로 뭘 해 본 적이 없어."

"……."

그 한마디에, 거기 있던 모두가 엄숙해진 분위기가 되었다. 오스카는 개의치 않고 계속 말했다.

"부왕 폐하와 모후 전하는 내가 베델 공녀와 결혼하길 바라시는 눈치야. 내가 그분들의 뜻을 어길 수 있을까? 자신이 없어."

"그렇다고 해서 사랑하지도 않는 여자랑 결혼해서 평생을 살 수는 없잖아요. 그건 왕자님도, 베델 공녀도 불행해지는 길이에요."

올가의 말에 오스카가 고개를 끄덕였다. 그가 말했다.

"하지만 왕이 좋아하는 사람하고 결혼한 전례는 거의 없어."

"아닌데? 우리 엄마 아빠 있잖아."

비앙카가 이의를 제기했고, 오스카는 작게 소리 내 웃었다. 엄밀히 말하면 어머니 혼자만의 짝사랑이었고, 사실 아버지도 마음이 아예 없으셨던 것은 아니었다. 어쨌든 자신보다는 둘 다 상황이 낫긴 했다. 그가 물었다.

"내가 마음대로 행동했다고 두 분이 싫어하시면 어떻게 하지?"

"내가 오라버니 지켜 줄게!"

"그래, 고맙다."

오스카가 엷은 미소를 지었고, 비앙카는 그가 무엇을 두려워하는지 대충 눈치챘다. 그는 알 안에 갇힌 사람이었다. 단 한 번도 자신의 알을 깨부수고 나온 적이 없었다. 은근히 그러지 않기를 요구받았기 때문이었다. 하지만 다른 건 몰라도 이건 결혼이었다. 일생의 가장 중차대한 일! 그런 것까지 다른 사람의 말만 듣고 따르는 건 일생을 거는 위험한 일이었다. 설령 그 사람이 가장 가까운 부모님이라고 할지라도. 비앙카가 말했다.

"오라버니가 하고 싶은 걸 해. 응? 난 그게 좋아."

"그래, 고마워."

따뜻한 미소를 지으며 비앙카의 머리를 쓰다듬은 오스카가 슬며시 자리에서 일어섰다. 오스카를 올려다보며, 비앙카가 물었다.

"벌써 가게?"

"잔업이 많아서."

지금은 헤스터 때문에 겨우 시간 내서 온 거고. 오스카가 뒷말을 삼키며 비앙카에게 인사했다.

"잘 지내고 있어, 비앙카. 또 보러 올게. 비누를 만들든 뭘 하든, 늘 조심하고."

"오라버니는. 내가 앤가."

비앙카가 불룩한 볼을 크게 부풀려 말했지만, 오스카는 그저 키득대며 웃을 뿐이었다. 그가 대꾸했다.

"그럼 네가 애지, 어른이야? 올가, 소피아, 그리고 헤스터…… 비앙카를 잘 부탁합니다."

"걱정 마세요, 왕자님. 제가 늘 잘 돌봐 드리고 있는걸요."

올가가 자애로운 미소를 지으며 오스카를 배웅했다.

"세자궁까지 조심히 가세요, 왕자님."

"고마워요."

오스카는 그렇게 말하며 비앙카의 방을 나섰다. 셋이 남았을 때, 소피아가 중얼거렸다.

"사랑하지도 않는 여자랑 평생을 살다니. 그것처럼 끔찍한 일이 어디에 있을까요?"

"왕자님의 말씀도 아예 틀린 건 아니야. 그렇게 산 군주들이 역사에 수두룩했단다."

"그래서 그 사람들은 다 행복했대요?"

"행복했던 사람들도 있고, 불행했던 사람들도 있어. 정략결혼이 꼭 불행한 인생을 담보하는 것만은 아니란다. 연애결혼을 해도 불행한 사람들은 얼마든지 있어."

올가가 약간 어두워진 표정으로 중얼거렸다.

"문제는 왕자님께서 지금 마음에 담아 둔 분이 계시고, 자기 마음을 무시한 채로 결혼하면 끝이 별로 좋지 않을 가능성이 크다는 점이지."

비누를 만들기로 결정한 이상, 공부는 불가피한 일이었다. 물론 이 세계의 지식이 미용 비누를 만드는 데 직접적인 도움을 주지는 못할 테지만, 그래도 기본적인 걸 알아 두면 분명 도움은 되겠지! 비앙카는 긍정적으로 생각하기로 했다.

어쨌든 직접적으로 미용 비누를 만드는 데 필요한 건 비앙카가 원래부터 가지고 있던 사전 지식이었다. 그나마 다행이라면 그녀가 이곳에 오기 직전 아이들 앞에서 비누 수업을 했다는 정도? 문제는 그것도 벌써 7년도 넘게 지난 일이라는 거. 아이구야, 세월 참 빠르네.

다행히 왕실 도서관에서 헤스터가 가져온 서적들이 꽤 괜찮았다. 물론 비앙카가 원하는 향긋한 비누를 만드는 데는 큰 도움이 되지 않을 테지만, 그래도 지식은 많을수록 좋다는 게 비앙카의 지론이었다.

"하암."

비앙카가 귀엽게 하품했고, 그 모습을 옆에서 지켜보던 헤스터가 사랑스러운 눈으로 그녀를 쳐다보았다.

"공주님, 졸리세요?"

"아냐, 안 졸려."

"졸리신 것 같은데."

"괜찮아."

비앙카가 눈을 비비며 고집을 부렸다.

"오늘 이거 다 볼 끄야."

"어머, 기특도 하셔라."

소피아가 깜찍한 표정으로 비앙카의 머리를 쓰다듬자, 그 모습을 본 올가가 따끔하게 소피아를 혼냈다.

"소피, 그게 무슨 버릇없는 행동이냐!"

"아……!"

뒤늦게 자신의 실수를 자각한 소피아가 얼른 비앙카에게 사과했다.

"송구합니다, 공주님. 제가 무례를……."

"아냐, 소피."

드문 올가의 단호함에 당황한 것은 도리어 비앙카였다. 그녀는 이런 부분에서만큼은 그 누구에게도 예외를 두지 않았다.

"난 괜찮아. 난 소피아가 쓰담 해 주는 거 좋아."

"그래도 안 돼요, 공주님. 죄송합니다. 분명 제가 무례했어요."

"힝?"

그럼 난 도대체 누가 쓰담 해 주냐고! 요즘 엄마도 바쁘다고 핑계 대고 오지도 않는데. 그녀가 살짝 토라진 표정으로 중얼거렸다.

"그치만 비앙카는 쓰담 받고 싶은걸."

"공주님……."

그 말에 헤스터가 충격받은 표정을 지었고, 그건 소피아와 올가도 마찬가지였다. 세상에, 우리 공주님이 애정 결핍 초기라니! 이대로는 안 되겠다고 판단했는지, 올가가 곧 단호한 목소리로 말했다.

"안 되겠어요, 공주님. 우리 왕비궁에 갈까요?"

엄마 보러? 근데 엄마 바쁘다며. 그녀가 고개를 갸웃거렸다.

"엄마 바빠."

"어차피 왕비님이 하시는 일은 8할이 쇼핑이에요. 괜찮아요."

"……."

저기, 올가……. 우리 엄마를 너무 잘 아는데? 비앙카는 당황스러운 표정으로 고개를 끄덕였다.

그리고 정확히 1시간도 되지 않아, 비앙카는 자신의 결정을 후회했다.

아, 내가 왜 가겠다고 했을까. 그냥 방에서 책이나 보고 있을걸.

"이……분이 바로……."

"네. 제 딸애랍니다, 경."

릴리아나가 빙긋 웃으며 남자에게 물었다.

"안아 보시겠어요?"

"전…… 아이를 별로 안 좋아해서요. 송구합니다, 왕비님."

하지만 그러면서도 남자는 비앙카를 계속 흘긋거렸다. 남자는 거대한 체구에 둥글둥글한 인상을 가지고 있었지만, 아이를 별로 안 좋아한다는 점 때문인지 비앙카의 눈에는 조금 차가워 보였다.

어쨌든 그녀는 하필 헨리 보스크가 왕비궁에 있을 때 릴리아나를 찾은 것이었다. 비앙카는 왠지 모를 불길한 예감에 계속 어색한 미소만 흘렸다. 어린아이가 짓기에는 썩 바람직하지 않은 미소였지만, 어른들의 눈에는 그것조차 예쁘게만 보였다.

"인사드리렴, 비앙카. 네가 입을 아름다운 드레스를 만들어 주실 분이셔. 헨리 보스크 경이시란다."

"안냐세여."

"경, 우리 애는 달라요. 다른 어떤 애들보다 귀엽고 깜찍하고 사랑스럽다고요."

애를 싫어한다더니 그게 사실인가 보다. 근데 어째 표정이 반은 싫고 반은 아닌 표정인데……? 어디 한번 실험해 볼까? 비앙카가 아장아장 걸어 헨리 보스크의 앞까지 걸어가 꾸벅 허리를 굽혀 인사했다.

"첨 뵙겠습니다. 비앙카라고 해요."

비앙카는 그런 다음 손을 내밀었다. 당연히 악수의 의미였건만, 헨리 보스크는 그 의미마저도 둔감하게 받아들이는 듯했다.

"손은 왜……."

"악수!"

"아아……."

헨리 보스크는 그제야 이해한 듯 어색하게 고개를 끄덕인 다음, 슬며시 비앙카의 말랑한 손을 잡았다. 그리고 그 순간, 그는 갑자기 짜릿한 전기가 흐르는 느낌에 사로잡혔다. 겁나게 부드럽고 말랑말랑한 게, 무슨 고양이 발을 만지는 듯한 느낌이었다! 참고로 그는 아이는 싫어했지만 고양이는 좋아했다.

"고양이 같으시네요, 공주님."

칭찬이었지만, 비앙카는 푸흡 웃을 수밖에 없었다. 내 얼굴이 고양이 상은 아니었던 것 같은데……?

"어머, 우리 애가 절 닮아서 좀 고고하고 새침하긴 해요."

"네. 그리고 고양이처럼 귀여우십니다."

"참, 고양이를 좋아한다고 하셨지요."

릴리아나가 이해한다는 듯 고개를 끄덕이며 헨리 보스크에게 말했다.

"고양이를 안으시듯 안으시면 될 거예요. 어렵지 않답니다. 한번 안아 보시겠어요?"

"네? 흐음……."

헨리 보스크의 얼굴에 고민의 색이 나타났다. 진짜로 그가 애를 싫어한다면 여기서 단칼에 잘라 내야 하는 게 맞다. 아까 그랬던 것처럼. 근데 이렇게 고민하는 걸 보면, 이 고민이 비앙카 한정인 게 틀림없었다. 크으, 역시 나의 귀여움이란! 비앙카가 자아도취 하며 말했다.

"안아 주세여!"

"공주님께서 원하신다면야……."

고민은 오래가지 않았다. 헨리 보스크가 아이를 처음 안

아 들어 올리는 티를 역력히 내며 조심스럽게 비앙카를 들어 올렸다. 이 불편함은 거의 더글라스가 그녀를 처음 안아 올렸을 때에 필적하는 수준이었지만, 비앙카는 특별히 아무 내색 안 해 주기로 했다. 헨리 보스크의 품에 안긴 그녀가 배시시 웃으며 애교를 부렸다.

"혜혜."

헐, 귀엽다……. 헨리의 눈이 정처 없이 흔들리기 시작했다. 아이가 원래 이렇게 귀여운 존재였나? 엄청 깜찍해! 고양이보다 더 사랑스러워!! 헨리가 순간 본심을 그대로 드러내 보였다.

"공주님은 다른 아이들보다 훨씬 사랑스러우시네요. 인형처럼 귀엽기도 하시고……."

그건 나도 알아요. 내가 좀 그렇죠? 까르르. 비앙카가 예쁘게 웃으며 대꾸했다.

"감사합니다아."

"피부도 도자기로 빚은 것처럼 예쁘시고, 볼살도 진짜 통통하고 귀여우시고, 눈도 크셔서 예쁘시고……. 왕비님, 원래 아이들은 이렇게 다 귀여운가요? 제가 아는 아이들은 빽하고 소리만 지르는 천방지축인데 말이지요."

"비앙카도 가끔 그래. 하지만 애가 특별히 귀엽고 얌전하고 똑똑한 것뿐이야."

릴리아나는 그렇게 말하며 약간 미소를 머금은 채 헨리에게 물었다.

"우리 애가 마음에 드나 봐? 아이 싫어한다더니."

"비앙카 공주님처럼 사랑스러운 아이가 흔하겠어요? 이런 아이라면 좋아하지 않는 제가 더 이상한 사람이겠죠."

저기, 아저씨? 아저씨 애들 싫어한다고 내가 아까 들은 것 같은데…… 하, 취향까지 바꿔 버리는 나의 귀여움이란! 이젠 슬슬 무서워질 지경이야! 비앙카가 까르르 웃었고, 릴리아나는 흐뭇한 표정으로 말했다.

"거봐, 경. 내가 말했잖아. 우리 공주는 분명 좋아할 거라고. 다른 애들보다 훨씬 더 사랑스럽다니까?"

"그러네요, 왕비님. 제 식견이 짧았습니다. 공주님은 정말 머리카락부터 귀여운 분이시군요."

"……"

도대체 머리카락부터 귀여우려면 머리카락이 어떻게 생겨 먹어야 하는 걸까. 비앙카는 진지하게 궁금해졌지만 그냥 자신의 호기심을 버리기로 했다. 원래 이런 부분에선 논리적인 이유가 무의미하니까.

"근데 엄마 바빠? 바쁘면 나중에 다시 올……."

"무슨 소리야, 딸? 아니야. 마침 잘 왔어."

"그래요, 공주님. 잘 오셨습니다. 안 그래도 공주님 이야기를 나누고 있었거든요."

……응? 내 얘기? 무슨 얘기?

"경, 우리 애를 사교계에 데뷔시킬 생각이야."

……뭐? 비앙카의 눈이 경악으로 물들었다. 엄마, 난 그거 허락한 적 없다? 나 분명 안 한다고 했다? 하지만 릴리아나는 그런 비앙카의 반응을 신경도 쓰지 않으며 헨리에게 말했다.

"그래, 경. 요즘 애들이 워낙 빨라야 말이지. 그날 누구보다도 아름답게 빛날 수 있는 드레스를 만들어 줘. 값은 얼마든 치를 테니."

"거듭 말씀드리지만 걱정 마십시오, 왕비님. 제 모든 장인 정신을 불태워서라도 그렇게 할 테니까요."

지저스, 하나님! 우리 엄마가 날 지옥의 불구덩이에 밀어 넣으려 하고 있어요! 내 말을 귓등으로도 안 듣다니, 이럴 수가!

비앙카는 깊게 절망하며 헨리와 릴리아나를 번갈아 쳐다보았다. 곧 헨리가 그녀를 불렀다.

"자, 공주님. 저는 치수를 다른 디자이너들과는 좀 다르게 잰답니다."

"넹?"

"자아, 일단 내려오시겠어요, 공주님? 치수를 재야하거든요."

"……."

헨리가 그녀를 바닥으로 내려주었고, 비앙카는 뭔가 불길한 예감이 들었다. 어쩌 영 불안했다. 고작 드레스 치수 재는 일이 이렇게 불안해서야.

비앙카는 자신의 기우일 뿐이라며 애써 무시했지만, 얼마 가지 않아 기우가 아니라는 게 드러났다.

헨리는 정말 치수를 '다른 디자이너들과는 좀 다르게' 쟀다. 노골적으로 말하자면 진짜 유별났다. 어깨 기장이나 팔 기장, 허리둘레는 그렇다 쳐도, 손 크기하고 발 크기, 머리카락 길이 같은 건 왜 재는 건데? 심지어 하나하나 재느라 시간도 더럽게 오래 걸렸다. 거기다 자를 하나만 쓰는 것도 아니고 제각각 다른 것으로 몇 번씩이나 쟀다.

당연히 시간이 더럽게 오래 걸릴 수밖에 없었는데, 더 경이로운 건 릴리아나가 그 모든 과정을 조금의 미동도 없이 지켜보았다는 점이었다. 올가와 비앙카는 새삼 이런 면에 있어서 릴리아나의 인내심에 다시 한 번 경탄했다.

그렇게 한 1시간 정도가 흘렀을 때, 비앙카는 헨리가 자신의 왼손 약지 길이를 재는 것을 지켜보며 지루한 목소리로 물었다.

"엄마."

"응, 비앙카?"

"이거 언제 끝나는 거야?"

지루한데. 그 말에 헨리가 화들짝 놀라며 비앙카에게 말했다.

"이런, 우리 공주님이 좀 지루하셨나 보군요."

"……."

이 작자가 애를 싫어하는 것까지는 잘 모르겠지만, 애를 만나 본 적이 별로 없다는 건 확실했다. 대부분의 애들은 이렇게 지루한 일을 1시간 동안이나 견딜 만큼 인내심이 좋지 않으니까.

사실 정신 연령으로는 어른인 비앙카조차 재미없어 죽을 지경이었는데, 그보다 더 어린 애라면 어떨지 상상도 안 갔다. 하여튼 헨리는 매우 유감이라는 목소리로 비앙카에게 이렇게 물었다.

"공주님, 심심하시면 제가 노래라도 불러 드릴까요?"

"괜찮아여."

미안하지만 사양입니다, 헨리 보스크 씨. 댁이 노래를 잘 부르면 더없이 좋겠지만, 음치나 박치면 어떡할 건데? 그건 진짜로 두 배는 더 괴로워지는 일이라구!

그냥 이 일에나 집중해 주세요. 빨랑 끝내 달란 말이야! 하지만 아무리 공주라도 그런 말은 너무 버릇없는 것 같아서 비앙카는 그냥 입을 다물기로 했다.

"자, 다 됐습니다. 공주님, 2시간 동안 고생하셨어요."

"……."

결국 치수를 재는 일은 장장 2시간에 걸쳐 끝이 났다. 비앙카는 이 남자의 장인 정신 하나만큼은 인정했지만, 솔직히 너무 지루했던 건 사실이었다.

비앙카는 지친 표정으로 마지막까지 예의를 차렸다.

"수고하셨어요, 보스크 경."

"어머, 세상에."

이런 애늙은이 같은 말조차 헨리는 껌뻑 죽는 것 같았다. 이 남자, 진짜 애 싫어하는 것 맞아? 소문의 진위에 강한 의구심을 품으며, 비앙카는 가식적으로 해맑은 미소를 지었다. 뭐, 예쁜 드레스를 만들어 준다니까 일단은 잘 보여서 나쁠 건 없겠지……

사교계 데뷔가 싫댔지 드레스가 싫다는 건 절대 아니었다. 드레스는 결단코 죄가 없으니까!

"예쁜 드레스 만들어 주세여."

"걱정 마시라니까요, 공주님. 제가 이래 봬도 엄청 유명한 디자이너랍니다."

헨리는 그렇게 말하며 릴리아나를 쳐다보았다. 매우 놀랍게도 릴리아나는 조금의 지친 기색도 보이지 않고 있었다.

"사실 레디메이드 드레스가 있어서 샘플로 그걸 보여 드리려고 했는데, 공주님을 보니 잠들어 있던 제 창작욕이 불타오르네요."

매우 영광이었다. 비앙카는 진심으로 웃었다. 하, 역시 이 몸의 사랑스러움은 국경과 취향을 초월하는구만.

"바르치스로 돌아가기 전까지 밤을 새서라도 완성시키겠

습니다."

"경만 상관없다면 무기한으로 잡아 두고 싶지만, 그건 안 되겠지."

릴리아나가 아쉽다는 목소리로 말했다.

"내 드레스에 공주의 드레스까지. 한두 벌도 아닌데 괜찮 겠나?"

"괜찮습니다, 왕비님. 이 일만 벌써 20년째인데요."

그렇게 말하기엔 그의 얼굴이 지나치게 젊었다. 매우 어린 나이에 일을 시작했나 보다. 그가 비장한 표정으로 말했다.

"실망하지 않으실 겁니다."

어쨌든 오스카는 선택을 해야 했고, 한참 동안 굳은 표정 으로 방 안을 서성이다가, 어느 순간 무언가를 결심한 듯 주 먹을 불끈 말아 쥐었다.

그래, 한번 도전해 보는 거다.

결국 비앙카는 처음 왕비궁에 가려고 했던 목적을 100% 달성했지만—쓰담쓰담 때문에 왔다는 비앙카의 말에 감격한 릴리아나에게 쓰담쓰담만 쉬지 않고 30분을 받았다—덤으로 사교계 데뷔 확정이라는 충격적인 소식까지 접했다.

공주궁으로 걸어가며 비앙카가 침울하게 중얼거렸다.

"엄마가 결국 일을 냈어……."

"이런 면에서는 꽤나 단호하신 분이니까요."

올가가 예상했다는 듯 아무렇지 않게 대꾸했다.

"공주님도 참. 그냥 포기하면 편하시다니까요."

역시 그런가. 내가 힘든 길을 걸어가는 건가! 진지하게 고민하던 비앙카는 곧 고개를 저으며 중얼거렸다. 아냐, 그래도 일단 해 보는 데까지는 해 보자. 내 소중한 자유를 위해서라면 그 정도 투쟁쯤이야!

'일단 하루빨리 향기 비누를 완성시켜야만 해.'

그래야 협박이든 협상이든 뭐든 할 게 아닌가. 비앙카가 영 찝찝한 표정으로 공주궁까지 걷고 있는데, 누군가의 모습이 눈에 들어왔다.

말똥거리는 비앙카의 눈에 비친 한 남자, 그 사람은 바로……!

"비앙카?"

오스카였다. 늘 그렇듯 제복을 입고 있었는데, 생각해 보면 그는 열 살 때부터 한결같이 완벽한 제복 차림을 고수했다. 옛날에는 어린애가 무슨 저런 딱딱한 옷을 입느냐고 질색했던 것 같은데, 17살 정도 되니 매우 잘 어울렸다.

역시 남자는 제복발인가. 비앙카는 새삼 흐뭇한 표정으로 오스카에게 달려갔다. 지금 중요한 건 그런 게 아니라, 나중에 왕이 될 우리 첫째 오라버니에게 애교를 부리는 거다. 그녀는 무슨 조건 반사를 하는 강아지처럼 그와 눈이 마주치자마자 헤실헤실 웃었다.

"오라버니이!"

"……."

그는 늘 그렇듯 말이 없었지만 어딘지 모르게 부끄러워하는 모습이었다. 이건 6년 전과 비교했을 때 딱히 달라진 것도 없다. 그걸 눈치챈 비앙카가 속으로 조소했다.

홋, 내 깜찍하고 사랑스러운 미소를 보고 나서도 그렇게 아무렇지 않은 척 행동할 수 있을까? 그녀는 작정하고 여전히 몸의 길이에 비해 짧은 팔을 버둥버둥 흔들며 오스카에게로 뛰어갔다. 그가 당황하며 소리쳤다.

"야, 다쳐!"

"오! 라! 버! 니!"

한 음절, 한 음절 소리쳐 오스카를 부르는 데 입가의 미소는 필수였다. 그 모습을 본 오스카의 입꼬리가 꿈틀거렸다. 저분도 세상 참 힘들게 산다……. 그냥 내 귀여움을 인정하고 한껏 웃으면 쉬울 일을 말이야!

비앙카가 팔을 한가득 벌리며 오스카에게 안겼다. 오스카는 엉겁결에 그녀를 안아 주었다. 그가 투덜거렸다.

"다치면 얼마나 귀찮아지는데 꼭 뛴다니까. 옛날에도 그렇게 뛰다가 다친 거 기억 안 나?"

"헤헤."

비앙카는 아무렇지 않게 웃어넘기고선, 곧바로 다른 질문을 했다.

오라버니. 어디 가?"

"……어머니한테."

"일은 다 했어?"

"아직 많이 남았지."

아, 그리고 오스카는 그녀가 돌을 맞기도 전부터 지금까지, 늘 워커홀릭이었다. 요즘은 공부와 함께 더글라스가 하는 일의 1/6은 그가 한다고 했다. 그래도 공부량이 전보다 줄어 하루 4시간은 잘 수 있다고. 그만큼 자는데 키가 이만치 큰 걸 보면 역시 키는 유전자가 제일 중요한 것 같다.

사실 4시간도 정상은 아니었지만, 따지고 보면 옛날의 거의 2배였으니 많이 자는 셈이었다. 아니, 잠깐만. 이런 걸로 위안을 삼으면 안 되는데?

"나 방금 엄마 만나고 왔어!"

"그랬어?"

오스카가 무의식적으로 비앙카의 머리를 쓰다듬었고, 연이은 쓰담쓰담 콤보에 기분이 좋아진 비앙카는 깜찍한 표정을 지으며 물었다.

"근데 또 갈 수 있어. 같이 가면 안 돼?"

"미안, 비앙카. 중요한 일이거든. 나중에 같이 가자."

"힝."

거참, 맨날 일하고 맨날 바쁘면서 무슨. 그보다 무슨 중차대한 일이기에 나까지 놓고 가? 그녀는 속으로 투덜거렸지만, 겉으로는 아무렇지 않은 척 그에게 무언가를 내밀었다. 아까 왕비궁 주변을 걷다가 우연히 발견해 꺾었던 붉은색 꽃이었다. 비앙카는 마지막 필살기를 시전했다. 그건 바로……

"꽃!"

손에 들린 꽃 한 송이를 흔들며 해맑게 웃기! 아, 생각만 해도 너무 예쁘고 앙증맞은 그림이었다. 새삼 자신의 청사진에 감탄하며 비앙카가 순진무구한 표정으로 웃었다.

하지만 오스카는 비앙카의 사랑스러운 애교에도 끝까지 자신의 무표정을 지켰는데 마치 그것이 자신의 마지막 남은 자존심인 양 구는 것 같아서 비앙카는 새삼 우스워졌다. 물론 오스카의 자존심을 지켜 주기 위해 절대 티 내진 않았지만.

"오라버니, 오라버니."

"그런데 너…… 발음이 원래부터 이렇게 형편없었나? 일곱 살이나 먹었으면 좀 달라질 때도 됐는데……. 발음이 뭉개져서 들려."

그 말을 들은 비앙카는 너무나도 어이가 없어졌다. 내 발음이 뭐가 어때서? 그러는 댁은 무슨 아나운서야? 발음이 거의 ARS 수준인데? 이곳에도 그런 게 있나? 아, 잠깐만, 잠깐만. 중요한 건 이게 아니잖아!

"설마 어디가 부족한 건가? 느려도 한참 느려."

……저기요? 이건 그냥 댁이 귀가 안 좋은 거예요. 내 발음이 뭐 어때서! 또박또박 잘만 말하는데 뭐가 그렇게 불만이야? 비앙카는 오스카가 자신에게 시선을 거둔 사이 그를 사정없이 쏘아보았다.

제일 짜증 나는 건 지금 우리 오라버니, 날 진심으로 걱정하고 있다. 오라버니, 저 멀쩡하다구요! 비앙카는 새삼 서러워졌다. 세상에, 형제들이 너무 잘나서 내 평범함이 멍청함 취급받고 있어!

"이 정도면 명확하신 편이세요, 왕자님. 기억 안 나세요? 일곱 살 때까지 발음이 불분명하셔서 국왕 폐하께서 걱정하셨잖아요. 나중에 국왕이 될 사람이 발음이 구리면 어떻게 하냐면서!"

"……."

본의 아니게 오스카를 '비앙카보다 못한' 아이로 만들어 버린 올가를 향해 비앙카는 마음속으로만 엄지를 날렸다. 그래, 역시 날 생각해 주는 사람은 우리 유모밖에 없다니까!

비앙카는 '꼬시다.' 하고 작게 중얼거리며 속으로 키득키득 웃었다. 그러는 동안 오스카는 졸지에 허풍쟁이가 되어 버린 게 자존심이 상했는지 얼굴이 잔뜩 빨개져 있었다. 무슨 잘 익은 토마토 같았다. 올가를 원망하는 듯한 표정으로 바라보던 오스카가 곧 더듬거리며 소리쳤다.

"아, 아니야!"

하지만 올가는 단호했다.

"맞아요, 왕자님. 제가 이래 봬도 왕비님의 친한 친구인 걸요. 왕비님이 오스카 왕자님, 아델리오 왕자님 낳으실 때 저도 같이 있었는데."

"아…… 아니야! 내가 기억하는데 무슨……!"

열일곱 살의 소년은 기억조차 희미한 과거를 부정하기 시작했다. 올가는 그런 왕자의 모습을 보고 그저 웃을 수밖에 없었다. 곧 장가갈 나이라고는 해도, 아직까지는 한없이 귀엽기만 한 그녀의 왕자님이었으니까. 그녀가 알았다는 듯 고개를 끄덕이면서도 오스카를 지적했다.

"알았어요. 하지만 그런 말은 좋지 않아요, 왕자님. 공주님이 상당히 많이 자라셨어요. 아까 들으신 것처럼 언어 구사력도 많이 느셨구요. 어휘력도 풍부하시답니다?"

그건 당연했다. 비앙카는 어쨌든 전생에선 서른이 넘었으니까. 아직 그녀의 첫째 오라버니가 그녀의 사랑스러움을 제대로 인지하지 못하고 있는 것 같아서, 비앙카는 특별히 비장의 무기를 발사하기로 했다. 이 자식, 이거 내가 울 아빠한테만 가끔 하는 건데 영광인 줄 알아라? 비앙카는 작게 헛기침을 한 다음 가만히 오스카를 불렀다.

"오라버니."

"……."

오스카를 한 번 부른 비앙카가 슬며시 한쪽 눈을 감아 윙크했다. 찡긋하는 표정과 함께 입으로는 슬며시 웃어 보였다. 덕분에 윙크와 미소가 만나 한층 더 안아 주고 싶은 모습을 만들었다. 하지만 오스카의 반응은 그녀가 생각했던 것과는 거리가 조금 멀었다.

"찡그리니까 더 못생겨졌군."

"……."

"거기다 눈은 무슨 개미 똥구멍만 해. 보통 이 나이 대 애들은 귀엽다고 하지 않나?"

"와, 왕자님……."

당황한 올가가 얼른 그를 말렸지만 그는 여전히 무심한 표정을 유지하며 말을 마무리 지었다.

"무엇보다, 웃는 게 바보 같아."

그래, 나 바보다, 이 자식아! 눈도 작고 얼굴도 못생겼다! 됐냐? 됐어? 울컥하는 마음에 그녀는 하마터면 '순수한 어린아이'의 가면을 벗어 던져 버릴 뻔했다고 생각하며 차분히 마음을 가라앉혔다.

참자, 참아. 저놈은 원래 저런 놈이다……. 심사가 뱀이

똬리를 튼 것보다 더 뒤틀린 놈이다……. 그렇지만 아무리 이렇게 자위해 봐도 짜증 나는 건 짜증 나는 거였다.

비앙카는 원래라면 자신보다 한참은 어린 이 오라버니의 언사가 심히 거슬리기 시작했다. 사실은 처음부터 거슬리긴 했지만.

그래도 내가 참아야지 어쩌겠어. 까딱하다간 이웃 나라에 매매혼으로 가 버릴지도 모르는 이 비관적인 상황에. 심지어 이 사람은 왕세자잖아! 우리 아빠 다음으로 왕이 될 사람! 나중에 분명 도움이 되겠지.

어쨌든 그녀가 지금은 절대 을이었으므로, 비앙카는 하는 수 없이 한 수 접고 가야 했다. 내가 나중에 성공하기만 해 봐! 너, 복수해 줄 거야! 비장하게 다짐한 비앙카가 '바보 같다'는 말을 칭찬으로 알아들은 백치처럼 또 한 번 헤실헤실 웃었다.

아, 내가 무슨 피에로도 아니고. 계속 웃는 것도 고역이었다. 남들과 다를 것 없는 평범한 삶을 살려는 게 이렇게 힘들 줄이야!

"바보?"

"어. 바보."

"나 바보야?"

되물음에 당연히 '응, 바보야.'라는 대답이 나올 줄 알았는데 생각했던 것처럼 대답이 빨리 돌아오지 않았다. 비앙카는 속으로 미소 지으며 채근하듯 애교를 부렸다.

"오라버니, 나 바보야?"

"······어. 당연하지."

어째 대답이 늦다, 왕자님? 비앙카는 속으로 큭큭 거리며 웃었다. 아직 시간이 좀 필요하긴 했지만 어디까지나 시간 문제였다. 비앙카는 슬쩍 화제를 돌렸다.

"오라버니."

"왜?"

"오라버니는 꽃처럼 이뻐."

"······."

남자가, 그것도 곧 결혼을 앞둔 사춘기의 소년이 '예쁘다'는 말을 듣는 건 엄청나게 수치스러운 일이라고 늘 생각하던 오스카였지만 이번만큼은 달랐다.

오스카는 평소답지 않게 눈을 동그랗게 뜨고 제 품 안에서 햇살 같은 미소를 머금고 있는 여동생을 쳐다보았다. 어, 이런 기분은 또 처음이었다. 뭔가 몽글몽글하게 좋은 기분.

"내······가?"

사실 비앙카의 말대로 오스카는 조금 곱상하게 생긴 얼굴이긴 했다. 미소년 같은. 옛 그리스의 조각상을 연상시키는 미모랄까. 하지만 정작 본인은 그런 평가를 엄청 싫어했다. 왕이 될 남자에게 그런 말처럼 실례되는 말이 없다나 뭐라나.

하지만 비앙카의 말을 들은 오스카는 오늘부터 생각을 조금 고쳐먹기로 했다. 예쁘다는 것도 칭찬인데 뭐, 좋게 받아들이는 것도 나쁘지 않지.

"웅! 오라버니 이뻐!"

"……그래."

"비앙카도 예뻐?"

거부할 수 없는 마력의 눈웃음 앞에 굴복당하지 않을 사람은 어디에도 없었다. 그는 잠깐 난감해하며 말을 더듬다가…… 결국 솔직하게 대답해 버렸다.

"아직 예쁠 나이는 아니고…… 귀엽지."

"……"

참으로 솔직한 오라버니의 대답에 비앙카는 황당했지만 좋게 받아들이기로 했다. 그래, 애가 귀여워야지 예뻐서 뭐 해? 그리고 이런 대답만 해도 엄청난 장족의 발전이었다.

비앙카를 보러 와서도 그녀보다는 아버지 더글라스에게 더 관심이 많았던 오스카가 이런 말을 하는 건 솔직히 처음이라면 상상할 수도 없는 노릇이었으니까.

비앙카는 내친김에 좀 더 애교를 부려 보기로 마음먹으며 보석처럼 반짝이는 눈을 초롱초롱 굴렸다.

"근데……"

"……"

"오라버니 엄마한테 가야 한다고 하지 않았어? 할 말 있다며."

"그…… 좀 늦게 가도 될 거야. 괜찮아."

아, 이 츤데레 자식. 그냥 나랑 좀 더 있고 싶다고 말을 해! 우리 오라버니, 진짜 귀여워서 어쩌냐? 비앙카가 자신 있게 말했다.

"그럼 나랑 노라죠."

"놀아 달라고?"

이번만큼은 얼굴을 찌푸리지 않을 수 없었다. 그는 아이와의 접점이 전혀 없던 소년이었고, 아동과 노는 걸 해 본적도, 해 볼 일도 없었다. 그러니 지금 비앙카가 그에게 내민 요구는 그로서는 상당히 당황스러울 수밖에 없는 일이었다.

오스카는 구원을 기다리는 눈빛으로 올가를 쳐다보았다. 그러자 올가가 자연스럽게 둘에게 다가와 오스카에게 말했다.

"왕자님, 크게 바쁘신 게 아니라면 공주님과 놀아 주시겠어요? 말귀도 알아들으시는 나이니까 어렵지 않으실 거예요."

"……어떻게?"

"쉬워요. 공주님이 해 달라는 대로 다 해 주시면 돼요."

저랑 시녀들도 그렇게 하는걸요. 예상외의 답변에 그가 고개를 갸웃거리며 물었다.

"……그래?"

올가가 고개를 끄덕이자 오스카가 어디 한번 말해 보라는 듯 고갯짓을 했다. 그녀가 기다렸다는 듯 소리쳤다.

"노래 불러 줘!"

"……."

그리고 오스카는 그대로 굳어 버렸다. 노래? 내가? 너한 테? 여기서? 농담 아니고? 그가 입을 연 건 정신을 차리고 나서도 한참 후였다. 세상에, 다른 거면 또 몰라. 노래라니.

"……노래?"

오스카가 비앙카의 말을 들은 후 내뱉은 첫 한마디였다. 그는 잔뜩 당황한 표정으로 자신의 어린 여동생을 내려다보 았다. 지금 그녀는 예비 국왕이자 이제는 결혼까지 앞둔 예 비 가장인 자신에게 노래를 불러 달라고 하고 있었다.

내가 그래도 나름 이 나라 왕세잔데, 부끄럽게 어떻게 그 래! 오스카는 그의 감정을 그대로 말속에 내비쳤다.

"……안 돼."

"왜?"

똘망똘망 한 눈으로 오스카를 쳐다보는 비앙카의 시선은 참으로 끈질겼다. 오스카는 사랑스러운 비앙카의 얼굴을 차 마 무시하지 못하다가 한참 후에 아무 말이나 지껄여 댔다.

"그런 짓은 여자만 하는 거야."

"……."

네가 아델리오냐. 여자를 비하하게. 거기다 이건 직업 비하라구! 속으로 혀를 쯧쯧 찬 비앙카가 다시 질문했다.

"왜?"

"……여자만 하는 거라니까."

"남자도 부르던데."

"……."

그런 건 또 어디서 본 거야……. 난감한 표정을 지으며 오스카는 속으로 절규했다. 사실 냉정하게 거절해 버리면 간단한 문제였음에도 불구하고 그는 끝끝내 그것만큼은 하지 못하고 있었다. 물론 이유는 오스카 자신도 잘 몰랐다. 사실 주변 사람들은 이미 다 알고 있었지만. 그러니까 그를 제외하고 모두가 알았다.

"꼭…… 노래를 불러야만 해? 너 이제 그럴 나이는 지나지 않았어?"

물론 그랬다. 하지만 비앙카는 무시하고 계속 요구했다.

"곰 세 마리 불러죠."

"……."

노래는 왜 하필 또 동요야……. 차라리 성악을 하라고 해……. 속으로 투덜거리던 오스카는 결국 쭈뼛거리며 올가를 쳐다보았다. 도와 달라는 신호였지만 올가는 상큼하게 무시하며 도리어 이렇게 말했다.

"오오, 저 드디어 왕자님이 노래하시는 모습을 보는 건가요?"

……저기, 올가?

"자라실 때는 제게 잘 불러 주시더니."

……올가, 나 좀 살려 줘.

"세자가 되신 이후론 한 번도 못 본 것 같아요. 거의 8년
만인가요?"

올가, 나한테 이러지 마…….

"곰 세 마리라니! 우리 공주님, 어쩜 이렇게 선곡도 완벽
하실까."

올가 딜리스 부인? 그대, 왕자님의 체면도 좀 생각해
줘……. 나 내일모레 장가가야 할 나이라고!

"자, 어서 불러 주세요, 왕자님. 저도 기대돼요!"

아니야, 기대하지 마.

"부끄러워하지 마시고요. 저희가 있잖아요."

어차피 노래가 끝난 뒤에 부끄러움은 전부 다 내 몫일 거
잖아아아아! 소리 없이 절규하며 오스카가 난처한 표정을
지었다.

"그래도…… 노래는 좀…….."

"왜애? 오라버니 노래 못해?"

"……."

자존심을 찌르는 발언에 오스카의 한쪽 눈썹이 꿈틀하고
올라갔다. 제기랄.

"못하는구나…….."

그렇게 슬픈 표정을 지으면서 말하지 말아 줄래, 비앙카 공주? 나 지금 엄청 비참하거든?

"알았어……. 못할 수도 있지 뭐……."

그래, 이해해. 비앙카가 눈물이 가득 들어찬 눈을 굴리며 오스카의 시선을 회피했다. 물론 굳이 노래를 시킬 필요는 없었다. 그렇다고 해서 오스카가 자신에게 가질 호감도가 급상승할 것도 아니었고.

하지만 그녀는 그냥 이상하게 오스카가 동요를 부르는 모습을 보고 싶었다. 그러니까 이건, 그냥 순수한 의도였다. 그냥 이번 생에서 제 오라비가 된 남자의 노래하는 모습이 보고 싶었던 것뿐. 물론 때로는 어린아이의 순수함이 다른 어린이의 마음을 크게 상하게 할 수도 있었지만 말이다.

"좀 불러 주세요, 왕자님."

그때 뜻밖의 목소리가 끼어들었다.

"공주님께서 이렇게 원하시는데……. 한번 불러 주시면 안 될까요?"

헤스터였다. 그녀가 조심스럽게 묻자, 오스카는 심각하게 고민할 수밖에 없었다. 안 그래도 점수를 딸 기회가 부족해서 전전긍긍해하고 있었는데! 하지만 그렇다고 해도 일국의 세자로서 자존심이……!

"노래를 잘 부르는 건 잘생긴 남자의 미덕이라고 들었는데……. 전 노래 잘 부르는 남자가 그렇게 멋지더라고요."

오스카, 지금 뭐 하는 짓이야! 너 어머니께 지금 무슨 말씀 드리러 가는지 벌써 잊어버렸어? 부왕 폐하와 모후 전하의 허락만 받으면 뭐 해? 정작 당사자가 싫다고 하면 모든 게 다 수포로 돌아가 버린다고!

"하, 할게! 해 볼게! 하게 해 줘!"

"와아, 멋져요, 왕자님!"

결국 헤스터에게 점수를 딸 기회만 노리고 있던 오스카는 모든 자존심을 내팽개친 채 얼른 소리쳐 버렸다. 아아, 오라버니. 사랑스러운 여동생보다 아리따운 예비 신부라 이겁니까? 이거 좀 배신감 드는데? 하긴 뭐, 어때? 중요한 건 결과니까! 천진하게 웃은 비앙카가 눈을 빛내며 오스카에게 물었다.

"그럼…… 불러 주는 거야?"

"……어."

그가 뒷머리를 벅벅 긁으면서 부끄러워했다. 비앙카는 속으로 큭큭 웃으면서도 앞에서는 아무렇지 않은 척 기대 어린 눈빛으로 오라버니를 쳐다보았다. 물론 헤스터와 소피아도 함께. 오스카는 긴장하면서도—나름 좋아하는 사람 앞에서 부르는 첫 노래였다— 노래를 부르기 위해 차분히 목을 가다듬었다.

"큼큼."

저…… 오빠, 근데 진짜로 여기서 할 생각이야? 비앙카가 당황한 눈으로 오라비를 쳐다보았다. 아니, 나는 방 안에서 불러 줄 줄 알았는데 여기서 불러 준다고? 하지만 오스카는 이미 부르기로 작정을 한 것인지 그런 비앙카의 시선은 전혀 눈에 들어오지도 않는 듯했다.

비앙카가 어디 한번 들어 보자는 듯 씨익 미소를 지으며 오스카의 입술로 시선을 옮겼다. 결국 입술을 몇 번 달싹이던 오스카의 입술이 열렸다.

"고, 곰 세 마리가 한 집에 있어."

"……."

"아빠 곰, 엄마 곰, 아기 곰."

"……."

"아빠 곰은 뚱뚱해! 엄마 곰은 날씬해! 애기 곰은 너무 귀여워!"

"……."

"으쓱! 으쓱 잘한다."

"어……."

뭐야, 생각했던 것보다 잘 부르네? 당연히 변성기 때문에 엉망일 줄 알았는데 오스카의 목소리는 의외로 청아했고, 발성도 좋았다.

"꺄악, 왕자님. 너무 잘하셨어요!"

그때, 옆에 있던 헤스터가 진심을 다해 박수를 쳤다. 나름 오스카를 치켜세우기 위한 행동이었는데, 정작 오스카는 의기양양한 표정을 짓는 대신 얼굴만 잔뜩 붉혔다. 저거, 저거, 저렇게 티가 나는데도 헤스터가 아직도 눈치 못 채는 게 신기할 정도라니까? 비앙카는 속으로 혀를 차며 오스카에게 말했다.

"오라버니 잘해!"

"……그래?"

은근히 망신을 기대했던 비앙카로서는 조금(?) 실망스러운 결과였지만, 뭐 이것도 나쁘지 않았다. 어쨌든 오빠가 노래를 잘 부른다는 건 좋으면 좋았지, 나쁜 일은 결코 아니었으니까! 이러니저러니 해도 오빠인데, 뭐. 그녀가 마음에 든다는 듯 까르르 소리 내 웃었다.

물론 노래를 끝낸 오스카는 부끄러워 죽을 지경이었지만.

'아, 쪽팔려. 지금 일곱 살배기 애 앞에서 다 큰 남자애가 뭐 하는 짓이야?'

그래도 뭐…… 헤스터에게 칭찬까지 들었으니 그걸로 되었다 싶었다. 이상형이 '노래 잘하는 남자'라고 우회적으로 말하는 것도 들었고.

그때, 비앙카가 선심 썼다는 듯 눈웃음을 지으며 그에게 팔을 뻗었다.

"안아 줘."

비앙카는 예쁜 노래를 불러 준 값으로 특별히 포옹을 허락했다. 나 비싼 여자야, 오빠! 영광인 줄 알아.

"안아 달라고?"

"웅!"

"……흠."

잠깐 생각하는 소리를 흘리던 오스카가 슬쩍 올가를 쳐다보았다. 정말 안아 봐도 괜찮은 거냐고 물어보는 듯한 눈빛에 올가가 흔쾌히 고개를 끄덕였다.

귀여운 왕자님 같으니라고. 속으로만 남몰래 중얼거리며 올가가 흐뭇하게 웃었다.

"웃차!"

똑같이 어린 소년이 그보다 더 어린 아기를 안아 들었다. 비앙카는 혹시라도 생길 불상사—진짜 여기서 떨어지면 머리가 개박살 날 수도 있었다—에 대비해 오스카가 입고 있던 제복을 최선을 다해 붙잡았다. 이러니저러니 해도 일단은 살고 보는 게 중요했다.

그 반응에 그가 저도 모르게 처음보다 더 안정적으로 비앙카를 받쳐 들었다. 비앙카는 멍한 표정으로 오스카만 쳐다보다가, 곧 그와 눈이 마주치자 언제 무표정했냐는 듯 금방 웃음을 지어 보였다.

아, 무슨 파블로프의 개도 아니고 사람 눈만 닿으면 까르르 웃냐. 아이고, 내 팔자야. 비앙카는 새삼 자괴감에 휩싸였다.

"말랑말랑하네."

"아직 어리시니까요, 왕자님. 왕자님도 어렸을 때는……."

"딱딱한 똥 같아."

"……네?"

오스카의 말에 다른 사람들의 표정이 자연스럽게 굳어졌다. 물론, 비앙카도 경악했다. 저거, 저거, 단어 선택 봐라. 근데 너…… 딱딱한 똥을 만져 보기라도 한 거냐? 왜 하필 그런 거(?)에 비유해?

거침없는 오스카의 단어 선택에 당황한 비앙카는 얼른 다시 귀엽고 순수한 아기로 돌아와 고개를 갸웃거렸다.

"……똥?"

"어, 응가."

……아니, 굳이 그렇게 상기시켜 줄 필요는 없어. 나도 사람이기 이전에 동물인지라 똥이 어떻게 생겼는지 정도는 알거든.

비앙카는 속으로 무지 당황하고 있었지만 겉으로는 그냥 아무것도 모르는 아기 흉내를 내며 끊임없이 오스카를 욕했다. 17살 맞아? 왕세자잖아! 진짜 책 좀 더 읽으라고! 비유할 게 그런 거(?)밖에 없냐! 아님 설마…… 이거 고의야?

"약간 배 아플 때 나오는 그런 응……."

그만해! 그만하라고! 더 이상은 들어 줄 수 없었는지 비앙카가 아무것도 모르는 척 오스카의 입술을 주먹으로 아프지 않게 쳐 버렸다.

그러자 오스카가 도끼눈을 뜨고 비앙카를 노려보았다. 뭐, 뭐! 그렇게 보면 뭐 어쩔 건데? 이 연약하고 사랑스러운 아이를 올가 앞에서 때리기라도 할 거야? 그럴 거야?

다행히 오스카는 그렇게까지 막 나가는 소년은 아니었고, 그래서 비앙카의 신변은 여전히 무사할 수 있었다. 다시 정신을 차린 오스카가 다른 말을 꺼냈다.

"근데 저번에 한 번 안았던 것보다 무겁네? 애 얼마나 더 찐 거야?"

더 쪄? 비앙카는 그 한마디에 차마 황당한 표정을 감추지 못했다. 누가 부전자전 아니랄까 봐 아빠랑 똑같은 소리를 하네? 저기요, 원래 애들은 다 이 정도는 나가거든요? 그리고 옛날보다 더 컸으니까 무게가 더 나가는 건 당연하거든요? 그리고 나 이 정도면 평균이거든요오? 거기다 이 집안 대대로 유전자가 마른 유전자라 나도 너처럼 크고 나면 완전 날씬 늘씬 할 거거든요오오!

차마 지금 할 수 없는 말을 가슴속에서 속사포처럼 쏘아 대며 비앙카는 다시 한 번 마음을 다스렸다.

참아, 비앙카. 참아. 상대는 아가야, 아가. 고작 17살짜리 아가! 원래의 너랑 몇 살 차이가 나는지 알아? 그리고 넌 전생에서조차 오스카보다 다섯살이 더 많았다고! 강산이 한 번 하고도 절반 바뀔 수 있는 시간! 정신 차려, 비앙카!

"힝……."

"작작 좀 먹어라."

"우이씨!"

이건 도무지 못 참아! 이거 인신공격이라고, 알아? 그렇게 무거우면 내려 주든가!

오스카의 팔 안에서 기분 나빠하는 비앙카를 눈치챘는지 올가가 따끔한 목소리로 한마디 했다.

"원래 그 나이 대에는 다 그 정도 나가요, 왕자님. 공주님 너무 놀리지 마세요."

"나도 그랬어?"

"왕자님도 그러셨죠."

정확히는 더 나가셨지만. 마지막 말에 오스카의 두 볼이 새빨개졌다. 상황은 역전되었다.

"무슨…… 아니야!"

"그랬어요. 아, 그때 초상화를 한 장 남겨 두었어야 했는데."

원통하다는 듯한 올가의 목소리에 오스카는 더 약이 올랐다. 이제 그는 거의 울기 직전의 아이처럼 징징대며 자신의 천부적인 날씬함을 강조했다.

"……난 그런 적 없어."

"제가 노망이 든 게 아니라면 틀림없어요, 왕자님. 그때 왕자님의 유모가 베를리스 부인이었나……. 한번 물어볼까요?"

"······됐어. 그만해."

풀 죽은 오스카의 목소리에 비앙카를 받아 든 올가가 살짝 장난기 어린 미소를 머금으며 오스카에게 말했다.

"그러니 공주님 너무 괴롭히지 마시란 말씀이에요. 아셨죠?"

"······알았어."

어딘가 모르게 토라진 듯한 표정으로 뾰로통하게 입술을 비죽 내밀고 있는 오스카의 모습은 참 볼 만했다. 솔직히 말해서 엄청 귀여웠다.

아, 17살 먹은 남자애가 이렇게 귀여울 수 있다니! 만약 내가 원래 내 몸이었으면 완전 꽉 안아 주는 건데! 비앙카는 새삼 아쉬워했지만 어쩔 수 없었다. 대신 배시시 웃으며 오스카의 품에 얼굴을 묻었다. 쿵쾅쿵쾅 거센 심장 박동 소리가 들렸다. 훗, 하긴, 이런 미인을 안고 있는데 심장이 안 뛸리가 있겠어?

비앙카는 뿌듯한 표정을 지으며 오스카를 빤히 올려다보았다. 그러자 저도 모르게 오스카가 그녀의 이마에 작게 키스했다. 그 행동에 올가는 물론이고 비앙카와 오스카 자신까지도 모두 놀랐다. 그 직후 자신이 무슨 짓을 저지른 건지 깨달은 오스카가 단호한 목소리로 변명했다.

"나 뽀뽀 안 했어!"

"······."

첫째 오라버니야, 그렇다고 해서 했던 뽀뽀가 없어지는
건 아니란다.

"진짜야."

"맞아요, 왕자님. 버드 키스죠."

한술 더 떠 자신을 놀리는 올가의 모습에 오스카가 볼을
잔뜩 부풀리며 계속 항변했다.

"아니라니까! 입술에 뭐가 묻어서 애한테 닦은 것뿐이
야!"

네, 네. 그러시겠죠. 입술에 뭐가 묻으셔서 그러신 거겠
죠.

슬쩍 코웃음 친 비앙카가 곧 큰맘 먹었다는 듯 그의 볼에
똑같이 뽀뽀해 주었다. 어휴, 우리 부끄럼 많으신 오라버니
를 위해 내가 나서 줘야지, 뭐.

쪽— 하는 소리와 함께 비앙카의 부드러운 입술이 똑같이
부드러운 오스카의 볼에 닿았다.

"이익⋯⋯."

오스카가 알 수 없는 소리를 내며 볼을 빨갛게 물들였다.
저거, 저거, 좋아하면서 아닌 척하기는.

속으로 쿡쿡거리며 웃은 비앙카가 겉으로는 아무것도 모
르는 백치처럼 헤실헤실 웃었다. 오스카는 여전히 아무 말
도 하지 못하다가 한참 후에야 비앙카를 올가에게 넘겨주며
가짜인지 진짜인지 모를 말을 내뱉었다. 여전히 얼굴은 토

마토처럼 익은 상태였다.

"이제 정말 가야 해. 모후께서 기다리시겠어."

"네, 왕자님."

그걸 올가도 눈치챘는지 목소리에 웃음기가 묻어나 있었다. 오스카는 입술을 꾹 다물고선 도망치듯 자리를 빠져나갔다. 물론, 마지막에 헤스터를 한 번 흘긋 바라봐 주는 것도 잊지는 않았다.

"왕비님, 오스카 왕자님께서 오셨습니다."

아까 헨리 보스크를 보내고 방에서 혼자 휴식을 취하고 있던 릴리아나는, 뜻밖의 방문 소식에 눈을 치켜떴다. 릴리아나가 우아한 목소리로 말했다.

"들여보내."

곧 문이 열리고 오스카가 안으로 들어왔다. 릴리아나가 빙긋 웃으며 아들을 맞아들였다.

"안녕, 아들."

"어머니."

오스카는 평소보다 약간 더 초조한 모습이었고, 릴리아나는 귀신처럼 그것을 눈치챘다. 하지만 평소처럼 아무렇지 않게 눈감아 주기보다는, 직접적으로 물어보았다.

"할 말이 있는 듯한 표정이야. 그렇지?"

"……네."

오스카가 어색하게 웃으며 접대용 소파에 앉았다. 오랜만에 보는 것 같은 아들을 위해 릴리아나는 시녀에게 차를 부탁하려 했으나, 오스카가 거절했다. 릴리아나가 '흠음.' 소리를 내며 물었다.

"……결혼 문제 때문이구나. 그렇지?"

"네."

살짝 얼굴을 붉히며, 오스카가 당당하게 말했다.

"저, 결혼하고 싶은 사람이 있습니다."

"아까 오스카 왕자님 완전 멋지지 않으셨어요?"

"으, 응……?"

당황한 나머지 비앙카는 말을 더듬었지만, 헤스터는 볼까지 붉히고선 탄성을 질렀다.

"공주님을 위해 노래까지 불러 주시다니! 일국의 왕세자로서 어려운 일이셨을 텐데……. 너무 다정하세요!"

이것 참……. 좋아해야 하는 건지, 말아야 하는 건지. 물론 우리 오라버니의 애정 전선만 놓고 보자면 이처럼 좋은 일이 없겠지만, 하다 하다 우리 오라버니가 다정하다는 말까지 듣다니! 설마 벌써부터 콩깍지가 쓰여 버린 건가……?
그런 거야?!

　"음…… 그래, 뭐. 헤스터의 취향을 존중할게."

　"네? 뭐라고요?"

　"아무것도 아니야."

　아이답지 않게 한숨을 쉰 비앙카가 별안간 큰 소리로 외쳤다.

　"참, 올가. 그보다 비누 만들 건 다 준비됐어?"

　"지금 가요!!"

　우렁찬 목소리와 함께 구석진 곳에서 올가와 소피아가 모습을 드러냈다. 두 사람이 바구니 안에 가지고 온 것은 '향기 나는' 비누를 만들 수 있는 재료들이었다. 올가가 재료들을 책상 위에 펼쳐 놓자, 비앙카가 까르르 웃으며 소리쳤다.

　"좋았어어! 다들 준비됐지?"

　"네, 공주님."

　"준비됐어요, 공주님!"

　"기대돼! 어서 시작해요!"

　"좋아, 그럼 지금부터 시작해 볼게."

　비앙카가 신나는 표정으로 행동을 개시하려 하는데, 누군가가 조용히 손을 들었다. 소피아였다. 비앙카가 물었다.

　"왜 그래, 소피?"

"그런데요, 공주님. 정말로 이런 걸로 비누가 만들어질까요?"

아직 어린 여아는 도무지 공주의 말이 믿기지가 않는 모양이었다. 하지만 미심쩍어 보이는 소피아의 태도에도 비앙카는 꿋꿋하게 소신을 밀어붙였다.

"그럼, 소피. 나 못 믿어?"

"공주님이야 믿지만⋯⋯."

"그럼 된 거야, 소피."

결과는 조금 있으면 나올 테니까, 한번 속는 셈치고 따라 해 보라고. 너무나도 자신만만한 비앙카의 말에 소피는 하는 수 없이 떨떠름한 얼굴로 고개를 끄덕였다. 뭐, 어쩔 텐가. 공주님이 믿으라고 하는데 믿어 봐야지.

"좋아요, 공주님. 한번 해 봐요."

"좋았어. 그럼 헤스터, 이 종이 봉지에 코코넛 가루를 담아 줘."

비앙카가 만들려는 것은 그녀가 죽기 직전—어감이 좀 이상하긴 하지만 이게 가장 맞는 말이었다— 만들기도 했었던 일명 '주물럭 비누'였다. 주물러서 비누 모양을 만든다고 해서 그런 이름이 붙은 것 같은데, 어린아이들도 쉽게 따라 할 수 있는 방법이라 아직 몸이 다 자라지 않은 비앙카와 소피아도 손쉽게 할 수 있었다.

물론 다른 일반적인 비누들도 얼마든지 만들 수 있었지

만, 비앙카는 아직 어렸기 때문에 그런 것까지는 좀 위험하다고 생각했다. 어쨌든 중요한 건 하나하나 차근차근 해 나가는 거니까! 그녀는 긍정적으로 생각하기로 했다.

"다 됐어?"

"잠시만요, 공주님."

코코넛 가루를 얻어 오는 건 헤스터의 몫이었다. 그녀는 대대로 왕실 주방장을 맡았던 하몬 가문의 외동딸이었기 때문에, 별로 어려운 일은 아니었다.

특별히 얻어 온 코코넛 가루가 종이 봉지 안에 차곡차곡 담기자, 비앙카는 그제야 만족스러운 표정을 지었다. 고작 첫 단계였지만 뭔가 잘 풀릴 것 같은 예감이 들었다. 사실 실패하는 게 더 어려운 일이었기 때문에 비앙카는 벌써부터 성공한 사람처럼 신나 있었다.

그녀가 흥분한 목소리로 말했다.

"좋아, 그럼 다들 넣고 싶은 즙을 넣어."

그다음으로 필요한 건 비누에 색 넣기. 물론 하얀 비누를 쓸 수도 있지만, 이왕 쓰는 거 좀 색이 있는 비누가 좋잖아?

비앙카는 당근즙을, 소피아는 샛노란 파프리카즙을, 올가는 시퍼런 시금치즙을, 마지막으로 헤스터는 보랏빛 포도즙을 선택했다.

적당량의 즙을 넣자마자, 네 사람은 약속이라도 한 것처럼 봉지를 흔들어 야채즙이 코코넛 가루에 잘 섞이도록 세게 흔들었다. 비앙카도 그 짧막한 팔로 힘차게 봉지를 흔들었다. 아, 이게 원래 이렇게 무거웠었나? 확실히 애가 돼서 그런가 힘이 달리네, 달려. 끙끙거리면서도 용케 봉지를 다 흔든 비앙카가 잠시 후에 큰 소리로 외쳤다.

"자, 다 했으면 이제 마법의 물을 넣어!"

여기서 마법의 물이란 그냥 쉽게 말해 비누에 들어갈 첨가제였다. 올리브유와 라벤더, 벌꿀과 로즈메리 차를 적절한 비율로 섞은 물이었는데, 이 비율이 기억이 안 나 한동안 애를 먹었었다. 결국 수많은 시도 끝에 나름 비슷하게 만들긴 했지만, 사실 향을 내려고 넣는 용도였으니 비율이 딱히 중요한 건 아니었다.

"너무 많이 넣으면 안 돼, 소피. 봉지가 젖는다구."

"알겠어요, 공주님."

4살이나 어린 비앙카가 그보다 나이 많은 소피에게 훈수를 두는 모습은 버릇없다기보다는 뭔가 귀여워 보였다. 올가와 헤스터는 저도 모르게 큭큭 거리며 웃었다.

"자, 이제 다들 주물럭주물럭해."

비앙카가 입을 오물거리며 먼저 시범을 보였다. 진짜 간단해서 그녀가 일곱 살이 아니라 다섯 살, 아니 두 살이었어도 충분히 할 수 있었다. 무슨 화학 약품이 들어간 것도 아니고, 전부 천연 재료였으니까. 새삼 죽기 전에 이런 거라도 배워 놔서 다행이라고 생각하는 비앙카였다.

"어휴, 이거 좀 힘드네."

고사리 같은 손으로 반죽을 만들려니 여간 어려운 게 아니었다. 이럴 줄 알았으면 그때 애들이 만드는 것 좀 도와줄걸! 나한테 너무 쉬워서 애들한테도 쉬운 줄 알았네.

"제가 도와 드릴까요, 공주님?"

"아냐. 괜찮아, 소피."

소피아가 충성스럽게 물었지만, 비앙카는 거절했다. 다른 이유가 있어서가 아니라 소피아의 손에 묻은 샛노란 파프리카 반죽이 자신의 주황색 당근 반죽과 만나면 색이 영 이상하게 변할 것 같았기 때문이었다. 비앙카는 꿋꿋하게 혼자서 반죽을 주물럭거렸다. 한참 후에야 비앙카가 지친 목소리로 소리쳤다.

"어휴, 다 됐다!"

"이제 어떻게 해야 할까요, 공주님?"

이다음부터는 영 감이 잡히지 않는 올가가 물었다. 비앙카가 세상 간단하다는 목소리로 말했다.

"끝이야. 올가가 원하는 대로 모양을 만들면 돼."

이렇게 말한 다음 비앙카는 잊지 말라는 듯 덧붙였다.

"난 하트 만들 거니까 다들 따라 하면 안 돼, 알았지?"

"어? 그럼 난 별 모양 만들래. 엄마, 따라 하면 안 돼?"

"알았어, 알았어."

올가와 헤스터는 비어져 나오는 웃음을 겨우 참았다. 이 또래 애들은 남이 따라 하는 거에 엄청 예민하다. 올가는 가장 간단한 직육면체 모양을 만들기로 했다. 사실 실용성으로 따지자면 이 편이 가장 효율성이 높다.

"……."

다들 한참 동안 아무 말도 하지 않고 비누 반죽을 모양 내는 데 열과 성을 들였다. 처음에는 애들 장난처럼 생각했던 올가나 헤스터도 사뭇 진지한 표정으로 직육면체를 만들었다. 그렇게 장장 20분이 흘렀을 때가 되어서야 비로소, 모든 사람들의 비누 만들기가 끝났다. 비앙카가 환호성을 질렀다.

"됐어, 소피, 올가, 헤스터! 이게 끝이야!"

"그럼 이거 바로 쓸 수 있는 거예요?"

소피가 눈을 반짝이며 묻자, 비앙카가 고개를 저었다.

"아직은 안 돼. 그늘에서 좀 말려야 해."

"얼마나요?"

"음…… 한 일주일?"

"너무 길다."

아쉽다는 목소리로 말한 소피가 곧이어 '그래도 참을게요.' 하고 씩씩하게 말했다. 비앙카가 올가에게 신신당부했다.

"올가, 이건 다른 사람들한테 절대 들키면 안 돼. 알았지? 헤스터도 하몬 백작님한테 말하면 안 돼?"

"그럼요, 공주님."

"절대 말 안 할게요."

그래도 뭐가 그렇게 불안한지, 비앙카는 한 번 더 약속을 받아 냈다.

"우리 네 사람만의 비밀이야. 응?"

"알았다니까요, 공주님. 걱정하지 마세요. 제가 잘 숨겨 놓을게요."

"좋아!"

비앙카는 그제야 마음이 놓인 표정으로 고개를 크게 끄덕였다. 세 사람이 만든 비누를 깨끗한 접시에 옮겨 담은 올가가 나긋한 목소리로 비앙카와 소피아에게 말했다.

"자, 그럼 이제 다들 손을 씻어 볼까요?"

"어……."

한편, 아들의 고백에 릴리아나는 잠깐 멍한 표정을 지었다. 그 표정을 본 오스카가 불안한 목소리로 릴리아나에게 물었다.

"어머니, 설마 별로세요?"

"음? 아냐, 아냐, 그런 거."

다만 네가 이렇게까지 당당하게 말할 줄은 몰랐거든. 릴리아나가 새삼 놀랍다는 목소리로 덧붙였다.

"네가 이렇게 용기를 낼 줄은 몰랐어."

"제가 용기를 내지 않길 바라셨나요?"

"그럴 리가. 그건 너무 이기적인 생각이지."

릴리아나가 소녀처럼 웃으며 아들에게 말했다.

"나도 좋아하는 사람과 평생 살기 위해 온 노력을 다했는데…… 넌 그렇게 살지 말라고 한다면 얼마나 이기적인 일이니."

"사실 두 분이 부러웠어요."

오스카가 솔직하게 말했다.

"어머니는 이 나라에서 제일가는 권력자이자 부호의 외동딸이셨지만, 제가 마음에 둔 사람은 그렇지 못하거든요."

"그래, 나는 운이 좋았어."

릴리아나가 깔끔하게 아들의 말을 인정했다.

"난 모든 게 따라 줬거든. 지참금을 기십 배로 낼 재산이 충분했고, 친정아버지는 전 재상에, 공작이지. 너희 아버진 좋아하는 여자도 없었고."

"……."

"하지만 오스카, 우리랑 넌 상황이 달라. 그렇지?"

"……네."

"누구니?"

"네?"

"네가 마음에 담고 있다는 그 영애 말이다."

그렇게 말한 릴리아나가 잠시 후에 불안함이 담긴 목소리로 물었다.

"영애이긴…… 한 거지?"

"네."

귀족의 신분도 아니었으면 말도 못 꺼냈을 것이다. 오스카가 얼굴을 살짝 붉히며 답했다.

"어머니도 아시는 사람입니다."

"어머, 그래?"

그 말을 들은 릴리아나의 머릿속에 오만 가지 영애들이 스쳐 지나갔다. 누구지? 누굴까? 아이참. 내가 아는 영애가 어디 한둘이어야지. 정신없이 '아들이 좋아하는 예비 며느리 후보군'을 나열하던 릴리아나는, 곧 들려오는 오스카의 대답에 순간 흠칫할 수밖에 없었다.

"레이디 헤스터요."

"……누구?"

"하몬 영애요. 헤스터 하몬."

오스카가 한술 더 떠 말해 주었다.

"비앙카의 시녀예요."

"맙소사!"

대답을 들은 릴리아나는 저도 모르게 깔깔 웃음을 터뜨렸고, 그 웃음소리를 듣고 있던 오스카는 자연히 긴장할 수밖에 없었다. 설마…… 마음에 안 차신다는 걸까? 초조한 표정으로 릴리아나의 입이 열리기만 기다리고 있는데, 한참 후에 릴리아나가 말했다.

"맙소사, 정말……."

"마음에…… 많이 안 드세요?"

"아니? 난 좋은데?"

애당초 릴리아나는 신분이나 재산, 이런 것들을 많이 따지는 사람이 아니었다. 그녀가 단순하다……기보다는, 워낙 그런 쪽으로 도가 튼 사람이다 보니 신경 쓸 필요가 없다고 해야 하나. 릴리아나가 약간 즐거운 듯한 목소리로 말했다.

"헤스터는 착하고 좋은 여자지. 네가 여자 보는 눈이 아버지를 닮아 정말 다행이다. 난 너희 둘, 찬성이야!"

셀프 칭찬을 한 릴리아나가 잠시 후에 약간 머뭇거리는 목소리로 말했다.

"다만…… 걸리는 게 두 가지가 있긴 해."

"……뭔데요?"

하나도 아니고 두 가지나? 오스카는 자연 긴장했고, 릴리아나는 평소의 백치미를 벗어던지고 차근차근 자신의 생각을 이야기했다.

"첫 번째. 지참금을 하몬 가문에서 감당할 수 있을까? 너, 왕비나 세자비가 되기 위해 신부 쪽에서 지불해야 하는 지참금이 얼마나 어마어마한지…… 모르지 않지?"

"……네."

왕비나 세자비가 될 자격에는 재력도 당연히 포함되었는데, 아무나 왕가의 일원이 되는 것을 막기 위해 건국 초기 때부터 정해진 법령이었다. 그 금액은 대략…… 왕국 1년 재정의 1/20 정도. 결코 적은 액수가 아니었다. 그러니 웬만한 고위 귀족이 아니라면 지불이 어려운 상황인 것이다.

더구나 하몬 가문은 애당초 부와는 거리가 먼 것이, 대대로 왕실 요리사로서 왕가에 기여했기 때문에 귀족 작위를 수여받은 것이었다. 아무리 왕실 전속으로 일한다고 해도 요리사 월급은 빤했다. 결코 그 금액을 감당할 수 없었다. 오스카가 풀 죽은 표정으로 고개를 숙였다. 문제는 또 있었다.

"두 번째. 아들, 너 말이야…… 헤스터와 이야기는 다 끝난 거니?"

"……네?"

"얘 좀 봐? 결혼을 너 혼자 하니? 당연히 여자 쪽 동의도 있어야지."

릴리아나가 단호한 목소리로 말했다.

"네가 왕세자라고 해서 헤스터가 무조건적으로 널 선택하진 않을 거야. 그런 애라면 결혼하지 말려무나. 고백은 했니?"

"아……뇨. 아직요."

"그것부터 해. 난 찬성이니까. 나머지는…… 차차 생각하자꾸나."

릴리아나는 그렇게 말하며 오스카의 머리를 쓰다듬었다. 비앙카에 비해 두 아들은 거의 신경 쓰지 않고 자라게 했다고 봐도 무리가 아니었다. 그래서 나름 정신을 차린 요즘, 두 아들은 비앙카에 비해 꽤나 아픈 손가락에 속했다. 그런 아들이, 좋아하는 사람이 있다고, 그 사람과 결혼하고 싶다고 말하고 있었다. 지금. 릴리아나는 어떻게든 아들의 마음을 지켜 주고 싶었다. 그것만이 그동안 해 준 것 없는 엄마로서 나름의 보상을 하는 길이라고 생각했으니까.

"자, 마음이 섰으면 어서 공주궁으로 가 보렴."

비앙카의 바람대로 올가는 충실하게 네 사람이 만든 비누를 숨겼다. 애당초 조그만 덩어리 네 개를 못 숨기고 들킨다는 게 더 웃긴 일이긴 했지만, 어쨌든 비누 네 개는 그늘진 곳에서 얌전히 제자리를 지켰다.

그리고 마침내 일주일이 지났을 때, 네 사람은 만든 비누를 사용해 보기로 했다. 비앙카와 소피아는 네 개 중 어떤 비누를 써야 할지 토론하다가, 결국 어른스러운 헤스터가 자신의 비누를 포기해 토론을 그만두었다. 나머지 세 개의 비누는 올가가 잘 포장해 비앙카가 릴리아나에게 선물할 계획이었다.

"그럼 저부터 한번 써 볼게요, 공주님."

가장 나이가 많은 올가가 첫 사용의 영광을 안았다. 올가는 손에 물을 충분히 묻힌 다음, 반신반의하는 표정으로 비누에도 물을 묻혔다. 그리고 조심스럽게 비누를 문지르자, 올가의 얼굴에 곧 놀라움이 스쳐 지나갔다.

"어머, 세상에!"

진짜로 거품이 났다! 놀란 올가가 얼른 비누 거품을 코에 대고 냄새를 맡아 보았다. 세상에, 향긋한 냄새가 났다. 올가가 흥분해서 소리쳤다.

"공주님, 정말로 향기가 나요! 비누 거품도 나고요."

내가 뭐랬어? 비앙카는 어깨를 으쓱거렸지만, 속으로는 안도의 한숨을 쉬었다. 물론 잘될 가능성이 99%일 것이라고 확신하고 있었지만, 만에 하나 실패하기라도 한다면 그녀의 체면이 말이 아니었기 때문이었다.

올가의 반응에 소피아와 헤스터도 얼른 비누 거품을 손에 묻혀 보았다. 곧, 올가와 똑같은 반응이 나타났다.

"헐. 완전 신기하다. 진짜 돼요, 공주님!"

"어머, 포도 향이 나요. 정말 신기하다!"

가장 마지막으로 비누 거품을 손에 묻힌 비앙카가 뿌듯한 표정으로 웃었다. 사실 이건 원래 있던 곳에서는 정말 별거 아닌 잡지식이었는데 말이지.

"비앙카, 아가? 올가? 소피? 헤스터?"

그때 릴리아나의 목소리가 들려왔다. 욕실에 있던 네 사람은 일순 당황한 표정으로 굳어 버렸다. 릴리아나가 이상하다는 목소리로 중얼거렸다.

"다들 어디로 간 거야……."

이렇게 방을 비운 적이 거의 없었는데 말이지. 릴리아나가 의아한 표정으로 방 안을 두리번거리고 있는데, 어디선가 네 사람이 우르르 튀어나왔다. 자세히 보니 모두 욕실에서 나온 듯했다. 릴리아나가 당황한 표정으로 물었다.

"다들 거기서 뭐 해? 왜 욕실에서 나와?"

씻었어? 릴리아나의 물음에 비앙카가 도리도리 고개를 저었다. 릴리아나가 곧 환하게 미소를 지으며 비앙카가 있는 쪽으로 다가왔다.

"좋은 소식이 있어, 딸. 보스크 경이 드디어 너를 위해 만들 드레스 디자인을 완성……."

그때 릴리아나가 갑자기 말을 끊었다. 그러고는 무슨 이상한 낌새라도 눈치챈 사람처럼 코를 킁킁거리며 딸의 냄새를 맡았다. 갑작스러운 행동에 비앙카가 당황하며 엄마를 불렀다.

"마마……?"

"딸, 이게 뭐야?"

릴리아나가 코를 여전히 킁킁대며 비앙카에게 물었다.

"목욕했어? 아니, 비누로 했으면 이런 냄새가 날 리 없는데?"

릴리아나는 영 이상하다는 목소리로 중얼거렸다.

"왜 이런 향기가 나지? 올가, 어떻게 된 거야?"

갑작스럽게 바통을 넘겨받은 올가가 당황하며 비앙카를 쳐다보았다. 어쨌든 비누의 소유권은 공주님에게 있었다.

비앙카는 잠깐 고민하다가 곧 한숨을 쉬었다. 계획에 약간 차질이 생기긴 했지만, 지금도 썩 나쁜 상황은 아니다.

"손만 씻었어."

"그런데 이런 냄새가 난다구?"

역시 애들은 어른들과 다른가? 여전히 킁킁대며 냄새를 맡는 릴리아나에게 질리언이 당황하며, '왕비님, 체통을 지키세요.' 하고 주의를 주었다. 물론 그렇다고 해서 릴리아나의 행동이 크게 달라진 건 아니었지만.

"내가 만든 비누로 손을 씻었거든. 그래서 향기가 나는 거야."

"네가 만든 비누…… 뭐?!"

릴리아나가 경악한 표정으로 딸을 바라보았다. 아니, 얘가 지금 뭐라는 거야? 그녀가 어버버 하는 표정으로 딸에게 확인 질문을 했다.

"엄마가…… 잘못 들은 거니, 딸?"

"아마 제대로 들었을걸."

"비누를…… 만들었다고?"

"응."

"그걸? 네가?"

"그렇다니까."

"혼자?"

"응."

사실 올가랑 헤스터의 도움을 받긴 했지만. 하지만 비앙카의 말에도 릴리아나는 영 못 믿는 눈치였다. 그녀는 끊임없이 질문했다.

"향기가 나는 비누를, 네가, 만들었다고?"

마침내 질문에 질린 비앙카가 못을 박았다.

"아이참, 엄마. 그렇다니까? 왜 사람 말을 못 믿어."

"세상에……."

릴리아나가 보기 드물게 얼빠진 표정을 지었다. 지금 내가 도대체 뭘 들은 거야? 그녀는 난생처음으로 진정이란 걸 하며 비앙카에게 차분하게 물었다.

"좋아, 딸. 엄마가 마지막으로 묻겠어."

"……."

"정말로 향기 나는 비누를 네가 직접 만들었다고?"

"응!"

비앙카가 씩씩하게 웃으며 큰 소리로 대답했고, 릴리아나는 거의 18년 만에 엄청난 충격을 받았다. 이런 충격은 단언컨대 애들 아빠를 처음 만난 이후로 받아 본 적이 없는 유의 것이었다. 그녀가 멍한 표정으로 중얼거렸다.

"세상에……."

"왜 그래, 엄마?"

"내가 천재를 낳았어……."

사실 이런 반응이 나와도 전혀 이상할 게 없던 것이, 올가도, 소피아도 그 생각에 거의 동의하고 있었기 때문이었다. 그제야 비앙카는 지금 그녀가 한 행동이 이 세계에서, 아니 그녀가 원래 있던 세계에서조차 얼마나 비상식적인 일인지를 깨달았다. 세상에, 본의 아니게 천재가 되어 버렸네.

"올가, 내가 천재를 낳았어. 그런 거야……."

"천재를 셋이나 낳으셨네요."

첫째는 문과 천재, 둘째는 무과 천재, 셋째는…… 그냥 천재? 릴리아나가 황망한 표정으로 무언가를 생각하다가 곧 다급하게 비앙카에게 물었다.

"그 비누, 나도 써 볼 수 있을까?"

"당연하지."

비앙카가 뿌듯한 목소리로 말했다.

"엄마 주려고 만든 건데."

"나 주려고?"

릴리아나는 여기서 다시 한 번 충격을 받았다. 세상에, 천재인데 효녀이기까지 해! 심지어 무지 예뻐! 세상에 나 말고도 이렇게 완벽한 여자가 있다니! 릴리아나는 감격한 표정으로 비앙카에게 말했다.

"고마워, 딸."

"……."

엄마, 아직 고마워하긴 일러. 비앙카는 속으로 불순한 미소를 지었지만, 전혀 티 내지 않은 채 아무렇지 않게 릴리아나를 욕실까지 안내했다.

릴리아나는 올가가 만든 비누를 처음 보고서 무언가에 홀린 표정을 짓더니, 곧 손에 물을 묻혀 비누 거품을 내기 시작했다.

"헐……."

손을 씻으며 릴리아나의 표정은 정말 실시간으로 변했다. 비앙카는 사람에게 저렇게 다양한 종류의 놀람이 있을 수 있다는 걸 그날 처음 배웠다. 마침내 손을 다 씻고 자신의 손에서 나는 냄새를 맡았을 때, 릴리아나는 굳은 목소리로 비앙카를 불렀다.

"비앙카."

"응, 엄마."

"아무리 생각해도 넌 천재가 틀림없어."

그녀가 새파랗게 질린 얼굴로 딸에게 물었다.

"내가 도대체 뭘 먹고 이런 위대한 걸작을 낳았을까?"

"……."

비앙카는 그 엄청난 미사여구에 손발이 오그라드는 기분을 느꼈지만, 아무렇지도 않게 대꾸했다.

"그냥 내 상상이야."

"세상에."

그녀가 고개를 절레절레 저었다. 아냐, 우리 따님은 진짜로 천재가 분명해.

"엄마한테 저 비누 세 개 다 줄 거야?"

"엄마만 좋다면 지금 쓴 것까지 네 개 다 줄 수 있어."

"정말?"

릴리아나의 눈이 생기 넘치게 빛났다. 비앙카는 대인배처럼 고개를 끄덕였다.

"그럼. 당연하지."

"세상에. 정말 고마워, 아가!"

"단!"

비앙카가 큰 소리로 릴리아나의 감상을 끊었다.

"조건이 있어요."

"뭔데, 딸? 네 이름으로 된 성? 네 이름으로 된 도시? 그것도 아니면 네 이름으로 된 시국을 줄까?"

아냐, 아냐. 엄마, 내가 원하는 건 그런 거창한 게 아니라구. 비앙카가 순수한 미소를 지으며 릴리아나에게 말했다.

"사교계 데뷔 안 할 거야."

"……."

그 한마디에 릴리아나의 표정이 빠르게 굳어졌다. 그녀는 한참 후에 정신을 차리고 비앙카에게 물었다.

"그게 무슨 말이니, 딸?"

"사교계 데뷔하기 싫어. 이것만 보장해 주면 엄마가 원하는 만큼 비누 만들어 줄게."

"……."

릴리아나의 표정에 난감함이 스쳤다. 그녀가 더듬거리며 말했다.

"하지만…… 엄만 네가 멋지고 아름다운 숙녀로 자랐으면 좋겠는걸. 그리고 네가 드레스 입은 모습도 보고 싶다구."

"파티에 안 나가겠다는 게 아냐. 하지만 사교계에 데뷔하게 되면 의무적으로 매번 파티에 나가야 하잖아. 그걸 자유롭게 하겠다구."

"그럼…… 파티에 가긴 하겠다는 거지?"

"응."

물론 그건 어디까지나 내 맘이긴 하지만 말이야. 비앙카가 어깨를 으쓱이며 대답하자, 릴리아나는 심각한 표정으로 고민했다. 이걸 어째? 하지만 역시 아무리 생각해도…… 비누의 매력을 포기하기가 어렵다. 저것만 있으면 남편도…….

"엄마."

딸애의 목소리에 릴리아나는 다시 정신을 차렸다. 릴리아나가 선심 썼다는 얼굴로 고개를 끄덕였다.

"좋아. 하지만 아예 안 가면 안 되는 거다?"

"당연하지."

나도 파티 자체는 좋다구. 맨날 나가는 게 싫다 뿐이지. 비앙카가 씩 웃으며 말했다.

"그거 다 쓰면 더 만들어 줄게."

"음…… 근데 비앙카, 엄마 생각에는 말이야."

무언가를 잠깐 고민하던 릴리아나가 곧 당황스러운 말을 꺼냈다.

"이걸 너네 아빠한테 알려 줘야 할 것 같아."

……예? 비앙카는 멍청한 얼굴로 두 눈만 깜빡거렸다.

"왜?"

"너네 아빠가 돈 되는 거에는 환장하잖아."

"……."

릴리아나의 말을 들은 비앙카의 머릿속에 일순, 좋은 생각이 스쳐 지나갔다. 잠깐만, 돈?

더글라스가 가장 좋아하는 게 바로 돈이었다. 정확히는 '나라에 도움이 되는' 돈이었다. 만약 이걸 사업으로 삼아서 그 이윤을 국고에 보탠다면? 그렇다면…….

'나, 그 할아범한테 시집가지 않아도 돼!'

비앙카는 순간 흥분한 얼굴로 릴리아나에게 물었다.

"그런데?"

"이걸 국가사업으로 확대하면 분명 큰돈이 벌릴 거야!"

부부는 닮는다고, 릴리아나도 이런 쪽에 있어서는 꽤 감각이 있었다. 비앙카가 슬며시 물었다.

"엄마."

"응, 그래."

"이건 순전히 내 아이디어야. 그치?"

"그렇지? 네가 만들었다며."

"그럼 사업이 잘되면 그건 다 내 덕분이겠네."

"그렇겠지? 네 아이디어가 없으면 아예 시작도 못 할 사업이니까."

좋아, 됐어! 비앙카가 회심의 미소를 지으며 고개를 끄덕였다. 그녀가 말했다.

"아빠한테 말해."

"정말?"

"응. 왕국에 도움이 되는 일이라면 기꺼이 도와야지."

공주로서. 그 말에 주변에 있던 모든 사람들의 눈이 반짝였다. 세상에, 어쩜 저렇게 어른스러우실 수가! 어머, 우리 애가 천재에 애국자야!

본의 아니게 '나라를 무지 사랑하는' 공주가 되어 버린 비앙카가 사랑스럽게 웃었다.

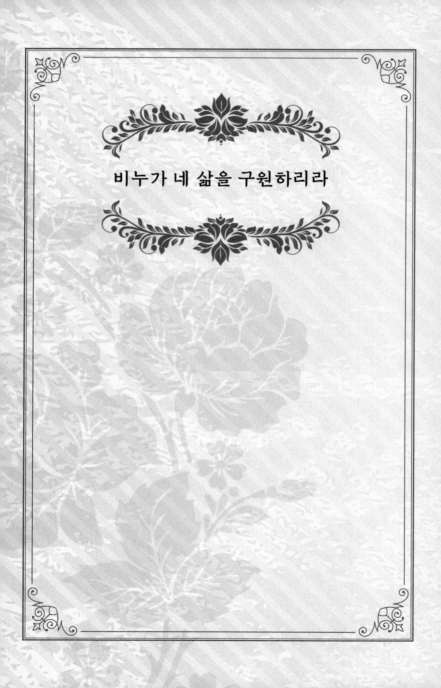

비누가 네 삶을 구원하리라

"예산이 너무 부족한데."

더글라스가 심각한 표정으로 중얼거렸고, 옆에 있던 야라가 거들었다.

"어쩔 수 없었잖아요. 서북 지방에서 올해 가뭄이 너무 심하게 들었어요. 국민들 사정을 무시하고 세금을 걷을 수는 없는 노릇이니까요."

"그걸 탓하는 건 아니야. 다만 이런 식은 너무 어려워."

잠깐 고민하는 표정을 짓던 더글라스가 야라에게 물었다.

"역시 지참금으로 예산을 충원하는 수밖에 없겠어. 그대도 그렇게 생각하지 않나?"

"제 생각도 그래요. 다만……."

"다만?"

"왕자님께서 결정하실 문제입니다. 지금으로써는 베델 공녀가 왕국의 입장에서 가장 적합한 왕세자빗감이지만, 결혼하시는 주체는 우리가 아니라 오스카 왕자님이시잖아요. 그분의 뜻이 가장 중요하지요."

"그렇긴 한데……."

그때 바깥에서 시녀의 목소리가 들려왔다.

"국왕 폐하, 왕비님께서 드십니다."

"왕비가?"

자연스럽게 말이 끊긴 더글라스가 의아한 표정으로 잠깐 고개를 갸웃거리다 곧 들어오라는 말을 전했다.

이런, 나 보면 또 기분 나빠하실 텐데. 야라는 눈치 있게 조용히 몸을 돌려 문가 쪽으로 갔다. 문이 열리자 어쩐지 신나 보이는 릴리아나가 방 안으로 들어왔다. 그러나 남편의 집무실에 함께 있는 야라를 보자마자 그녀의 활기찼던 얼굴이 살짝 찡그려졌다. 순간적으로 그녀는 야라가 소그노의 재상이라는 사실을 망각하고서 야라에게 물었다.

"여긴 어쩐 일이지?"

"전 재상이고, 폐하께는 보고 드릴 일이 있어서 왔습니다."

"재상이 그렇게 한가한가? 아랫사람을 시키면 될 걸."

"세수가 작년에 비해 너무 줄어서요. 이번 오스카 왕자님의 국혼으로 부족한 예산을 메꾸려고 생각 중이에요."

"······오스카를 팔아서 예산을 메꾼다고?"

직설적인 릴리아나의 말에 당황한 야라가 얼른 말을 수습했다.

"아뇨, 아뇨. 그런 뜻이 아니라······."

"결혼 상대는 그 애의 뜻도 반영되어야지. 평생을 같이 사는 사람이잖아."

"네. 그렇긴 한데······. 만일 왕자님께서 특별히 염두에 두고 계시는 분이 없으시다면 그렇게 일이 추진될 거라는 말이었죠."

그렇게 대꾸한 야라가 잠시 후에 물었다.

"혹시 왕자님께서 따로 염두에 두고 계시는 분이 있으신 가요?"

"······나야 모르지."

릴리아나는 아들의 프라이버시를 지키기 위해 부러 모른 척을 했다. 그 말을 들은 야라가 답했다.

"저도 왕자님께서 좋아하시는 분과 백년해로하셨으면 좋겠어요. 부정적인 의도가 있었던 말은 아니니, 너무 노여워하지 않으셨으면 좋겠네요."

야라가 옅은 미소를 지으며 그녀에게 인사한 뒤, 서둘러 방을 빠져나갔다. 그녀는 경험적으로 이곳에 더 있어 봤자 릴리아나의 기분만 더 상할 것이라는 사실을 잘 알고 있었다. 릴리아나는 방을 나간 야라의 자리를 한 번 흘겨보다가,

그 시선을 더글라스에게로 옮겼다. 덕분에 애꿎은 더글라스는 하늘을 우러러 한 점 부끄러운 짓을 하지 않았음에도 왠지 모를 불편함을 느껴야만 했다. 잠시 후에 릴리아나가 마음이 정리된 듯 다시 사랑스러운 표정으로 돌아와 더글라스를 불렀다.

"폐하."

평소처럼 인사는 생략한 채였다. 이제는 그조차 익숙했기 때문에 더글라스는 그것에 대해 별 제재를 가하지는 않았다. 그가 건조하게 물었다.

"무슨 일이지?"

"좋은 소식이 있어서요."

좋은 소식? 더글라스는 그게 과연 무엇일지 고민하다가, 순간 한 가지 짚이는 게 있는지 몸을 흠칫 떨었다. 그가 더듬거리며 물었다.

"조, 좋은 소식이라면."

"응?"

"설마…… 그런 건가?"

그가 심각하게 물었다. 그 딴에는 정말로 심각했다. 더글라스가 짐작하기에, 릴리아나가 '좋은 소식'이라고 말할 법한 일은 몇 없었다. 하지만 그중에서도 그나마 가능성이 있는 건…….

"넷째?"

"……네?"

릴리아나가 의아한 표정으로 고개를 갸웃거리다, 곧 그가 무슨 말을 하는지 알아듣고선 얼굴이 빨개졌다. 이 양반이 진짜! 그녀가 그에게 톡 쏘아붙였다.

"그런 거 아니거든요."

내 나이가 몇인데? 내일모레 마흔이라고! 릴리아나의 반응에 더글라스가 민망한 표정으로 헛기침을 했다. 하여튼 저 양반, 찔리는 구석이 있으니까 저러지.

릴리아나가 더글라스를 작게 흘겨보며 말했다.

"다른 일 때문에 온 거예요."

"어떤?"

"공주요. 비앙카."

"걔가 왜?"

릴리아나는 아무렇지도 않게 말했다.

"천재 같아요."

"……."

더글라스는 그 말을 듣고 순간 멈칫했다. 왕비는 오버를 잘하는 사람이었지만 이상하게 자식들에 관해서만큼은 유독 차분한 여자였다. 그런 사람이 갑자기 막내딸더러 천재라고 해?

더글라스는 그 이유가 심히 궁금해졌다.

"갑자기 웬? 그렇게 생각하는 이유라도 있나?"

"있죠."

릴리아나가 더글라스 앞으로 성큼성큼 다가가, 그의 얼굴 앞에 그녀의 두 손을 불쑥 내밀었다. 더글라스는 당황한 표정으로 릴리아나를 쳐다보았다. 뭐, 어쩌라는 건지. 그가 물었다.

"손은 왜?"

"맡아 보세요."

"……."

더글라스는 이게 도대체 뭔 짓거리인가 했지만, 그냥 시키는 대로 했다. 코를 킁킁거리며 맡아 보니 미약한 라벤더 향이 느껴졌다. 그가 무심하게 물었다.

"라벤더 잎이라도 쥐었나?"

"라벤더 향이 나죠?"

릴리아나가 기뻐하며 물었고, 더글라스는 별생각 없이 고개를 끄덕였다.

릴리아나가 감격한 목소리로 말했다.

"폐하, 비앙카가 비누를 만들었어요!"

"뭘 만들었다고?"

"비누요, 비누!"

"……그 양잿물 덩어리? 목욕할 때 쓰는 냄새 고약한 거?"

"그 비누요. 양잿물로 만들었는지는 잘 모르겠는데…….

하여튼 향기가 나는 비누를 만들었어요."

그 말에 더글라스가 자리를 박차고 일어나며 물었다.

"뭘…… 만들었다고?"

"결국은 왕비님께 제대로 드리기도 전에 들켜 버렸네요."

헤스터가 아쉽다는 목소리로 말했지만, 비앙카는 별로 개의치 않아 하는 목소리로 말했다.

"어쨌든 결과가 좋았으니 상관없잖아?"

"그건 그래요."

고개를 주억거리며 대꾸한 소피아가 올가에게 물었다.

"엄마, 그나저나 왕비님께서는 무슨 생각이신 걸까요? 뜬금없이 사업이라니."

"그러게나 말이다."

무언가를 생각하는 듯 올가가 조용하게 대꾸했다. 잠시 뒤에 그녀가 덧붙였다.

"분명 좋은 사업 아이템이긴 하지. 안 살 귀족들은 아마 없을 거야."

향기가 나는 비누라니. 상상도 못 할 아이템이었으니까. 그때 밖에서 시녀의 목소리가 들렸다.

"딜리스 자작 부인, 국왕 폐하께서 드셨습니다."

"폐하께서?"

올가가 깜짝 놀란 표정으로 고개를 갸웃거렸다. 이게 도대체 뭔 일이래? 그녀가 얼떨떨한 목소리로 말했다.

"어서 모시렴."

그 말과 동시에 더글라스가 문을 박차듯 열고 들어왔다. 비앙카는 어벙한 표정으로 방 안에 난입하듯 들어온 더글라스를 쳐다보았다.

소피아와 올가가 얼른 정신을 차리고 그에게 인사했다.

"소그노의 영광, 국왕 폐하를 뵙습니다."

"공주가 비누를 만들었다지?"

바로 치고 들어오는 질문에 올가는 그제야 왕이 왜 방문했는지를 깨달았다. 왕비님께서 벌써 중앙궁에 말씀하신 모양이군. 올가가 차분하게 대꾸했다.

"네, 폐하."

"그거, 나도 한번 써 볼 수 있나?"

그가 묘하게 흥분한 목소리로 말했고, 옆에 있던 비앙카가 난감한 목소리로 대꾸했다.

"그거 세 개는 엄마가 가져가고 쓰던 거 하나밖에 없는데."

"상관없어. 어디에 있지?"

"욕실에 있습니다, 폐하. 따라오시지요."

올가의 안내를 받아 욕실로 간 더글라스는 무슨 신성한

의식이라도 치르는 것처럼 신중하게 비누로 손을 닦았다. 수건으로 물기를 제거한 후 자신의 손에서 나는 냄새를 맡아 본 더글라스의 눈빛이 곧 이채를 띠었다. 더글라스가 진지한 목소리로 올가에게 물었다.

"딜리스 부인, 이걸 정말 공주가 만들었다고?"

"네, 폐하. 물론 저희가 좀 도와 드리긴 했지만 순전히 공주님의 아이디어입니다."

"맙소사."

짧게 탄식을 흘린 더글라스가 비앙카에게로 눈을 돌렸다. 그와 눈이 마주친 비앙카가 아무것도 모른다는 눈으로 순진무구한 미소를 지어 보였다.

"이거 대량 생산도 가능하냐?"

"……."

아버님, 아직 일곱 살밖에 안 된 애한테 쓰는 단어 상태가 참……. 어린애가 대량 생산이 뭔지 어떻게 알아요?

다행히 헤스터가 옆에서 친절하게 뜻을 풀어 말해 주었고 비앙카는 새초롬한 표정으로 대답했다.

"손만 많다면야 당연히 많이 만들 수도 있죠."

물론 궁전에는 넘쳐나는 게 인력이니까 사실 별문제도 안 되지만. 비앙카의 말에 더글라스가 다시 한 번 탄성을 터뜨렸다.

"놀랍군."

그가 비앙카에게로 가까이 다가와 말했다.

"네가 처음으로 태어나서 가치 있는 일을 했구나."

"……."

이 양반이 진짜? 일곱 살짜리 애는 그냥 놀고먹고 자고 싸는 게 일이거든요? 도대체 이 인간의 '가치 있는 일'의 기준은 얼마나 높은 거야? 그러니까 오스카가 하루에 네 시간 자는 걸 많이 자는 거라고 하지.

속으로 투덜대면서도, 비앙카는 겉으로는 웃어 보였다. 물론 좀 어색한 미소이긴 했지만, 아무튼. 비앙카가 슬며시 더글라스에게 물었다.

"가치 있는 일을 했어?"

"그래."

"내가?"

"그래."

"그럼 나 쓸모 있는 아이네?"

비앙카가 회심의 미소를 지으며 묻자, 더글라스는 묘한 미소를 지으며 답했다.

"아직까지는 그렇지."

"……."

그러면 그런 거지 '아직까지는'은 도대체 왜 뒤에 붙이는 거야? 비앙카는 영 못마땅한 표정을 지었지만, 굴하지 않고 물었다.

"아빠, 그럼 나 황제한테 시집 안 가도 되겠네?"

"흠……."

잠깐 고민하는 표정을 짓던 더글라스가 명쾌한 대답을 내놓았다.

"네가 버는 돈이 제국 황제가 주는 지참금보다 많다면."

"……."

"보내지 않겠지, 당연히."

이…… 이런 무서운 작자 같으니! 비앙카는 속으로 이를 부득 갈았지만, 곧 아무렇지 않은 표정으로 다시 물었다.

"얼만데?"

"응?"

"얼마 받기로 했어? 나 시집가는 조건으로."

"말한다고 네가 알까?"

"……."

어쩐지 비웃는 듯한 표정에 오기가 생긴 비앙카가 빼액 소리를 지르며 떼를 썼다.

"알아! 안다구!"

그 모습을 빤히 바라보던 더글라스가 키득거리며 답을 말했다.

"1억 히스 정도."

"……."

그게 얼마나 많은 거지? 도무지 감이 잡히지 않는 비앙카가 고개를 갸웃거렸다. 그 모습을 본 더글라스가 미소를 지으며 비앙카의 머리를 쓰다듬고는 말했다.

"왕실에서 연말에 편성하는 한 해의 예산이 추경 예산을 제외하고 대략 10억 히스."

"……."

"거기의 1/10. 얼마나 많은지 가늠이 되지?"

"……."

그걸 내가 벌어야 한다고? 맙소사. 불가능. 절대 불가능. 이 넓은 왕국을 운영하는 데 드는 돈의 10%? 진짜 불가능이다. 하지만 그렇게 되면 자신은 꼼짝없이 제국으로 팔려 가야 한다는 소리다. 이거, 도대체 비누를 몇 개를 팔아야 하는 거야? 비앙카가 한숨을 쉬며 말했다.

"벌 수 있어."

"그래."

그가 아무렇지 않게 비앙카의 머리를 헝클어뜨리며 중얼 거렸다.

"기대하지."

아니…… 기대는 하지 말고. 비앙카가 큼큼 헛기침을 했다.

"근데 이걸로 어떻게 돈을 벌어?"

"흠……."

잠깐 고민하던 더글라스가 곧 좋은 생각이라도 난 표정으로 중얼거렸다.

"이참에 세자의 능력을 좀 시험해 볼까…….""

마침 예산도 부족했고. 더글라스의 생각으로, 이 사업, 잘만 성공시키면 이번에 부족한 예산 따위는 세금을 더 걷지 않고도 충분히 메꿀 수 있을 만큼의 돈이 벌릴 터였다. 그 생각에 기분이 좋아진 더글라스가 작게 미소 지었다.

"응?"

뭐라는 거야. 들리게 좀 말해! 혼자 구시렁거리지 말고. 비앙카가 입술을 비죽였다.

"원하는 만큼 예산을 줄게. 세자와 함께 일해 봐."

"……."

지금 나더러 일을 하라고? 일곱 살짜리 애한테 하실 말씀은 아닌 것 같지 않아요, 아버지?

비앙카가 황당한 표정을 짓는 사이, 올가가 그녀의 마음을 대신 대변해 주었다.

"하지만 폐하, 공주님께서는 아직 너무 어리신걸요."

"능력이 있으니 상관없다."

더글라스가 칼 같은 목소리로 말했다.

"능력 없이 빵만 축내는 왕국의 버러지들보다는, 어려도 유능한 자가 훨씬 쓸모 있지."

"……."

그놈의 쓸모, 쓸모. 무슨 쓸모 병에라도 걸리셨나? 나 참.

그렇게 생각하던 비앙카가 일순 눈을 번뜩였다.

'잠깐만, 지금 우리 아빠가 나보고 쓸모 있다고 말해 준 건가, 그럼?'

긴가민가해서 더글라스를 쳐다보는데, 더글라스는 무슨 생각을 하는 건지 도통 읽기 어려운 표정이었다. 하여튼 누가 왕 아니랄까 봐. 비앙카는 속으로 혀를 쯧 찼다.

"언제부터 일해야 하는데?"

"빠를수록 좋아. 그 전에…….."

더글라스가 살짝 얼굴을 붉히며 작게 속삭이듯 말했다.

"내 것부터 하나 만들어 주고."

비앙카가 비누를 만들었다는 사실은 엄연히 비밀이었고, 이를 이용해 사업을 추진한다는 것 또한 비밀리에 이루어질 예정이었다. 오스카는 그날 오후, 더글라스의 갑작스러운 부름을 받고 중앙궁으로 호출당했다.

"무슨 일이십니까, 부왕 폐하."

"네가 할 일이 있어서 불렀다."

"할 일이라뇨?"

오스카는 슬며시 불길한 예감이 머리를 쳐드는 것을 느꼈다. 지금도 충분히 일이 많은데 설마 여기서 더 늘리실 생각이신 건가? 아무 말 없이 왕의 말을 기다리고 있는데, 곧 뜻밖의 말이 들려왔다.

"비앙카 공주가 비누를 만들었다."

"아."

이제 아버지도 아셨나보네. 오스카가 속으로 중얼거렸다. 오히려 태연한 반응에 놀란 쪽은 더글라스였다. 그가 물었다.

"알고 있었다는 반응이구나."

"조금 되었습니다."

"……."

그럼 오빠한테도 말한 걸 나한테는 말하지 않았다는 이야기야? 새삼 느껴지는 불쾌한 기분을 참으며, 더글라스가 말을 이었다.

"이미 알고 있다니 이야기가 더 쉽겠구나. 그걸 국가사업으로 확대할까 생각 중인데, 그걸 네가 맡아 주었으면 해서."

"제가요?"

오스카가 한껏 당황한 목소리로 되물었고, 더글라스는 가만히 고개를 끄덕였다.

"그래. 왜, 못 하겠냐?"

"그건 아니지만……. 그렇게 큰일을 제게 맡기셔도 되는 겁니까?"

"왜 안 되지?"

더글라스가 이해할 수 없다는 듯 한쪽 눈썹을 살짝 추켜세웠다.

"넌 소그노의 세자이고, 무엇보다 유능해. 늘 말하지만 유능함에 나이는 중요하지 않다."

"……."

오스카는 순간 가슴이 두근거리는 것을 느꼈다. 늘 저가 기대에 미치지 못한다 말하던 부왕이었다. 그래서 늘 주눅이 들어 있었는데…… 처음으로 아버지가 자신을 인정해 준 것이다. 그것도 유능하다는 말로!

최고의 칭찬에 어린 오스카는 얼굴이 빨개지기 시작했다.

"못 하겠다면 지금 말해라."

"할 수 있습니다."

오스카가 자신감에 찬 목소리로 대답했고, 이런 목소리를 처음 들어 보는 탓에 더글라스도 약간 놀란 모습이었다. 그는 곧 흥미로운 미소를 지으며 고개를 끄덕였다.

"공주와 의논해서 예산안을 가져오도록 해."

"알겠습니다."

"그럼, 기대하겠다."

아, 이런 말도 처음이었다. 난생처음 들어 보는 두 마디 말에 오스카의 심장은 거세게 뛰기 시작했다. 그때, 더글라스가 다른 이야기를 꺼냈다.

"참, 네 결혼 문제 말이다."

"아…… 네."

오스카가 저도 모르게 침을 꿀꺽 삼켰다. 아버지께 말씀 드리는 걸 깜빡 잊고 있었다. 어머니는 당신께서 어떻게든 아버지를 설득해 보겠다고 말씀하셨지만, 상대는 이 나라 최종 보스다. 과연 어머니가 감당하실 수 있을까? 오스카가 긴장된 눈으로 더글라스를 응시했다.

"곧 비앙카의 소녀식이 있지. 마치고 나면 베델 공녀와의 국혼을 성사시킬 예정이다."

"……네?"

잠깐, 그렇게나 빨리? 오스카는 저도 모르게 당황했고, 오스카의 반응에 더글라스가 의아한 목소리로 물었다.

"왜 그렇게 놀라느냐? 혹시 마음에 드는 영애가 따로 있는 거냐?"

더글라스의 물음에 오스카는 고민했다. 지금 말씀을 드려야 하나, 아니면 조금 더 있다가…….

"오스카?"

"네? 네!"

"왜 그렇게 얼빠진 표정이야."

그 말을 듣고 나서야 오스카는 정신을 차렸다. 지금 더 이상 지체할 시간이 없다. 만약 더 나중에 말을 꺼내게 된다면, 더글라스는 정말 뜬금없다는 눈초리로 자신을 쳐다볼

게 뻔했으니까. 오스카가 굳은 목소리로 더글라스를 불렀다.

"폐하."

"그래, 세자."

더글라스가 건조한 목소리로 말했다.

"무슨 할 말이 있는 듯한 눈치구나."

"네. 드릴 말씀이 있습니다."

오스카가 긴장으로 젖은 손을 하나로 꼭 모아 쥐며 말했다.

"결혼하고 싶은 사람이 있습니다."

더글라스는 순간 자신이 잘못 들은 건가 했다. 하지만 아무리 생각해 봐도 그의 아들은 그에게 이렇게 말했다. '결혼하고 싶은 사람이 있습니다.'라고. 그가 약간 충격받은 표정으로 오스카를 쳐다보았다. 그러니까 이건, 처음으로 그가 의사 표시를 한 거나 마찬가지였다. 이제껏 오스카는 늘 자신의 말에만 따라왔으니까. 자기주장이 아예 없는 사람은 아닌지 의심할 정도로. 그가 단도직입적으로 물었다.

"누군데?"

"네?"

"누구냐고, 그 영애가."

여기까지 말한 더글라스가 혹시 몰라 덧붙였다.

"영애이긴 한 거지?"

누가 부부 아니랄까 봐, 말하는 게 똑같다. 오스카가 고개를 끄덕였다.

"귀족입니다."

"그래, 다행이다."

더글라스가 다시 물었다.

"그래서 누군데?"

"헤스터 하몬입니다, 폐하."

"……하몬?"

여자의 이름을 들은 더글라스가 심각한 표정으로 물었다.

"대대로 왕실 요리사를 맡아 온 하몬 가문을 말하는 거냐?"

"네, 아버지."

"안 된다."

"네?"

급작스러운 고백과 급작스러운 거절. 오스카는 근 몇 분 사이에 일어난 일들에 도무지 적응할 수 없었다. 아니, 그보다도 더 적응 안 되는 건 더글라스의 너무 빠른 대답. 하지만 도대체 왜? 오스카가 물었다.

"부왕 폐하, 이유를 알 수 있겠습니까."

"어쩐지 결혼 이야기가 나왔을 때 릴리 반응이 이상하다 했더니……."

혼자 중얼거린 더글라스가 곧 오스카에게 답했다.

"이유는 단 하나다. 돈!"

"……지참금 때문에요?"

어머니가 말했던 것과 동일한 이유였다. 더글라스는 고개를 끄덕였다.

"하몬 가문은 아마 그만큼의 지참금을 감당할 만한 여유가 안 될 거다. 그게 설령 차기 왕비의 자리를 담보한다고 해도 말이지."

"하지만 폐하……."

"너도 잘 알겠지만 이건 건국 왕 때부터 정해 내려온 법령이다. 아무리 국왕이라고 해도 내가 건국 왕의 후손인 이상, 절대 거스를 수 없어."

"……."

그건 맞는 말이었다. 세상에 어떤 싸가지 없는 후손이 선조가 세운 법령을 무시한단 말인가? 오스카는 고개를 푹 숙였다. 그 모습을 빤히 바라보고 있던 더글라스는 측은한 마음이 들었으나, 어쩔 수 없는 일이었다. 그가 단호하게 말했다.

"지참금 문제를 해결하고 오너라, 오스카. 그럼 생각해 보겠다."

"그런 문제를 배제하고 봤을 때."

오스카가 물었다.

"폐하께서는 레이디 헤스터에 대해 어떻게 생각하십니까?"

"내가 알기로 그녀는 비앙카 공주의 시녀야. 그렇지?"

"네, 부왕 폐하."

"그럼 뭐, 좋은 사람이겠지."

"……?"

아버지, 좋은 사람의 판별 기준이……? 오스카가 황당하다는 눈으로 더글라스를 쳐다보았지만, 그의 대답은 단호하기까지 했다.

"설마 우리 공주를 시중드는 사람이 '이상'하고 '인성이 바르지 않은' 사람이겠어?"

"어…… 네."

아버지가 언제부터 이런 팔불출이셨던 거지? 당황한 오스카가 얼른 화제를 넘겼다.

"어쨌든…… 알겠습니다. 그 부분은 제가 좀 더 고민해보겠습니다."

"그건 차치하고서라도, 그 영애는 네가 좋다더냐?"

"……."

이 부분도 똑같다. 소름 돋을 정도야. 사실은 부부가 아니라 쌍둥이인 거 아냐? 오스카가 헛기침을 하며 고개를 저었다.

"아뇨…… 아직."

"저런."

쯧, 혀를 찬 더글라스가 오스카에게 말했다.

"고백부터 해야지. 만약 거절당하기라도 하면 지금 걱정하는 게 다 무의미한 거 아니냐."

"……."

그러려고 했는데 일단 이쪽이 더 시급한 것 같아서요. 뒷말을 조용히 삼킨 오스카는 그저 어색하게 웃기만 했다. 더글라스가 덧붙여 물었다.

"설마 거절당하지 않으리라고 생각하는 건 아니겠지?"

"그건 아닌데……."

"네가 아무리 부모를 잘 만나 잘생겼다고 해도 자만은 금물이다, 오스카."

부모님 잘 만난 건 인정했다. 양친 모두 외모가 심장 떨리게 생겼으니까. 오스카는 처음으로 진심 어린 미소를 지으며 답했다.

"명심하겠습니다, 아버지."

중앙궁에서 나온 오스카는 걸으면서도 서류에서 눈을 떼지 않았다. 지켜보는 주변의 시종과 시녀 들은 그걸 보며 불안해 보이는 듯한 얼굴을 했지만, 그는 개의치 않고 계속 서류에 눈을 고정시켰다. 결혼은 결혼이고, 일은 일이었다. 지금 당장 처리해야 할 일이 산더미처럼 쌓여 있었다.

"으앗!"

그때, 앳된 여자의 비명이 들렸다. 동시에 오스카의 몸에서 통증이 느껴졌다. 그가 서류 종이를 떨어뜨리며 반동으로 뒷걸음쳤다. 상대는 넘어진 듯했다.

"아…… 죄송합니다."

그가 서류를 줍는 대신 여자에게로 먼저 시선을 주었다. 그런데 낯이 익었다. 상대는 다름 아닌 헤스터였다. 순식간에 얼굴이 붉어진 오스카가 저도 모르게 그녀의 이름을 불렀다.

"……레이디 헤스터?"

"으아, 죄송합니다."

뒤늦게 헤스터가 일어나려 하자, 오스카가 얼른 손을 내밀었다. 본의 아니게 점수를 딸 기회였다. 헤스터가 자연스럽게 오스카의 손을 붙잡자, 옆에 있던 시종과 시녀 들이 놀라는 시선이 느껴졌지만, 오스카는 개의치 않고 헤스터를 일으켰다.

"죄송합니다, 레이디 헤스터. 제가 부주의했네요."

"아니에요. 괜찮습니다."

헤스터는 솔직히 말해 괜찮지 않았지만, 예의상 괜찮다고 말하며 고개를 들었다. 그리고 심각하게 잘생긴 오스카의 얼굴과 마주했다. 헤스터의 얼굴이 저도 모르게 붉어졌다.

이건 순전히, 그가 잘생겼기 때문이다. 결코 무슨 사심이 있는 게 아니다! 헤스터는 끊임없이 자기 합리화를 하며 오스카에게 물었다.

"중앙궁에서 나오시는 길이세요?"

"네."

"국왕 폐하를 뵈러 가신 거군요! 지금은 어딜 가는 중이세요?"

여기까지 묻던 헤스터는 순간 속으로 흠칫 놀랐다. 무슨 취조하는 것도 아니고, 남의 행선지를 왜 그렇게 꼬치꼬치 캐묻는 거야, 헤스터?! 하지만 내심 그가 이번에도 공주궁에 간다고 말해 주었으면 하고 바라는 헤스터였다. 오스카가 답했다.

"공주궁에 갑니다."

이건 절대 헤스터 때문이 아니었다. 실제로 비앙카에게 할 말이 있었으니까. 한편, 대답을 들은 헤스터는 수줍게 얼굴을 붉히며 대꾸했다.

"잘됐네요. 같이 가시죠."

"……그러는 레이디 헤스터께서는 어디 가는 길이십니까?"

원래는 퇴근하는 길이었지만, 헤스터는 일정을 변경하기

로 했다. 갑자기, 아주 갑자기 공주님이 다시 뵙고 싶어졌다. 그녀가 소리쳤다.

"공주궁에요!"

"그것참 다행한 일이군요. 같이 가시면 되겠네요."

오스카가 빙긋 웃으며 헤스터에게 말했고, 그 순간 헤스터의 심장 박동이 정상 궤도에서 지나치게 벗어나 뛰기 시작했다. 아, 심장이 미쳤나 봐. 헤스터는 어쩔 줄 모르는 표정으로 어색하게 웃으며 고개를 끄덕였다.

"헤스터가 여긴 어쩐 일이야?"

오스카와 함께 들어오는 헤스터를 보며, 비앙카가 의아한 표정으로 물었다. 헤스터는 분명 아까 집에 간다고 했는데? 비앙카의 질문에 헤스터가 어색하게 웃으며 답했다.

"하하…… 제가 깜빡하고 잊은 게 있어서요."

"잊은 거? 그게 뭔데?"

"……."

급조해 낸 변명인데 그런 게 있을 리가. 헤스터는 어색하게 웃다가, 곧 이유 같지 않은 이유를 댔다.

"그…… 제 양말을 놓고 갔어요."

"아……."

그랬구나. 양말을 놓고 가서 다시 왔구나. 비앙카가 어색하게 고개를 끄덕였다. 옆에 있는 오스카를 보니 대충 왜 왔는지 이유를 알 것 같았지만, 눈감아 주기로 했다. 우리 오라버니의 연애 사업을 위해서! 어쨌든 나도 정략결혼을 해야 하는 팔자인데, 우리 오라버니까지 그런 끔찍한 길을 걷는 건 너무 잔인하잖아? 비앙카가 오스카 쪽으로 시선을 돌렸다.

"그런데 오라버니는 어쩐 일로 왔어?"

"어······."

오스카가 헤스터의 눈치를 보며 대답했다.

"할 말이 있어서."

"할 말이라니?"

"부왕 폐하께서 네 비누로 사업을 진행해 보자고 하셨어."

"사업? 진짜루?"

오스카의 말에 비앙카가 깜짝 놀란 표정을 지었다. 세상에, 우리 아빠 진짜 일 처리 하나는 속전속결이야. 끝내주네.

"그래. 듣자 하니 네가 향기 나는 비누를 만들었다면서?"

"응!"

비앙카가 칭찬을 바라는 아이처럼 머리를 흔들거리자 거기에 자연히 이끌린 오스카가 무의식적으로 비앙카의 머리를 쓰다듬었다. 비앙카가 속으로 회심의 미소를 지으며 말했다.

"내가 뭘 해야 해?"

"일단 예산안을 짜야 해."

오스카가 형식적인 목소리로 말했다.

"넌 이런 일은 잘 모르니까, 필요한 걸 말해 주면 내가 알아서 할게."

"흠."

비앙카가 잠깐 고민하는 표정으로 말했다. 비누 만드는 데 뭐가 필요하지? 일단 코코넛 가루하고 올리브오일, 허브하고 야채즙. 이게 단데? 집에서도 구할 수 있는 거.

비앙카의 말에 오스카가 놀란 목소리로 물었다.

"정말 그거면 된다고?"

"응. 어렵지 않아."

"양잿물이 필요한 걸로 알고 있는데."

"그건 필요 없어."

적어도 이런 비누를 만드는 데는 말이야. 비앙카의 설명에 오스카가 놀라워하며 물었다.

"비앙카."

"응?"

"넌 이런 걸 어떻게 알았어?"

"……."

이런 걸 어떻게 알았냐……고 물어보면 할 말이 없었다. 왜냐하면 원래부터 알았거든. 당황한 비앙카가 말을 주저하는 사이, 옆에 있던 소피아가 얼른 대답했다.

"책에서 보고 연구하셨대요!"

응……? 내가 그런 말을 했었나? 비앙카가 당황하는 사이, 올가도 거들었다.

"비누 관련 책을 엄청 읽으셨거든요."

그건 올가랑 헤스터가 한 거지 내가 한 게 아닌데? 나 책 별로 안 좋아해……. 비앙카는 두 눈만 껌뻑거렸고, 오스카가 놀란 목소리로 물었다.

"정말이야?"

오스카의 질문에 비앙카는 말없이 고개를 끄덕였다. 뭐……어쨌든 책을 읽긴 읽었으니까. 실질적인 도움을 받은 건 아니었지만. 비앙카는 생각 없이 헤헤 웃었다. 그 모습에 오스카는 꽤나 놀란 표정이었다. 헐, 내 동생들이 전부 다 천재라니. 그가 놀란 기색을 감추지 못하며 말했다.

"어……쨌든 비용이 꽤 안 드네?"

"응."

"주재료인 코코넛 가루가 그렇게 비싼 것도 아니고."

왕국의 남부가 열대 기후였던 탓에 코코넛은 이곳에서 마음껏 먹을 수 있는 과일들 중 하나였다. 기후가 한국처럼 온대 기후였다면 꿈도 못 꿀 소식. 물론 최근에는 아열대로 변하느니 어쩌니 하고 있긴 하지만 말이다.

"이거, 잘하면 큰돈이 되겠는데?"

"정말?"

"그래. 귀족들의 사치품으로 팔면 어마어마한 이익이 나오겠어."

"……."

고작 비누 하나가 사치품이라니. 21세기 대한민국을 살다 온 비앙카로서는 참 적응되지 않는 일이었지만, 이곳에서는 그렇다니 어쩔 수 없는 일이었다. 그녀가 말했다.

"손재주가 좋은 종신 시녀들을 일꾼으로 쓰면 되지 않을까?"

"왜 하필 종신 시녀들이야?"

"당연하지."

비앙카가 태연하게 이유를 설명했다.

"비밀이 새어 나가면 안 되잖아. 그러니까 평생 왕실에 뼈를 묻을 사람들로만 일을 시켜야지."

"……."

"그리고 비밀이 새어 나가지 않도록 협박하는 거지."

"어…… 그래."

"그럼 책임자로는 헤스터가 좋겠어! 헤스터는 종신 시녀거든."

그렇게 말한 비앙카가 잠시 후에 얼른 덧붙였다.

"아차, 걱정하지 마, 헤스터! 난 헤스터 믿어. 헤스터 협박 안 할게!"

"아하하······. 네, 공주님."

헤스터가 어색하게 웃었고, 오스카는 아직 일곱 살짜리의 입에서 이런 말이 나왔다는 사실에 꽤 놀랐다. 하지만 사실 일리 있는 말이었기에 차마 반박할 수는 없었다. 오스카가 피식 웃으며 중얼거렸다.

"하여튼 너도 도움이 되는구나."

"헤헤. 나 오라버니한테 도움 됐어?"

그 말에 잠깐 생각하던 오스카가 다시 웃었다.

"아마도."

이 일만 잘 마무리 지으면 왕세자로서 그의 입지가 확실히 굳어지는 효과를 기대할 수 있었다. 물론 이미 오스카가 더글라스의 적통 장자인 데다, 9살 때부터 왕세자로서 철저한 교육을 받아 왔으니 이제 와서 정통성에 딴죽을 걸 사람도 없긴 했지만······.

"넌 이제 비누 제조법을 종이에 적어서 나한테 주기만 하면 돼."

사실 비누 제조법이라고 이름 붙이기에도 민망할 정도로 간단하긴 했지만, 어쨌든 여기 사람들에게는 그조차도 엄청난 발견일 터였다. 비앙카가 고개를 끄덕였다.

"그럼 헤스터 편으로 보낼게. 헤스터도 내 옆에서 나랑 같이 비누 만들었으니까 아마 잘 알 거야."

"어? 그래······."

그렇게 답한 오스카가 슬며시 헤스터와 눈을 마주쳤다. 헤스터가 저도 모르게 눈을 깔았고, 무안해진 오스카도 느릿하게 눈을 다른 곳으로 돌렸다. 그 모습을 놓치지 않은 비앙카가 오스카에게 물었다.

"오라버니, 지금 바빠?"

"왜?"

"이왕 헤스터도 여기 있으니까, 둘이 어디 분위기 좋은 곳 가서 이야기나 좀 해 봐."

공주님, 이건 너무 뻔하잖아요……. 곁에서 지켜보고 있던 올가와 소피아가 '뜨악' 한 표정을 지었지만, 정작 당사자들은 그런 것도 몰랐다. 둘은 얼굴을 분홍색으로 물들였고, 곧 오스카가 입을 열어 물었다.

"레이디 헤스터, 시간 괜찮으십니까?"

"네, 저 시간 많아요."

그 모습을 바라보던 비앙카가 속으로 큭큭 웃었다. 이것 참, 아주 그냥 둘이 좋아서 어쩔 줄을 모르는구만.

그렇게 비앙카의 노력(?)에 힘입어 오스카의 세자궁으로 함께 가게 된 두 사람은 한 테이블을 앞에 두고 마주 앉았다.

처음으로 단둘이 마주 앉아 본다. 이 사실을 상기하자 헤스터의 긴장은 배가 되었다.

정신 차려, 헤스터. 나는 순전히 공주님의 명 때문에 이곳에 있는 거야. 일적으로 온 거라고. 일적으로!

아무도 그 사실에 대해 뭐라고 하지 않았지만, 괜히 제 발이 저린 헤스터는 혼자서 속으로만 소리쳤다.

"그…… 이건 제가 공주님과 함께 적어 두었던 비누 제조법입니다."

헤스터가 어색한 침묵을 깨기 위해 먼저 입을 열었고, 오스카는 얼른 답했다.

"아, 네."

참고로 이 상황이 불편하긴 오스카도 마찬가지였다. 아니, 물론 지금 이 상황이 좋긴 했지만, 이렇게 단둘이 있는 건 처음이기 때문이었다. 그래서 그는 지금 꽤 복잡한 심경을 느끼고 있었다. 좋긴 한데 뭔가 어색한? 그는 헤스터를 흘긋거리며 그녀가 건네는 종이를 받아 들었다. 그러다 우연히 손이 닿았다.

'아, 손 닿았다.'

이 사소하고 작은 스킨십은 결국 두 남녀의 얼굴을 붉게 물들이고 말았는데, 특히 헤스터는 처음으로 느껴보는 이상하고 야릇한 감정에 심장이 요동치고 있었다. 자신보다 더 붉어진 헤스터의 얼굴을 본 오스카가 별생각 없이 물었다.

"이곳이 더운가요?"

"……네?"

"아, 얼굴이 빨개서요."

미쳤어, 헤스터 하몬! 도대체 얼굴은 왜 붉히고 난리야? 손 닿은 게 부끄럽다고 온 왕궁에 광고할 일 있어? 정작 왕자님께선 신경도 안 쓰시는데!—물론 사실과 다르다— 헤스터는 속으로 비명을 지르면서도, 입에서는 차분한 말을 뱉어 냈다.

"아닙니다, 왕자님. 제가 얼굴이 잘 빨개져서요."

"아."

그렇게 대답한 오스카가 다시 시선을 종이 쪽으로 돌렸다. 그리고 오스카가 종이를 읽고 있는 동안, 헤스터는 뭘 해야 할지, 시선을 어디로 돌려야 할지 퍽 난감해졌다. 그녀는 고민하다가 그냥 원목 테이블 위에 있는 나이테의 수나 세기로 했다.

"아까도 들었지만 생각했던 것보다 제조법이 간단하네요. 원재료가 되는 코코넛 가루도 왕국의 남부 지방에서 흔하게 생산되니 원가도 그렇게 비싸지 않을 것 같고."

그 말에 나이테를 세고 있던 헤스터가 퍼뜩 정신을 차리고 말을 받았다.

"아, 네. 그리고 지금 공주님이 발명하신 비누를 사용하거나 유통하는 나라가 없는 걸로 알고 있습니다. 아마 저희

쪽에서 독점적으로 생산하는 게 가능할 거예요. 공주님이 말씀하신 것처럼 제조법만 유출되지 않는다면요. 하지만 그렇다고 해도 코코넛 가루를 가장 많이 생산해 내는 곳은 우리 소그노 왕국이니, 만약 그런 일이 있다고 해도 별문제는 되지 않을 겁니다."

"제 생각도 그래요. 그럼 자세한 예산안은 이쪽에서 짜도록 하겠습니다. 모쪼록 잘 부탁합니다."

"제가 드릴 말씀입니다, 왕자님."

"그리고……."

오스카가 약간 쭈뼛거리며 다른 말을 꺼냈다.

"언제 한번…… 차라도 한잔 할 수 있을까요?"

일 말고, 그냥요. 이 한마디에 가라앉았던 헤스터의 얼굴이 다시 붉어졌고, 사실 그건 오스카도 마찬가지였다. 오스카는 드디어 용기를 냈다는 사실에 혼자 속으로 날뛰는 중이었고, 헤스터는 지금 그가 자신에게 한 말의 의미를 파악하기 위해 계속 머리를 굴렸다. 그러면서도 설레고 두근거리는 감정을 느끼는 것을 멈추지 않았다.

그러다 어느 순간, 심장이 계속 뛰는 것을 직접 느끼며 헤스터는 직감적으로 알아차렸다.

어떻게 해. 나 왕자님 좋아하나 봐.

"폐하!"

오스카가 나간 지 얼마 되지 않아, 야라가 다급하게 중앙궁으로 들이닥쳤다. 더글라스가 책상 아래로 숙였던 머리를 들어 올려 방 안으로 들어온 야라를 쳐다보았다. 그가 느릿하게 물었다.

"무슨 일이지, 코스텔로 공?"

"비앙카 공주님이 비누를 만드셨다는 게 사실이에요?"

아아, 난 또 뭐라고. 그보다 소문이 벌써 거기까지 퍼졌나. 더글라스가 고개를 끄덕이며 답했다.

"사실이야."

"세상에."

야라는 믿기지 않는다는 목소리로 중얼거렸다. 하긴, 대부분의 사람들이 보통 이런 반응을 보일 것이다. 고작 일곱 살밖에 되지 않은 어린아이가 비누를, 그것도 향기 나는 비누를 만들었다? 천재가 아니고서는 도무지 설명할 수 없는 일이다. 야라가 흥분한 목소리로 말했다.

"폐하, 공주님은 천재가 분명해요."

"그런 싹은 보이더군."

"폐하는 자식들을 너무 평가 절하하세요."

그거 되게 안 좋은 버릇이에요. 야라가 영 못마땅한 표정으로 말했다.

"바르치스 제국의 황제에게 정말로 공주님을 보내실 거예요?"

"공주가 딜을 하긴 하던데. 지참금만큼의 돈을 벌면 시집을 보내지 않기로."

그 말에 야라가 혀를 차며 중얼거렸다.

"거봐, 공주님은 천재가 분명하다니까요?"

어쩜. 어떻게 그 나이에 그런 생각을 하실까. 야라가 탄성 어린 목소리로 말했지만, 더글라스는 무심하게 말했다.

"그렇다고 해도 왕국에 도움이 되지 않으면 쓸모없는 일이지."

"왜 도움이 안 돼요? 벌써부터 도움을 주시고 계시잖아요."

야라가 진지하게 말했다.

"폐하, 공주님을 교육시키셔야 해요. 분명 더 좋은 결과가 나올 겁니다."

"……."

야라의 말을 들은 더글라스가 진지하게 고민하는 표정을 지었다. 한참 후에 그가 입을 열었다.

"긍정적으로 검토해 보지."

오스카는 비앙카에게 받은 비법을 바탕으로 차근차근 사업 준비를 해 나갔다.

이 일로 더글라스는 원래 오스카에게 배당되어 있던 나랏일을 대폭 줄여 주었고, 덕분에 오스카는 보다 여유로운 상태에서 사업에 집중할 수 있었다.

하지만 아직까지 남아 있는 가장 큰 문제가 있었으니, 다름 아닌 판매 방법이었다.

오스카의 고민에 비앙카가 어렵지 않다는 듯 말했다.

"엄마한테 맡겨, 오라버니."

"……왕비님한테?"

"응."

비앙카가 설명했다.

"엄마가 이런 쪽은 짱…… 아니, 최고잖아."

이래 봬도 릴리아나 왕비는 그 씀씀이 덕에 왕국 내의 패션과 스타일을 주도하고 있다고 해도 과언이 아니었다.

거기에 릴리아나는 왕도에서 가장 잘나가는 부티크의 주인인 이머진과 친하다. 이 점을 이용해야지!

"어차피 오라버니나 나나 이 비누들을 직접 팔 수는 없어. 비누의 주 구매층은 아마 귀부인들이겠지?"

"그렇지."

"그럼 귀부인들과 친하고, 많이 만나는 사람이 비누를 팔아야지. 이 왕실에서 그런 일을 할 수 있는 사람은 엄마밖에 없잖아."

난 아직 너무 어려서 안 되고. 비앙카의 말에 오스카가 놀랍다는 표정으로 말했다.

"너 진짜 똑똑하구나."

"나도 알아."

사실 이런 건 장사치의 가족으로 20년 넘게 살면 대충은 생기는 감이다. 비앙카가 어깨를 으쓱이며 씨익 웃었다. 그때 오스카가 고민이라는 듯 물었다.

"그런데 샤마카 부인이 이 일에 협조해 줄까?"

"그건 엄마가 구슬릴 일이지. 꼭 그런 게 아니더라도 협조해 줄걸?"

엄마가 거기에 갖다 바친 돈만 해도 아마 왕실 1년 예산 정도 될 텐데. 비앙카의 말에 오스카가 일리 있다는 듯 고개를 끄덕였다.

더군다나 이머진은 꼭 그런 문제가 아니더라도 왕비와 친분이 있으니까. 오스카가 기특하다는 듯 비앙카의 머리를 매만졌다.

"너 진짜 천재냐?"

분명 대한민국에서 이조안은 천재가 아니다. 오히려 둔재에 가깝다. 하지만 아마 이쪽 사람들 기준으로는 천재일 거다. 그래서 비앙카는 자신감 있게 대답했다.

"그런 것 같아."

오스카가 돌아간 후, 비앙카는 비누를 만들기 시작했다. 옆에서 그 모습을 지켜보고 있던 올가가 물었다.

"공주님, 비누는 왜 또 만드시는 거예요?"

이제 시녀들이 만들어서 가지고 올 텐데. 올가의 말에 비앙카가 아무렇지 않게 대답했다.

"아아, 이거 선물용이야."

"선물용이요? 이번에는 또 누구한테 드릴 건데요?"

"외할아버지랑 리오 오라버니."

꽤 오랫동안 접점이 없던 이름에 올가가 그제야 '아!' 하고 소리를 냈다. 올가가 미소를 지으며 말했다.

"그러고 보니 두 분 다 만난 지 꽤 되었네요."

"둘 다 잘 지내겠지?"

"무소식이 희소식인 법이죠."

안드리 공작은 비앙카가 세 살이 되던 해 정계의 중앙직을 내려놓고 말단 관직으로 자리를 옮겼다. 안드리 공작가의 권세가 강해지는 것을 경계하면서도 공작의 유능함만큼은 높이 사고 있던 더글라스를 비롯, 릴리아나는 그 결정을 별로 마음에 들어 하지 않아 했지만, 그는 아직 어린—그래 봤자 지금 13살이지만— 외손자와 함께 보내는 시간을 늘리고 싶다며 결정을 철회하지 않았다.

"언제 한번 가겠다고 말했는데."

완전 까맣게 잊고 있었잖아! 유일하게 처음부터 그녀를 예뻐해 줬던 외할아버지인지라, 아무래도 애착이 가는 게 사실이었다.

기특한 비앙카의 말에 올가가 빙긋 웃으며 말했다.

"아델리오 왕자님도 뵙고 싶으시죠?"

"별로."

그 여성 혐오 오빠를 내가 뭐가 예뻐서? 비앙카는 콧방귀를 뀌었지만 조금 보고 싶은 것 같기도 했다. 그 심리를 눈치챈 올가가 작게 웃었다.

"나도 동생이 있었으면 좋겠다."

"갑자기요?"

"갑자기는 아니고…… 옛날부터 있었으면 좋겠다고 생각은 했었어."

어리고 이쁘고 귀여운 동생! 왜 내 주변엔 다 언니 오빠들밖에 없는 건데! 비앙카의 말에 올가가 난감한 표정으로 입을 열었다.

"유감스럽게도 공주님, 왕비님은 이제 나이가……."

"딜리스 부인, 왕비님께서 오셨습니다."

자연스럽게 올가의 말이 끊겼다. 올가가 중얼거렸다.

"왕비님이?"

요즘 뜸하시더니 웬일이래. 올가가 별일이라는 듯 중얼거렸다. 곧 요란한 목소리와 함께 릴리아나가 등장했다.

"비앙카—."

"엄마아!"

그리고 비앙카는 늘 그렇듯, 해맑은 미소와 함께 릴리아나를 맞아 주었다. 어째 평소보다 기분이 좋아 보이는 게, 기쁜 일이라도 있나 보다.

"왕비님, 기분이 좋아 보이시네요?"

"난 항상 기분 좋잖아."

어깨를 으쓱이며 릴리아나가 대답했다. 그때, 비앙카가 릴리아나를 불렀다.

"엄마."

"왜, 딸?"

"나 동생 가지고 싶어."

"……."

그 한마디에 릴리아나의 얼굴이 잘 익은 토마토처럼 빨개졌다. 그녀는 잠시 뒤에 말했다.

"엄마 이제 늙어서 애 못 낳아."

"왜 못 낳아? 엄마 아직 젊고 예뻐."

고작 37세인데, 뭐. 우리 엄마도 나 서른여덟 살에 낳았다, 뭐? 하지만 릴리아나는 의외로 단호하게 말했다.

"너 하나 키우기도 벅차다, 얘."

"……."

엄마, 미안하지만 날 키운 건 엄마라기보다는 올가인데……. 비앙카는 이상한 표정으로 뒷머리를 긁적였다. 그녀는 이번에 다른 질문을 하기로 했다.

"엄마."

"왜, 또?"

"나 궁금한 거 있어."

"뭔데?"

"아기는 어떻게 생겨?"

콜록콜록. 다시 한 번 기침 소리가 들렸다. 하지만 비앙카는 눈치 없는 척하며 릴리아나에게 집요하게 물었다.

"응? 엄마."

"……갑자기 그런 건 왜 물어봐?"

"궁금하니까!"

사실 난 정답을 알고 있지만…… 지금의 난 모르는 게 정상이잖아? 비앙카는 정말로 순수한 표정을 지으며 물었다.

"엄만 나 어떻게 낳았어?"

"……."

딸, 아직 네가 그런 걸 알기에는 많이 어려…….

난감한 표정을 짓던 릴리아나가 곧 좋은 생각이 난 표정으로 말했다.

"아빠한테 물어봐. 엄마가 널 낳은 지 너무 오래돼서 기억이 안 나."

"그래 봤자 7년 전인데?"

"엄마 머리 나쁘잖아. 네가 이해해."

보기 드문 셀프 디스를 하면서까지 릴리아나는 대답을 회피했다. 오스카도, 아델리오도 이런 거 물어보지 않았다구! 릴리아나는 헛기침을 했다.

"아빠는 회의 갔잖아. 엄마가 알려 줘."

"……."

제기랄……. 릴리아나는 얼른 다시 머리를 굴렸다. 그녀는 이번에도 다른 누군가를 팔았다.

"질리언? 네가 대답 좀……."

"전 결혼을 안 해서 모른답니다, 공주님, 왕비님."

"……."

유감스럽게도 질리언은 미혼이었다. 릴리아나는 다른 사람을 물색해야만 했다. 어디 보자……. 내 주변에 결혼하고 애까지 낳은 사람이 누가 있더라?

고민하던 릴리아나는 곧 한 사람을 찾아냈다. 세상에, 등잔 밑이 어둡다더니.

"딸."

"응?"

"대답을 해 줄 만한 사람이 있어."

"누군데?"

릴리아나가 회심의 미소를 지으며 대답했다.

"딜리스 부인."

"올가?"

"응."

"올가도 애 낳은 지 오래됐잖아."

"대신 올가는 똑똑하잖아."

"……."

어머니, 그런 식으로 이 질문을 피해 가려 하시다니……. 그럼 못써요!

한편, 옆에 있던 올가는 기겁한 표정으로 릴리아나를 노려보았다. 이 양반이! 맨날 곤란할 때만 날 찾지! 물론 릴리아나는 그런 올가의 시선을 철저히 무시해 버렸지만.

"올가, 아기는 어떻게 생겨?"

미안해, 올가. 사실 올가를 놀릴 생각은 조금도 없었는데 말이야. 우리 엄마가 워낙 미꾸라지처럼 요리조리 피해 가서……. 비앙카가 친절하게 다시 말해 주었다.

"아기는 어떻게 생기는 거냐고 물었어."

"……."

올가는 속으로 한숨을 쉬었다. 하아……. 이런 질문은 소피도 하지 않았던 건데.

"아기는……."

"응!"

"아기는…… 그러니까……."

하지만 늘 자신만만하던 올가도 이번만큼은 어쩔 수 없었다. 이건 아직 일곱 살 난 애한테 설명해 줄 만한 내용이 아니었으니까. 난감해하던 올가는 곧 좋은 생각이 났는지 손뼉을 치며 대답했다.

"황새가 물어다 주는 거예요."

"……."

아아, 올가. 하필 제일 고전적인 방법을……. 비앙카가 지지 않고 물었다.

"어떻게?"

"음……."

다시 고민하던 올가가 대충 이야기를 지어냈다.

"보름달이 뜨는 밤에 물을 한 잔 떠다 놓고 기도하면 돼요."

"……."

무슨 늑대인간이야? 비앙카는 할 말을 잃었다. 그때 옆에 있던 소피아가 얼른 끼어들었다.

"공주님, 그것도 모르세요?"

"……소피는 알아?"

아냐, 소피. 너도 알면 안 돼. 너도 지금 궁금해해야 할 나이라구! 비앙카가 설마 하며 물었다.

"어떻게 생기는데?"

"전 알아요. 아기는요…….'

소피아가 씨익 웃으며 말문을 뗐다.

"엄마랑 아빠랑 밤에…….'

"안 돼!"

그때 올가가 버럭 소리를 질렀다. 모두의 시선이 올가에게로 집중되었다. 당황한 올가가 시뻘게진 얼굴로 혼잣말하듯 말했다.

"주…… 주방장에게 타르트를 구워 달라고 해 놓고 깜빡했네."

"얼른 다녀와요, 엄마."

아무렇지 않게 반응한 소피아가 다시 대답을 했다.

"엄마랑 아빠랑요."

"응."

"밤에요."

"응."

"……손잡고 자면 생겨요!"

……응?

"손잡고?"

"네. 손잡으면 생겨요."

그렇게 말한 소피아가 의기양양한 표정을 지었다.

아…… 그렇구나. 비앙카는 하는 수 없이 고개를 끄덕여야
만 했다. 하지만 여기서 물러날 수는 없었다.

"엄마, 진짜야?"

"……어."

진실은 나중에 시집가기 전에 알려 주자고 다짐하는 릴리
아나였다.

"손을 꼭 잡으면 아기가 생겨."

"그렇구나."

내심 아쉬워하며, 비앙카는 어깨를 으쓱였다. 일단 오늘
은 여기까지만 하지, 뭐.

하지만 일단 후퇴하기로 했던 비앙카는 계획을 수정할 수
밖에 없었다.

"두 사람 왜 또 같이 와?"

비앙카가 장난스럽게 묻자, 두 사람의 얼굴이 너 나 할 것
없이 동시에 붉어졌다. 어머, 어머, 어떻게 해! 둘이 진짜
잘되어 가고 있나 봐! 속으로만 신나하던 비앙카는 문득 아
까 릴리아나에게 했던 질문을 기억하고선 괜히 부산스럽게
물었다.

"어쨌든 마침 잘 왔어! 물어볼 게 있었거든."

"물어볼 거라뇨, 공주님?"

"아까 다른 사람한테도 물어봤는데, 시원하게 답이 안 나와서."

마침 지금은 소피도, 올가도 없었다. 두 사람 모두 비앙카의 간식 준비를 위해 주방으로 갔기 때문이었다. 비앙카가 아무것도 모른다는 듯, 순진무구한 얼굴로 물었다.

"아기는 어떻게 생겨?"

"……."

"……."

그 질문에, 정말 완벽한 정적이 세 사람 사이를 파고들었다. 비앙카는 이런 반응까지는 생각지 못했는지 잠깐 당황했지만, 곧 아무렇지 않게 반응을 기다렸다.

"응? 어떻게 생겨?"

"그…… 그런 게 갑자기 왜 궁금하신데요, 공주님?"

"그냥 갑자기 궁금해졌어."

내 존재의 의의에 대해 고민하다 나온 질문이라고 치지, 훗! 비앙카가 씨익 웃으며 두 사람을 재촉했다.

"응? 어떻게 생겨?"

거듭되는 질문에 헤스터는 난감한 표정으로 오스카만 쳐다보았고, 오스카는 이제 얼굴이 완전히 붉어져서, 바늘로 찌르면 펑 하고 터져 버릴 것 같은 표정이었다. 맙소사, 이쪽이 더 재밌잖아! 비앙카가 짓궂게 웃었다.

"그……게, 제가 아직 애를 안 낳아 봐서 잘 모르겠네요."

그러게요? 어떻게 생길까? 시치미를 떼던 헤스터가 저도 모르게 오스카와 눈이 마주쳤고, 이제는 헤스터의 얼굴도 터지기 일보 직전이었다. 그러다 오스카가 이 분위기를 견뎌 내지 못하겠다는 듯 크게 소리쳤다.

"그…… 비누 때문에 왕비궁에 가야 하는데 완전히 잊고 있었네! 비앙카, 나중에 또 보자."

오스카는 그 말만 남기고선 도망가 버렸다. 혼자 남은 헤스터는 어색하게 웃으며 어깨만 으쓱였다. 뭐야, 결국 이렇게 끝이야? 비앙카가 입을 샐쭉 내밀며 말했다.

"시시해."

"네? 뭐가요?"

"아무것도 아니야."

결국 아무런 소득도 없이…… 아니다, 소득은 하나 있었다. 두 사람이 지금 완전 썸 타는 중이라는 걸 알아낸 거! 비앙카가 키득키득 웃으며 헤스터에게 물었다.

"두 사람, 잘돼 가?"

"네?"

비앙카의 질문에 헤스터가 소스라치게 놀라며 되물었다. 그러자 비앙카가 시치미를 뚝 떼며 대답했다.

"뭘 그렇게 놀라? 사업 잘되느냐고 물어본 건데."

"아……."

그제야 헤스터가 어색하게 웃으며 답했다. 휴우, 아직 눈치 못 채셨구나.

"잘되어 가요."

"그래?"

잘되어 가겠지. 연애 사업도, 비누 사업도! 속으로 키득키득 웃던 비앙카가, 별안간 무언가를 깜빡한 사람처럼 소리쳤다.

"앗! 깜빡했다."

"네? 뭘요, 공주님?"

"오빠한테 말해 줄 거 있는데 까먹었어. 새로운 제조법에 대해 적어 놓은 게 있거든."

그렇게 말한 비앙카가 보석과 장신구가 들어 있는 자신의 보물 상자를 열었다. 서류나 종이를 보관하기에는 상당히 부적절한 장소였지만, 비앙카는 늘 중요한 것들을 거기에 넣어 두었기 때문에 서류도 예외가 될 순 없다는 입장이었다. 그녀는 어렵지 않게 끈으로 묶은 얇은 서류 뭉치를 찾아 꺼냈다.

"찾았다! 이걸 오라버니한테 전해 주고 와야 해. 아까 줄걸!"

그렇게 말한 비앙카가 해맑게 웃으며 물었다.

"헤스터가 갔다 오지 않겠어?"

"그…… 그럴까요?"

차마 거절하지 못한 헤스터가 조용히 고개를 끄덕였고, 비앙카는 아무것도 모르는 척 괜히 씨익 웃기만 했다.

하여튼 귀엽다니까.

목욕을 마친 릴리아나는 약간의 피곤함을 느끼며 낮잠을 자기로 마음먹었다. 하지만 그것도 잠시, 누군가가 그녀를 찾아왔다.

"왕비님, 오스카 왕자님께서 찾아오셨는데요."

그 한마디에 침대 위에 누워 있던 릴리아나는 자리에서 벌떡 일어났다. 그녀가 물었다.

"오스카가?"

"네."

무슨 일로? 그녀가 고개를 갸웃거리며 말했다.

"일단 들여보내."

문이 열리자마자 군청색 제복을 입은 오스카가 모습을 드러냈다. 릴리아나가 환하게 웃으며 아들을 반겼다.

"안녕, 오스카."

"왕비님께 인사드립니다."

딱딱하긴. 그녀가 영 아쉬운 목소리로 말했다.

"어머니라고 해도 괜찮아, 오스카."

"……."

오스카는 대답하지 않았다. 그러면서도 귓불은 살짝 붉어져 있었다. 거기까지는 눈치채지 못한 채, 릴리아나가 물었다.

"그보다 무슨 일이니?"

"부탁드릴 게 있어서요."

"부탁이라니, 무슨?"

"비앙카 공주가 비누 사업을 시작한 건 알고 계시죠?"

"네가 맡고 있는 거 아니었니?"

"어쨌든 총책임은 공주라서요."

오스카는 겸손하게 책임을 미루었다. 릴리아나가 고개를 끄덕였다.

"그런데?"

"비누를 팔아 줄 사람이 필요합니다."

"그걸 나보고 하라구?"

"유통은 이번에 신설된 왕실미용사업부에서 할 겁니다. 어머니는……."

여기서 잠깐 말을 멈춘 오스카가 다시 말을 이었다.

"샤마카 부인과 홍보를 맡아 주세요."

"홍보라니?"

"간단해요. 샤마카 부인 앞에서 비앙카가 만든 비누를 사용하기만 하시면 됩니다. 샤마카 부인은 분명히 비누에 관심을 보일 거고, 그때 이 사업에 대해 설명해 주시면 돼요."

"어떻게?"

"그냥 왕실에서 이번에 향기 나는 비누를 새로 개발해서 팔고 있다고만 말을 흘리세요."

"그게 다야?"

"네."

오스카가 희미하게 웃으며 말했다.

"샤마카 부인은 분명 그 비누를 사용할 거예요. 왕국은 물론이고 제국 어디서도 이런 발명품은 없었으니까요. 이머진 부티크에는 왕국의 내로라하는 귀부인들이 전부 모이니 아마 자연스럽게 홍보가 될 겁니다."

"역시 내 아들은 똑똑해!"

릴리아나가 만족스러운 표정으로 손뼉을 '짝' 소리가 나게 치자, 오스카가 아니라는 듯 고개를 저었다.

"비앙카 공주의 의견입니다."

"맙소사, 내 딸. 똑똑하기도 하지."

금세 말을 바꾼 릴리아나는 곧바로 잊고 있었다는 듯 다른 말을 꺼냈다.

"참, 곧 공주의 소녀식을 마치면, 안드리 공작저에 한번 다녀올 생각이야."

"……그래요?"

"그래. 비앙카가 저번에 자기 탄신 연회 때 네 외할아버지한테 물어봤대. 자기가 거기에 가도 되느냐고. 그래서 한 1박 2일 정도 있다 올 생각인데……."

릴리아나가 슬쩍 그의 눈치를 보며 물었다.

"시간 되니?"

"아뇨."

그가 아쉽다는 목소리로 말했다.

"죄송해요. 하지만 이 일로 너무 바빠서요."

"이해해. 사실 안 될 줄 알고 있었어."

그녀가 아쉬움이 여실히 묻어나는 목소리로 말했다.

"너희 둘이 함께 있는 시간이 너무 적어서 걱정이야. 그래도 형제인데."

"……."

잠깐 머뭇거리던 오스카가 곧 아무렇지 않게 대꾸했다.

"말씀하신 것처럼 저희는 형제니까."

"……."

"괜찮겠죠, 뭐."

"그럼 좋지만……."

릴리아나가 삐져나온 머리카락을 뒤로 넘기며 고개를 끄덕였다.

"알았어, 오스카. 홍보는 걱정하지 말렴. 확실하게 해 줄 테니까."

“감사합니다, 어머니.”

“그래, 그보다…….”

잠깐 목소리를 가다듬은 릴리아나가 물었다.

“연애 사업은 잘되어 가니?”

“어…….”

금세 얼굴이 빨개진 오스카가 답했다.

“아무래도 그런 것 같아요.”

“고백은? 했고?”

“무, 묻지 마세요.”

그 말만 마치고서, 오스카는 도망치듯 릴리아나의 방을 빠져나왔다. 그런 아들의 뒷모습을 바라보던 릴리아나는 참지 못하고 결국 웃음을 터뜨렸다.

헤스터는 어느새 세자궁 앞까지 도착한 자신의 모습을 보며 비장한 표정으로 마음을 다잡았다. 이건 순전히 일 때문에 온 거야, 헤스터. 일 때문에! 사심은 가지지 마! 하지만 아까 차를 함께 마시며 담소를 나누었던 일 때문에, 사심이 생기는 건 어쩔 수 없는 일이었다.

“오스카 왕자님께서는 지금 안 계시는데요.”

문제는 엉뚱한 곳에서 일어났다. 모든 마음의 준비를 다

했는데! 정작 오스카가 없다니! 헤스터는 절망한 얼굴로 뒤돌았다. 하지만 그때, 누군가가 그녀의 두 눈에 들어왔다.

"……레이디 헤스터?"

오스카였다. 헤스터가 화들짝 놀라며 그를 불렀다.

"와, 왕자님?"

"어쩐 일인가요?"

"그…… 공주님께서 전해 드리라고 한 게 있어서요."

그렇게 말한 헤스터가 쭈뼛거리며 비앙카의 서류를 오스카에게 내밀었다. 그 모습을 빤히 바라보던 오스카가 말했다.

"일단 들어가서 말씀 나누시죠."

비앙카의 소녀식은 다음 주였다. 그러니까 시간이 없었다.

비앙카의 소녀식만 마치면 그는 어쩔 수 없이 베델 공녀와 결혼해야 하는 것이었다.

오스카는 끊임없이 고민했다. 어떻게 해야 그녀에게 자신의 마음을 전할 수 있을까?

하지만 시기가 좋지 않았다. 이제 막 친해지려는 단계에서 고백이라니! 그녀가 자신을 어떤 눈으로 바라볼 것인가?

"음……."

물론 내면의 고민을 완벽하게 숨긴 채, 오스카는 서류를 훑었다. 새로운 제조법도 나쁘지 않았다. 경제적으로 부담이 없으면서도 실용적인 비누. 오스카는 서류를 덮은 다음 헤스터에게 말했다.

"비앙카에게 문제없을 것 같다고 전해 주세요, 레이디 헤스터."

"네, 왕자님."

"그리고……."

꿀꺽, 마른침을 삼킨 오스카가 말했다.

"혹시 다음 주에 있을 소녀식 때, 시간 좀 내주실 수 있으십니까?"

"……네?"

헤스터가 영문을 모른 채 고개를 갸웃거리는 사이, 오스카가 간절하기까지 한 목소리로 말했다.

"드릴 말씀이 있습니다."

아니, 도대체 무슨 말씀을 하시려고 그런 표정까지 지으세요? 헤스터는 영문을 모르겠다는 표정을 짓다가, 곧 알겠다는 듯 고개를 끄덕였다. 그제야 오스카의 표정이 밝아졌다.

"공주님, 소녀가 되신 걸 축하드려요!"

뭔가 좀 오글거리는 말이었지만, 비앙카는 나름 기뻤다. 소그노 왕국에서는 새해에 여덟 살이 되기 100일 전에 소녀식을 치르는 풍습이 있었는데, 왕가라고 해서 그 풍습을 빗겨 갈 수는 없었다. 올가의 축하에 비앙카가 씩씩하게 물었다.

"그럼 나 이제 소녀 되는 거야?"

"네. 이제는 아기가 아니라 소녀가 되시는 거예요."

"꺄!"

비앙카는 괜히 기쁜 척 탄성을 내질렀고, 올가는 그런 비앙카의 머리를 쓰다듬으며 그녀에게 오늘의 일정을 말해 주었다.

"그런데 식 자체는 별거 없어요. 그냥 '우리 공주님, 소녀 되신 걸 축하합니다!' 라고 폐하께서 말씀해 주실 거고, 나머지는 그냥 놀고먹는 거죠, 뭐."

그건 생일 파티 때도 마찬가지였다. 비앙카가 헨리 보스크가 만들어 준 드레스를 입으며 소피아에게 물었다.

"소피아도 소녀식 했었어?"

"저도 했죠, 공주님. 귀족들은 다 해요. 평민들도 여유 되는 사람들은 다 하구요."

"그렇구나. 어땠어?"

"엄마도 방금 말씀하셨지만, 별거 없어요. 그냥 케이크 먹구 파티 하고 그랬어요."

소피아가 어깨를 으쓱이며 답하자, 올가가 옆에서 거들었다.

"그래도 왕가의 위상이란 것도 있으니, 공주님께서는 좀 더 화려하게 하실 거예요."

"할아버지랑 작은 오빠도 와?"

"그럼요. 당연하죠."

올가가 설핏 미소 지으며 그녀에게 말했다.

"참, 저번에 왕비님께서 그러셨는데, 이번 소녀식 끝나고 안드리 공작저에 한 1박 2일 정도로 다녀오신대요."

"와아!"

늘 그게 마음에 걸렸던 비앙카가 환호성을 질렀다. 맨날 간다고 말만 하고 정작 가 보진 못해서 항상 생각하던 일이었다. 비앙카가 깜찍한 목소리로 올가를 보챘다.

"얼른, 얼른 가자, 올가!"

"할아버지!"

비앙카가 짧은 다리로 오도도도 안드리 공작에게 달려갔

다. 안드리 공작은 혹시라도 그녀가 어딘가에 걸려 넘어지는 건 아닌가 노심초사하다가, 비앙카가 지척에 왔을 때 참지 못하고 그녀를 번쩍 들어 올렸다. 그녀가 신나는 목소리로 말했다.

"이거 끝나고 엄마가 할부지 댁 간대요!"

"그래그래."

이미 릴리아나에게 들어 알고 있던 안드리 공작이 다정한 목소리로 대꾸했다.

"알고 있어요오, 우리 손녀님."

그가 비앙카의 볼에 작게 뽀뽀를 남기며 말했다.

"소녀가 된 걸 축하해요, 우리 공주님. 이제 곧 있으면 시집간다고 하시겠네."

"그건 아직 멀었구요!"

"알았어요, 알았어요. 하하."

호탕하게 웃는 안드리 공작의 귓가에 대고, 비앙카가 깜빡 잊었다는 듯 얼른 속삭였다.

"참, 할아버지. 나 비밀 있는데."

"뭔데요—?"

"나 비누 만들 줄 알아요."

"비누?"

안드리 공작이 깜짝 놀라며 물었다. 이건 또 무슨 소리인가. 그가 보기 드물게 당황하며 물었다.

"비누라니, 공주님?"

"비누를 만들 줄 알아요."

비앙카가 또박또박 말했지만, 공작에게 중요한 건 그런 게 아니었다. 중요한 건 그의 하나뿐인 외손녀가 비누를 만들 줄 안다고 말한 것이었다.

안드리 공작은 당황했으나 이내 마음을 가다듬고 차분히 물었다.

"정말로 비누를 만들 줄 알아요?"

"네!"

비앙카가 의기양양하게 물었다.

"보여 드릴까요? 할아버지 드리려고 만들어 왔는데."

비앙카가 올가에게 슬쩍 눈치를 주자, 올가가 얼른 포장되어 있는 비누 한 개를 안드리 공작에게 내밀었다. 안드리 공작이 떨리는 손으로 비누를 받았다. 그가 물었다.

"이게 정말 공주님께서 만드신 비누라고, 딜리스 부인?"

"네, 전하."

올가가 살짝 웃으며 대답했다.

"무려 향기 나는 비누랍니다."

"세상에."

안드리 공작이 감탄하는 소리를 냈다. 이건 또 무슨 소리란 말인가. 그는 얼른 비누를 풀어 냄새를 맡아 보았다. 세상에, 정말로 향기가 났다. 그것도 좋은 향기가! 안드리 공작이 다급하게 물었다.

"정말로 이걸 공주님께서 만드셨다고?"

"그렇다니까요, 전하."

"맙소사."

그가 머리를 짚었다. 살다 살다 이런 일이 다 있다니. 그가 진지한 목소리로 올가에게 물었다.

"이 사실을 누가 아나, 딜리스 부인?"

"국왕 폐하와 왕비님, 오스카 왕자님 모두 알고 계십니다."

"그런데 아무런 일도 일어나지 않았단 말이야?"

그가 약간 흥분하며 물었다. 올가가 차분히 대답했다.

"폐하께서 극비리에 사업을 추진하고 계십니다, 전하. 오스카 왕자님이 일을 맡으셨어요."

"어쩐지."

그가 그럴 줄 알았다는 듯 고개를 끄덕였다.

"폐하께서 이런 기회를 놓치실 리 없지."

'이런 기회' 앞에 '돈이 되는'이 생략되어 있다는 사실을 눈치챈 올가가 작게 웃었다.

"거의 다 공주님의 아이디어랍니다. 대단하신 분이지요."

"천재가 아닐까, 올가?"

"그건 좀 더 지켜봐야 알겠지만, 지금으로써는 정말 천재

같다는 생각이 들어요."

"이건 보통 발명이 아니야, 올가. 왕실에서 이걸 과소평가하고 있군."

"유난 떨 필요 있나요, 전하. 성과가 나오면 폐하께서 자연히 대우를 해 주실 텐데요."

올가가 조용히 자신의 생각을 이야기했다.

"아직 어리시니 지금은 조용히 지나가는 것도 나쁘지 않지요. 지금으로써는 폐하께서 하실 수 있는 최고의 대우를 해 주시는 거라 생각합니다."

"그래, 네 말도 맞는 것 같긴 하구나."

안드리 공작이 인자하게 웃으며 고개를 끄덕였다.

"그나저나 할아비 주려고 이렇게 만들어 온 게야? 기특한 분 같으니라고."

"응! 할아버지 주려고 만들어 왔어."

비앙카가 뿌듯한 목소리로 대답한 다음 옆에 가만히 서 있기만 하던 아델리오에게도 시선을 주었다. 비앙카와 눈이 마주치자 그가 저도 모르게 입술을 오물거렸다. 비앙카가 외쳤다.

"오라버니 것도 있어!"

"근데 진짜 향기가 나는 거 맞아?"

아델리오가 영 못 미덥다는 듯한 표정으로 물었고, 올가가 자신 있게 말했다.

"한번 냄새부터 맡아 보세요."

올가의 말에 아델리오가 살짝 인상을 찌푸리며 봉지를 열고 냄새를 맡았다. 잠시 후, 그가 놀란 표정으로 중얼거렸다.

"향기가 나!"

"그렇죠?"

"오라버니 주려고 내가 직접 만든 거야. 잘 써야 돼."

짐짓 생색을 내며 비앙카가 말하자, 아델리오가 큼큼 헛기침을 하며 개미가 기어가는 듯한 목소리로 말했다.

"……잘 쓸게."

"뭐라구?"

"잘 쓴다구."

그가 아까보다 훨씬 커진 목소리로 말하자, 비앙카는 남몰래 웃었다. 역시 애는 아직 애다. 비앙카가 힘을 주며 아까 했던 말을 반복했다.

"잘 써야 돼. 비앙카가 '직접' '힘들게' 만들었어."

"알았다니까."

아델리오가 틱틱 거리며 말했다.

"막 써 버릴 거야."

"그럼 또 만들어 주지, 뭐."

비앙카가 대수롭지 않게 말하자, 아델리오의 얼굴이 빨개졌다. 그 모습이 마치 자두 같다고 생각하며 비앙카가 물었다.

"그런데 엄마는 어디 있어, 올가?"

"아, 왕비님은 잠깐 샤마카 부인을 만나러 가셨어요."

"아주 영혼의 단짝이구만."

아델리오가 비꼬자, 비앙카가 엄마를 편들었다.

"아냐, 오라버니. 일이 있어서 그래."

"무슨 일?"

"홍보."

이건 또 무슨 소리란 말인가. 릴리아나가 왕궁 홍보대사
도 아닌데 웬 홍보? 아델리오가 영 이해가 가지 않는다는
표정을 짓자, 비앙카가 설명해 주었다.

"비누 홍보하러 간 거야."

"비누 홍보?"

"공주님이 만드신 비누를 입소문 내 줄 사람이 필요한데,
왕비님이 가장 적합하다는 판단이 나왔어요."

"아."

올가의 설명을 듣고 나서야 안드리 공작은 이해하는 표정
을 지었고, 아델리오는 영 떨떠름한 표정이었다. 안드리 공
작이 허허 웃으며 말했다.

"이머진 부티크가 소문의 중심지이긴 하지. 누가 낸 아이
디어인지는 몰라도 잘 냈구만."

"공주께서 내신 아이디어랍니다."

"맙소사. 아이디어가 끊이질 않으시는구만."

안드리 공작이 흐뭇한 표정으로 고개를 끄덕이자, 옆에 있던 다른 사람들도 인정한다는 듯한 번씩 고개를 끄덕여 주었다. 괜히 기분이 좋아진 비앙카가 뿌듯한 얼굴로 어깨를 으쓱였다.

소녀식은 생각보다 가벼운 분위기에서 진행되었다. 단상 앞에 선 더글라스가 평소의 우렁찬 목소리로 말을 시작했다.

"오늘 내 딸인 비앙카 공주의 소녀식을 기념하여, 이렇게 다들 참석해 주어 기쁠 따름이다."

그가 빙긋 미소 지으며 비앙카에게 눈짓했다. 누구? 나? 비앙카는 얼른 앉아 있던 의자에서 일어나 씩씩하게 단상 앞까지 걸어 나갔다. 모여 있던 귀족들이 그녀를 사랑스러워 못 견디겠다는 눈으로 바라보는 시선이 그대로 느껴졌다. 훗, 원래 미운 일곱 살이 제일 예쁜 법이라구!

"비앙카, 소녀가 된 걸 축하한다."

숨길 수 없는 다정함이 목소리에서 묻어났고, 그걸 그대로 느낀 비앙카는 해맑게 웃었다. 하하, 그 싸가지 없는 아빠가 이렇게까지 바뀔 줄 누가 알았겠어? 비앙카가 살짝 고개를 숙여 더글라스가 씌워 주는 티아러를 조심히 머리 위에 안착시켰다. 생각했던 것보다 무겁지 않았다.

"축하해, 딸내미."

그렇게 말하며 옆에 있던 릴리아나도 손에 들려 있던 거대한, 그러니까 일곱 살짜리가 들기에는 조금 버거울 정도의 크기를 가진 꽃다발을 내밀었다. 저, 어머니…… 절 생각해 주시는 마음은 잘 알겠습니다만 이건 너무 크다고요! 하지만 비앙카는 굳이 내색하지 않은 채 안간힘을 쓰며 꽃다발을 받았다. 이 정도 크기는 그녀가 대학을 졸업했을 때에도 받아 보지 못했다. 역시 왕실의 스케일이란!

"축하드립니다, 공주님."

"축하드립니다!"

사방에서 우레와 같은 환호가 쏟아져 들어왔고, 비앙카는 새삼 가슴이 벅차 오는 것을 느끼며 감사의 의미로 고개를 꾸벅 숙여 보였다. 그러다 하마터면 티아러가 떨어질 뻔해서, 옆에 있던 릴리아나가 얼른 티아러를 바로 잡아 주었다.

"축하한다, 비앙카. 드레스가 예쁘구나."

"고마워여, 아빠."

비앙카가 어깨를 으쓱이며 첨언했다.

"헨리 보스크 경이 만들어 줬어요."

"엄마가 준 드레스가 더 예쁘냐, 아빠가 준 드레스가 더 예쁘냐?"

"……."

유, 유치하다. 비앙카는 어색하게 웃으며 중립을 택했다.

"다 너무 예뻐서 고를 수가 없는걸요!"

"흠."

내심 자길 선택해 주길 바랐던 것인지 더글라스가 살짝 서운한 표정을 지었다. 이보시오, 국왕 양반! 댁을 선택하면 난 엄마랑 척을 져야 한다고! 그래도 좋아? 비앙카가 황당함을 속에 숨기며 더글라스에게 말했다.

"근데 정말 둘 다 예뻐요."

"알았다, 알았어."

더글라스가 그제야 웃으며 비앙카에게 사탕을 내밀었고, 비앙카는 사탕의 껍질을 벗기며 속으로 걱정했다. 이러다 곧 '엄마가 좋아, 아빠가 좋아'와 같은 유치뽕짝 한 질문도 하는 건 아니……겠지?

한편, 오스카는 소녀식을 마친 후 헤스터에게 말했던 것처럼 소녀식이 열리는 궁의 후원에서 헤스터를 기다리고 있었다. 그러니까 드디어 오늘이었다. 그의 운명이 결정되는 날! 만약 오늘의 고백에서 헤스터가 그를 거절한다면, 그는 선택의 여지 없이 베델 공녀를 세자비로 맞아들여야 했다.

"거절하면 어떻게 하지……?"

그가 진지하게 고민했다. 만약 그녀가 거절한다면……?
그렇다고 해도 어쩔 수 없는 일이었다. 아무리 그가 이 나라
의 왕세자라고 해도, 사람의 마음을 바꾸는 것까지는 불가
능한 일이었으니까. 그가 한숨을 쉬었다. 모쪼록 그런 상황
이 오지 않기를 바랄 뿐이었다.

"왕자님? 여기 계세요?"

그때 익숙한 목소리가 들려왔다. 헤스터가 온 것이다. 오
스카는 얼른 준비해 뒀던 꽃다발을 뒤에 숨겼다. 곧 헤스터
가 오스카의 앞에 수줍게 모습을 드러냈다.

"왕자님!"

"아, 레이디 헤스터."

"계셨군요. 혹시 깜빡하셨나 걱정했어요."

"깜빡하긴요. 잘 기억하고 있었는걸요."

"그런데 절 부르신 이유가……."

"아."

드디어 결전의 순간이 온 것이다. 오스카는 저도 모르게
한숨을 쉬었다. 그 모습을 본 헤스터가 의아한 목소리로 물
었다.

"무슨 일 있으세요? 안색이 안 좋으세요."

"네? 네. 아니, 그게 아니라……."

횡설수설하던 오스카가 곧 헤스터의 얼굴을 똑바로 바라
보았다. 그가 잔뜩 빨개진 얼굴로 입을 열었다.

"레, 레이디 헤스터."

"네, 왕자님."

"드릴 말씀이 있습니다."

"네, 왕자님. 하세요."

"제가……."

오스카가 떨리는 표정으로 헤스터의 눈을 쳐다보았다.

"좋아합니다, 레이디 헤스터."

"……네?"

"레이디 헤스터, 급작스럽게 느껴질 수도 있겠지만……
제가 영애를 좋아하는 것 같습니다."

"네에?"

헤스터는 거의 뒤로 넘어갈 지경이었다. 하실 말씀이 있
다곤 하셨지만, 그 '하실 말씀'이 이런 것일 줄은 정말 꿈에
도 생각지 못했다. 헤스터가 어안이 벙벙한 표정으로 더듬
거렸다.

"어…… 그러니까……."

"네, 영애. 제가 영애를 좋아합니다."

"지, 진짜로요?"

"네."

오스카가 이번에는 등 뒤에서 꽃다발을 꺼내 들었다. 붉
은 장미였다. 프러포즈의 정석 같은 꽃. 헤스터가 도무지 믿
기지 않는다는 표정으로 물었다.

"정말 절 좋아하신다고요?"

"네, 영애. 저와……."

오스카가 마른침을 한 번 삼킨 뒤 고백을 맺었다.

"저와 결혼해 주실 수 있으십니까?"

"네에?!"

2번째 폭탄이다. 좋아한다는 말만으로도 이미 충격적인데, 이번에는 결혼이라니! 헤스터는 정말로 쓰러질 것 같은 기분이었다. 그녀의 벌어진 입이 다물어질 줄 모르자, 오스카가 더듬거리며 말을 덧붙였다.

"그, 갑작스러우신 건 압니다, 영애. 하지만 전 진심으로 영애를 좋아하고 있고……."

"……."

"그래서 영애가 왕세자비가 되어 주셨으면 합니다."

"제가요?"

"네, 만약 부담스러우시다면, 혹은 제 마음을 받을 수 없으시다면…… 저도 깔끔하게 포기하겠습니다."

"그…… 저……."

헤스터가 바보처럼 입만 오물거리자, 오스카가 차분하게 말했다.

"너무 당황하셨다면, 시간을……."

"정말로……."

헤스터가 떨리는 목소리로 물었다.

"정말로 저를 좋아하세요?"

오스카는 순간 그녀의 질문을 이해하지 못하다가, 곧 진지하게 답했다.

"네, 그렇습니다."

"왜요?"

이유를 묻는 헤스터의 목소리는 여전히 떨리고 있었다. 그녀가 더듬거리며 말했다.

"저, 전…… 그렇게 좋은 가문의 여식도 아니고, 돈도 없고…… 빼어난 미녀도 아닌걸요."

"그런 건 중요하지 않습니다, 영애."

"그럼 왜 저를 좋아하세요?"

"사람이…….

오스카가 조용히 미소를 지으며 답했다.

"사람을 좋아하는 데 특별한 이유가 꼭 필요한가요?"

"그건 아니지만…….

"전 그냥 레이디 헤스터, 그 자체가 좋습니다. 가문도, 외모도, 돈도 필요 없어요."

"…….

"대답은 나중에 들어도 좋습니다."

"아뇨."

헤스터가 떨리는 목소리로 입을 열었다. 그녀는 저도 모르게 오스카와 눈을 마주쳤다. 원래라면 예의에 어긋난다며

고개를 숙였어야 할 헤스터였지만, 오늘은, 지금만큼은 달랐다. 헤스터는 마른침을 꿀꺽 삼켰다.

'이분을 믿어도 될까?'

왕족은, 더구나 남자는 믿는 게 아니라고 아버지가 늘 말씀하셨다. 배경 말고 자신을 좋아한다는 이 남자를, 과연 믿어도 될까? 고민하던 헤스터는 금방 답을 내렸다.

"왕자님 마음, 받아들이겠습니다."

믿자. 한번 믿어 보자. 적어도 그녀가 지금까지 겪었던 오스카는 거짓말을 밥 먹듯이 한다거나, 신의를 지키지 않는 사람이 아니었다. 헤스터는 자신의 감을, 아니 운을 믿어 보기로 했다. 그리고 사실, 자신도 오스카를 좋아하고 있었으니까. 그녀가 빙긋 웃으며 말했다.

"용기 내 주셔서, 고마워요."

헤스터가 오스카가 들고 있던 장미 꽃다발을 받아 들자, 오스카의 표정이 단박에 환해졌다. 그가 기쁜 표정으로 그녀를 덥석 안았다.

"고맙습니다, 레이디 헤스터."

"그냥 헤스터라고 부르세요."

"아, 그래도 됩니까?"

"그럼요. 그런데 언제부터 절 좋아하셨어요?"

"글쎄요……. 그냥 어느 순간부터, 좋아졌던 것 같습니다."

그렇게 말한 오스카가 씩 웃었고, 헤스터의 얼굴이 붉어졌다. 뭐야, 왕자님이 이런 낯간지러운 대사도 던질 줄 아셨나? 혼란스러운 와중에, 헤스터가 낭패라는 듯 입을 열었다.

"저, 그런데 왕자님, 문제가 있어요."

"무슨 문제 말입니까?"

"그…… 왕세자비가 되려면 지참금을 내야 하는 걸로 알고 있거든요."

헤스터가 주저하며 말을 꺼냈다.

"그런데 저희 가문에서 지참금을 감당할 수 있을지 모르겠어요."

그 문제는 오스카 역시 고민하고 있던 부분이었다. 그는 고민하는 헤스터의 어깨를 붙잡고, 너무 걱정하지 말라는 듯한 목소리로 말했다.

"지금부터 같이 해결책을 찾아보면 되지 않겠습니까?"

뭐, 어떻게든 되겠지. 그는 답지 않게 이런 생각을 했다.

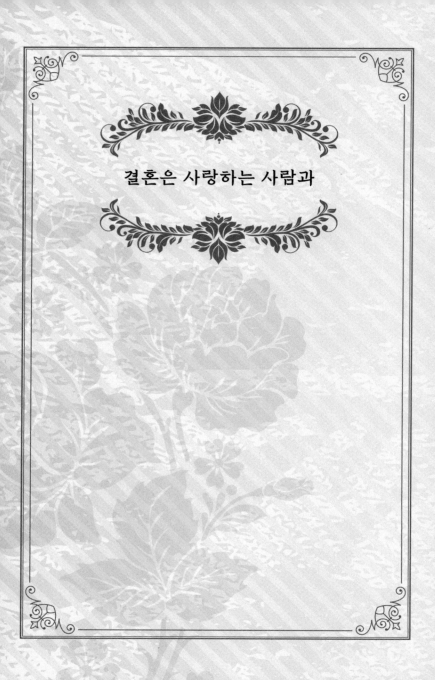

결혼은 사랑하는 사람과

"뭐어?"

비앙카가 당황한 목소리로 말했다.

"다시 말해 봐. 내가 잘못 들은 거…… 맞지, 오라버니?"

"아니, 제대로 들었어."

오스카가 씩 웃으며 답했다.

"레, 아니 헤스터에게 청혼했어."

맙소사, 잘못 들은 게 아니다. 오스카가 헤스터에게 청혼을 했다. 비앙카가 멍한 표정으로 물었다.

"근데 표정이 밝은 거 보니까, 잘됐나 봐?"

"제대로 봤어, 비앙카. 성공했거든."

그리고 오스카는 또 씩 웃었다. 아아, 우리 오라버니가 원래 저렇게 웃음이 많은 사람이었나. 혼란하군, 혼란해. 어찼든 좋은 일이니까 축하는 해 줘야 한다. 비앙카가 명랑한 목소리로 말했다.

"어쨌든 축하해! 이상한 사람하고 억지로 결혼하지 않아도 되겠구나."

"음⋯⋯."

그런데 갑자기 오스카의 표정이 어두워졌다. 뭐야, 또 뭐가 문젠데? 비앙카가 의아한 눈으로 물었다.

"왜 그래? 무슨 일이 또 있는 거야?"

"헤스터에게 프러포즈 하는 건 성공했는데, 지참금 마련이 문제야."

"아."

맞다. 이 나라는 왕족이 되려면 일정 금액 이상의 지참금을 내야 하지. 그런데 헤스터의 하몬 가문은 부호라는 단어와는 거리가 멀어서, 아마 지참금을 낼 형편이 되지 않을 것이다. 비앙카가 물었다.

"방법은 찾아봤어?"

"그 돈을 마련하는 건, 외가의 도움을 받지 않고선 불가능해."

"근데 그건 좀 아닌 것 같다⋯⋯. 오빠도 그렇게 생각하지?"

"모두가 그렇게 생각해. 그래서 지금 다른 방법을 찾고 있는 중이야."

"음……."

잠깐 고민하는 표정을 짓던 비앙카에게 곧 좋은 생각이 떠올랐다. 하지만 자존심 더럽게 센 오스카가 과연 내 생각을 받아들일까? 고민하던 비앙카가 곧 모르겠다는 듯 머리를 벅벅 긁었다. 에이, 지금 얘네가 이런 거 따질 때야? 지참금을 못 마련하면 결혼 못 하게 생겼는데? 이럴 때는 무조건 못 먹어도 고다! 그녀가 비장한 표정으로 오스카를 불렀다.

"오라버니."

"응?"

"나한테 좋은 방법이 있는데."

"좋은 방법?"

오스카가 눈을 둥그렇게 뜨고 비앙카를 쳐다보았다. 비앙카는 해맑게 웃으며 자신이 생각한 답을 내놓았다.

"간단해! 우리가 버는 거지."

"응? 무슨 뜻이야?"

고개를 갸웃거리던 오스카가 곧 비앙카의 말뜻을 알아채고선 깜짝 놀라는 표정을 지었다.

"너, 설마……."

"오라버니가 생각하는 그게 맞을 거야."

아마도? 어깨를 으쓱이는 비앙카를 향해, 오스카가 환해진 얼굴로 외쳤다.

"비앙카, 넌 천재야!"

"내가 좀."

으스대는 얼굴로 킥킥 웃는 비앙카를 오스카가 말간 미소를 띤 얼굴로 쳐다보았다. 그러다 어느 순간, 그의 표정이 굳어졌다. 다시금 어두워진 오스카의 얼굴을 본 비앙카가 물었다.

"아, 왜 또 그래! 얼굴 좀 펴, 오라버니."

"이건 아닌 거 같아."

"뭐가?"

설마 헤스터와의 결혼을 포기하겠다거나…… 그런 건 아니겠지? 괜히 새가슴이 된 비앙카가 심장이 콩닥거리는 것을 느끼며 오스카의 대답을 기다렸다. 그는 한숨을 푹 쉬더니 이렇게 말했다.

"너한테 너무 미안하잖아."

"잉?"

이건 또 무슨 뚱딴지같은 소리래……? 나한테 왜 미안해? 나한테 뭐 죄졌어? 비앙카가 영 이해가 안 간다는 얼굴로 물었다.

"무슨 소리야?"

"말 그대로야. 너한테 너무 미안해서 도무지 안 될 것 같아."

아니, 그러니까 그게 무슨 뜻이냐고! 비앙카가 답답하다는 듯 가슴을 쾅쾅 쳤다. 말을 좀 알아듣게 해!

"안드리 가문에 도움을 청하지 못하는 것과 같은 이치야. 비앙카, 향기 나는 비누는 네 것이잖아. 난 네 업적을 빼앗아서 내 이득을 취하고 싶진 않아."

아, 뭐야. 고작 그런 것 때문이었어? 비앙카가 심드렁하게 답했다.

"뭐 어때? 난 괜찮아."

"비앙카, 그렇게 간단한 문제가……."

"안드리 가문이야 냉정하게 놓고 보면 언젠가 오라버니의 신하 가문이 될 테지만, 난 아니잖아. 나는 영원히 오라버니 여동생 비앙카야."

아, 이건 좀 민망하다. 하지만 뭐, 이왕 이렇게 말하게 된 거 끝까지 한번 해 볼까?

"우리 사이에 미안하고 그런 게 어디 있어. 만약 오라버니가 내 말을 안 들으면 지참금을 어떻게 마련할 건데? 설마 헤스터에게 청혼까지 한 마당에 다른 여자랑 결혼할 생각을 하는 건 아니겠지?"

"그건 아니지만……."

"그럼 그냥 내 말 들어, 오라버니. 나 진짜 괜찮아."

"그래도……."

"어허!"

참다못한 비앙카가 큰 소리를 냈고, 거기에 깜짝 놀란 오스카가 저도 모르게 움찔했다. 그가 조심스럽게 그녀에게 다시 물었다.

"진짜 괜찮아⋯⋯?"

"아, 좀! 오라버니는 그게 문제야. 사람이 너무 소심해!"

"마음에 걸리니까 그렇지. 미안하잖아."

"나 진짜 괜찮다고, 좀! 제발 한 번 말한 거 두 번 말하게 하지 마. 입 아프다고!"

비앙카가 빽 하고 소리를 질렀고, 그제야 오스카는 수긍하는 듯한 한숨을 쉬었다. 이 오라버니는 맨날 한숨이야. 복다 달아나겠네. 비앙카가 마뜩잖은 얼굴로 말했다.

"그러니까 다시는 내 앞에서 그런 말 하지 마. 나 진짜 괜찮으니까. 알겠지?"

"알았어."

"오라버니."

"왜?"

"결혼 축하해."

그렇게 말한 비앙카가 함박웃음을 지었다. 그 모습을 바라보는 오스카의 표정이 멍해졌다. 그가 한참 후에 입가에 살포시 미소를 띤 채로 대꾸했다.

"그래, 고마워."

다 네 덕분이야.

"진짜 괜찮으시겠어요?"

오스카가 방을 나간 후, 밖에 있던 올가가 들어와 물었다. 비앙카는 정말 아무렇지 않다는 듯한 표정으로 대꾸했다.

"응, 나 진짜 괜찮아."

"비누 사업 하시는 거, 사교계 데뷔 안 하시려고 시작하신 거잖아요. 공주님 결혼 문제도 그렇고……."

"괜찮아. 난 아직 어리니까."

나 아직 일곱 살밖에 안 됐잖아. 그렇지? 비앙카가 한쪽 눈을 찡긋거리며 올가를 향해 윙크했다.

"그리고 내 필요는 이번 사업 성공하면 모두가 알게 될 거야. 돈이야 언제든 다시 모을 수 있는 거고."

"아직 일곱 살밖에 안 되셨는데."

올가가 묘한 눈으로 비앙카를 쳐다보았다. 언제 저렇게 크셨을까? 요즘 부쩍 어른이 되신 것만 같아서, 올가는 비앙카가 새삼 낯설게 느껴졌다.

"생각이 너무 성숙하세요."

"내가?"

나 이래 봬도 산 세월만 30년이 넘어……. 이 정도 성숙함은 갖춰야 하지 않겠어? 비앙카가 어깨를 으쓱이며 답했다.

"내가 좀 성숙하지."

이럴 때 보면 영락없는 소녀시다. 올가가 빙긋 웃으며 비앙카의 이마에 키스했다.

"정말 보람차요. 너무 훌륭한 소녀로 자라 주셨어요."

"앞으로 더 훌륭해질 건데?"

벌써 놀라면 곤란하다고! 비앙카가 까르르 웃음을 터뜨렸다.

"어쨌든 중요한 건, 그 두 사람이 결혼하는 거야. 그쪽은 진짜 시간이 없잖아."

"그건 그래요. 잘하셨어요."

상으로 올가의 쓰담쓰담을 받던 비앙카가 잠시 후에 혼자 중얼거렸다.

"근데 아빠가 이걸 허락해 줄지 모르겠다."

"아마 허락해 주지 않으실까요? 폐하는 겉으로 보기에만 못되셨지, 실은 누구보다 왕국과 백성들을 사랑하신답니다."

뭐, 그건 인정이야. 다만 가족들에게 그 애정이 1/10도 안 가서 문제지. 물론 요즘은 좀 나아지는 것 같기도 하다만…….

"그러니까 아마 문제없을 거예요."

"제발 그래야 할 텐데."

비앙카가 통통한 볼에 바람을 넣어 부풀렸다가, 잠시 후

꺼뜨렸다. 그런 다음 입술을 오물거리며 중얼거렸다.

"잘되겠지?"

"잘되겠죠. 너무 걱정 마세요."

"근데 소피는 어디 갔어? 오전부터 안 보이던데."

"잠깐 자작성에 갔어요. 제 남편이 소피아를 너무 보고 싶어 해서요."

"아하."

하긴, 소피아도 워낙 오랫동안 아버지를 못 봤으니, 그리 워할 만도 했다. 비앙카가 수긍한다는 듯 고개를 끄덕였다. 그때, 바깥에서 시녀의 목소리가 들려왔다.

"공주님, 재상부에서 사람이 왔는데요."

잉? 이건 또 무슨 소리야? 비앙카가 어리둥절한 표정으로 올가를 쳐다보았고, 잠깐 생각하는 표정을 짓던 올가가 곧 생각났다는 듯 손뼉을 쳤다.

"맞아! 이번에 공주님 소녀식을 기념해서 코스텔로 공작 님이 공주님께 선물을 보내 드린다고 하셨어요."

"뭐어?"

그렇게 중요한 걸 왜 지금 말해! 비앙카는 속으로 비명을 지르며 기뻐했다.

'예! 선물이다!'

선물은 언제나 옳았다. 나이가 많든 적든, 선물은 언제나 받으면 기분이 좋았으니까! 비앙카가 신나는 목소리로 말했다.

"얼른 들어와!"

곧 문이 열리고 시종 여러 명이 양손 가득 선물을 든 채로 비앙카의 방에 들어왔다. 세상에, 저 선물들 좀 봐! 비앙카는 속으로 소리를 지르며 좋아했다. 역시 우리 야라 언니가 짱이라니까!

"저희 재상 각하께서 보내신 선물입니다, 비앙카 공주님."

"제가 너무너무 기뻐하고 있다고 꼭 좀 전해 주세요!"

"그러겠습니다."

흐뭇하게 미소 지은 시종들이 방에서 나가자마자, 비앙카는 크리스마스 날 산타를 맞이한 기분으로 가장 가까이 있는 선물의 종이 포장을 벗겨 냈다. 기대감으로 가득 찬 비앙카가 함박웃음을 입가에 걸었다. 선물이 뭘까? 저번처럼 인형? 아님 이번에는 화장품? 아니, 그보다 더 비싼 거? 이를테면⋯⋯보석?

하지만 포장을 열자 나타난 것은 그 무엇도 아니었다. 비앙카는 당황한 표정을 지으며 중얼거렸다.

"⋯⋯이게 뭐야?"

포장 안에 감추어져 있던 선물은 퍼즐이었다. 그것도 무려 2천⋯⋯ 피스짜리. 이봐, 재상 양반? 난 아직 일곱 살 어린애라고. 어른도 맞추기 힘들어하는 걸 나한테 주면 어떻게 해? 20피스면 또 몰라. 난 아직 애라고, 애! 비앙카가 황당한 표정으로 고개를 갸웃거리며 퍼즐 판을 들어 올리는데, 아래에 무슨 쪽지가 있었다. 비앙카가 그것을 주워 들어 읽어 보았다. 정갈한 필체로 무언가가 적혀 있었다.

　　친애하는 비앙카르체 공주님께.
　　공주님의 소녀식을 기념해 특별 제작 주문한 2천 피스짜리 퍼즐입니다. 다 맞추면 예쁜 공주님 그림이 나와요! 꼭 한번 맞춰 보세요.
　　물론 일반인들은 어렵겠지만, 공주님 정도의 지능이라면 충분히 어렵지 않게 맞추실 수 있을 거예요.
　　다 맞추시고 저에게도 보여 주세요.
　　다시 한 번 소녀가 되신 걸 축하드려요.
　　　　　　　　　　　　　　　　　　　　—야라 코스텔로

　　맞다! 야라가 날 천재로 알고 있었지? 비앙카는 당황한 표정을 지었다. 난 그냥 현대의 지식을 조금 아는 거지 이런 걸 할 수 있을 정도로 천재가 아니라고!
　　그때, 뒤쪽에서 올가가 다가와 비앙카가 들고 있던 쪽지를 슬쩍 읽어 보았다. 잠시 후 그녀가 약간 떨떠름한 목소리로 중얼거렸다.
　　"전하께서도 참……. 아직 공주께서 이런 걸 맞추기엔 너무 어리신데."

맞아, 올가! 그러니까 올가가 야라 언니한테 가서…….

"뭐……. 우리 공주님께서는 확실히 다른 아이들하고는 다르시니 가능하실지도 모르겠네."

응? 올가, 아니야. 그거 아니야. 나 못 맞춰. 나 어른이었을 때도 그런 거 못했어. 지금은 더 못해. 하기 싫어. 안 해. 안 할 거야.

"한번 해 보세요, 공주님. 저도 천 피스까지는 맞춰 봤는데…… 조금 어려우시려나?"

"어려워……."

"제가 도와 드릴 테니까요. 너무 겁먹지 마시고 같이 해 봐요, 우리!"

아니……. 어렵고 이런 걸 떠나서 난 그냥 퍼즐이 싫어……. 퍼즐을 맞추려면 머리를 써야 했는데, 비앙카는 그 과정을 싫어했다. 머리를 쓰는 것은 머리 아픈 일이다. 비앙카가 골치라는 듯 다음 선물을 풀었다. 이번에는 더 심각했다. 블록 세트였다. 그녀는 만드는 것도 싫어했다.

"힝."

비앙카가 대놓고 실망한 표정을 드러내자, 의아해진 올가가 물었다.

"왜요, 공주님? 별로 마음에 안 드세요? 전 좋은 것 같은데요."

"이거 너무 어려오……."

"하나도 어렵지 않아요, 공주님. 저랑 같이 해요. 이거 재미있어 보여요."

하지만 비앙카는 여전히 시무룩한 표정이었다. 문득 그 아래 깔려 있는 쪽지를 발견한 비앙카가 그것을 들어 올려 읽어 보았다. 블록이 그렇게 머리 훈련에 좋단다. 물론 이걸 좋아하는 아이들은 환장했지만, 적어도 비앙카는 아니었다. 그녀는 그냥 인형이 좋았다. 핑크핑크 하고 예쁜 인형. 아님 반짝반짝 빛나는 보석 같은 것들.

"야라가 날 너무 좋게만 봐주는 것 같아."

그 조그마한 얼굴이 심각하게 변하며 중얼거리는 모습을 보며, 올가는 순간 '쿡' 하고 웃어 버릴 뻔하였으나, 우리 공주님의 자존심을 위해서라도 그러지 않기로 했다. 올가가 반박했다.

"하지만 비누를, 그것도 향기 나는 걸 만드는 건 분명 획기적인 일이에요."

그 말을 들은 비앙카가 어색하게 웃었다. 그러니까 그게 과대평가라고. 난 원래 있던 곳에서 그걸 꽤 여러 번 만들었거든.

"아마 재상님께서 공주님의 잠재력을 알아보고 이런 장난감들을 사 주신 것 같아요."

그건 확실히 거짓말이 아니었다. 왜냐하면 다른 선물들도 전부 그런 종류였기 때문이었다. 머리나 손을 씀으로써 지능 발달에 조금이나마 기여할 수 있는 것들. 야라가 이 시대에 이런 걸 찾아내 선물한 게 더 신기하다고 생각하면서, 비앙카는 속으로 한숨을 쉬었다. 하는 수 없지. 이렇게 줬는데 버릴 수도 없고. 당분간은 갖고 노는 시늉이라도 해야겠다. 비앙카가 말했다.

"그럼 일단 갖고 놀아 보지, 뭐."

"잘 생각하셨어요."

올가가 빙긋 웃으며 비앙카에게 말했다.

"재미없는 건 아니니까요."

그건 잘 모르겠고……머리를 쓰는 게 귀찮잖아. 그래도 성의가 있으니까 한 번 시도는 해봐야겠다. 비앙카가 크게 하품했다.

"그러니까……."

꿀꺽. 앞에 있던 오스카가 마른침을 삼켰다.

"네 말은, 이번 비누 사업으로 수익이 나면 그걸 네 아내의 지참금으로 쓰겠다는 거냐?"

"네, 폐하."

"비앙카 공주는 허락한 일이냐?"

"물론입니다. 비앙카 공주가 먼저 제안한 일이거든요."

"그래……?"

더글라스가 의외라는 표정을 지었고, 오스카는 조심스럽게 고개를 끄덕였다.

"처음에는 좀 아닌 것 같아서 제가 거절했는데, 비앙카가 너무 완강하게 밀어붙이는 바람에…… 염치 불고하고 도움을 받기로 했습니다."

"그 돈이 어떤 돈인지는 아느냐?"

"네……?"

영문을 모르는 표정으로 오스카가 물었고, 더글라스는 건조한 목소리로 설명해 주었다.

"공주가 자기 쓸모를 증명해 보이겠다고 시작한 게 비누 사업이야. 자기 엄마한테는 사교계 데뷔를 안 하겠다는 조건을 걸었고."

"아……."

그 말을 들으니 갑자기 미안함이 엄청나게 밀려오는 오스카였다. 지, 지금이라도 그만두겠다고 해야 하나……? 심각하게 고민하고 있는데, 더글라스의 목소리가 들려왔다.

"잘할 자신 있냐?"

"……네?"

"사업, 잘 진행시킬 자신 있느냐고."

"네."

오스카가 떨면서도 확실하게 대답했다. 사업 진행은 자신 있었다. 무엇보다 아이템이 좋았으니까. 그가 덧붙였다.

"확실하게 성공시킬 자신 있습니다."

"좋아. 이 일이 잘만 진행된다면, 네 처의 지참금 문제는 원활하게 해결될 거다."

"……."

"둘이 우애가 좋은 것 같아 다행이구나."

"네?"

"너와 비앙카 말이다. 우애가 좋은 것 같아서, 다행이야."

더글라스가 빙긋 웃었고, 오스카는 순간 멍한 표정을 지었다가 잠시 후에 따라서 미소 지었다.

"비앙카가 사려 깊고 배려가 많은 성격이라 그런 겁니다."

"그렇게 말하는 너도 만만치 않아."

하여튼 겸손한 건 여전하다니까. 속으로 중얼거린 더글라스가 말했다.

"이만 가 보거라. 너나 나나 바쁜 건 피차일반이니까."

"네, 폐하."

오스카가 예의 바르게 인사한 다음 더글라스의 집무실을 나섰고, 혼자 남은 더글라스는 남몰래 입가에 호선을 그려 내며 웃었다. 왠지 모르게 기분이 좋았다.

비앙카의 소녀식 이후 오스카는 비누 사업에 박차를 가했다.

그의 결혼식은 비누 사업이 끝난 직후 행해질 예정이었고, 때문에 지참금 마련에 가장 큰 역할을 해 줄 비누 사업은 그에게 정말 중요한 안건이었다.

오스카는 사업 기획 때문에 한 달 정도를 내내 밤샘했고, 거기에 자극을 받았는지 비앙카도 덩달아 비누 개발에 힘을 쏟았다.

향기 나는 비누의 존재를 가장 먼저 세상에 알린 건 이머진이었다. 그녀가 주도적으로 낸 입소문은 사교계의 귀부인들 사이로 빠르게 퍼져 나갔다.

릴리아나 왕비가 이머진에게 준 비누는, 릴리아나 못지않게 뷰티에 관심이 많았던 이머진의 마음을 빼앗기 충분했다. 덕분에 소문은 생각보다 빠르게, 그리고 많은 사람들에게 퍼졌다.

비누의 존재를 알게 된 대부분의 귀부인들이 향기 나는 비누를 구하기 위해 이머진에게 비누의 출처를 물었고, 이머진은 그저 왕비님께서 가지고 계시던 걸 조금 받았을 뿐이라고 대답해 버렸다.

덕분에 릴리아나와 친한 귀부인들이 릴리아나에게 비누

를 팔라고 조르는 일이 잦아졌고 마침내 숱한 요청에 참다 못한 릴리아나가 '사업을 핑계로' 비앙카의 방을 찾은 오스카에게 물었다.

"오스카, 아가. 도대체 나 언제까지 이래야 하니?"

"확실히 그 비누가 인기가 좋나 봐요."

오스카가 예상했다는 듯한 표정을 지었고, 릴리아나는 고개를 절레절레 저어 보였다. 오스카가 빙긋 웃으며 말했다.

"물량을 조절하는 게 중요합니다. 이건 지금껏 없던 비누라 시장에 내놓으면 틀림없이 불티나게 팔릴 테니까요. 초반에는 희소성도 유지해야 해요."

"하지만 왕자님, 그러다 우리 걸 베끼는 사람이 생기면 어떻게 해요?"

헤스터의 질문에 오스카가 설핏 웃으며 답했다.

"걱정 말아요, 헤스터. 그런 불상사를 막기 위해 비누를 만드는 사람들을 비앙카의 말대로 종신 시녀로 한정했잖아요? 그 수도 많지 않고요. 만약 그런 일이 생긴다고 해도 왕실 차원에서 대응하면 됩니다."

"그런 것까지 다 생각해 두신 거예요? 대단하세요!"

어이, 어이. 핑크빛 분위기는 둘만 있을 때 내라고. 비앙카가 영 마뜩잖은 표정으로 두 사람을 쳐다보며 볼멘소리를 냈다.

"우리 앞에서 꼭 그런 분위기를 만들어야겠어, 오라버니?"

"어머, 죄송해요, 공주님."

헤스터가 얼른 사과했다. 이봐, 헤스터가 그렇게 나오면 내가 더 이상 뭐라고 할 수가 없잖아! 비앙카가 큼큼 헛기침을 하며 화제를 돌렸다.

"그럼 앞으로 어떻게 할 예정이야, 오라버니?"

"일단 어머니와 친분이 있는 귀부인들에게 소량을 팔 거야. 좀 싸게 말이지. 그리고 시간이 좀 더 지난 뒤에는 원래보다 가격을 더 올려서 좀 더 많은 귀부인들에게 파는 거지. 이런 식으로 제국의 모든 귀족들에게 이 비누를 파는 거야. 그리고 언젠가는 외국에까지 수출하는 거지. 수익성이 충분한 상품이니 외국의 상단에서는 서로 수입하겠다고 할 거야. 그리고 로열티가 붙으면 수익이 더 나겠지!"

"근데 오스카, 원래 시간이 지날수록 더 저렴해져야 하는 것 아냐? 왜 점점 비싸게 팔아?"

"그래야 빠르게 사는 사람들이 배신감을 느끼지 않을 테니까요. 어머니, 이건 사치품입니다. 수익을 추구하되 소비자의 허영심도 채워 줘야 해요."

"오, 일리가 있어."

릴리아나가 이해가 간다는 듯 고개를 끄덕이자, 오스카가 어깨를 으쓱이며 덧붙였다.

"언젠가는 이것도 보편화될 겁니다. 지금은 획기적인 물건이지만, 만드는 게 어려운 건 아니니까요. 그때가 된다면 왕국의 백성들도 저렴한 가격에 비누를 이용할 수 있겠지요."

물론 지금은 시기상조지만. 오스카의 설명을 들은 비앙카와 헤스터, 릴리아나가 고개를 끄덕였다. 특히 비앙카가 많이 감탄했다. 오스카의 계획이 생각했던 것보다 구체적이었다.

"그럼 이 계획은 언제부터 시행하는 거야?"

비앙카의 질문에 오스카가 이를 드러내며 씩 웃었다.

"내일부터."

결과는 대성공이었다! 입소문의 힘은 무서웠다. 오스카의 예상대로 비누가 불타나게 팔려 나갔고, 가격에 차등을 둔 것도 효과를 발휘했는지 계속해서 수익이 났다. 생각 외의 호황에 왕실 식구들 모두가 기뻐했지만, 그중에서도 가장 기뻐한 사람은 뭐니 뭐니 해도…….

'진짜로 돈이 되잖아?!'

비앙카였다. 전생에 재벌집 딸내미였을 때도 이런 사업을 운영해 본 적이 없었던 비앙카로서는 이번 성취가 꽤나 뜻깊게 느껴졌다.

'이런 게 사업이라면, 나도 한번 해 볼 수 있겠는데……?'

간단한 일이 아닌가. 사람들이 필요로 하지만 구할 수 없는 것들을 만들어 비싸게 판다. 그럼 수익이 나는 것이다! 가장 간단하지만 중요한 진실을 깨달은 비앙카가 기쁜 표정을 지었다.

"공주님, 뭐 하고 계세요?"

그때, 헤스터가 비앙카의 곁으로 다가왔다. 헤스터의 목소리를 들은 비앙카가 화사하게 웃으며 그녀를 반겼다.

"헤스터, 왔어?"

"네, 그런데 바쁘신 것 같아요."

"아아, 이번에 수익 난 것 계산하고 있었어."

비앙카의 말에 헤스터가 깜짝 놀란 얼굴로 물었다.

"직접 계산을 하셨다고요?"

"별것 아니야. 그냥 순수익만 계산해 봤어. 생각보다 이윤이 많이 남더라."

어깨를 으쓱이며 답한 비앙카가 곧이어 신난 목소리로 화제를 돌렸다.

"그보다, 진짜 비누가 돈이 되니까 너무 신기하다, 헤스터. 네 결혼 지참금 정도는 무리 없이 해결할 수 있을 것 같아!"

"들었어요, 공주님."

헤스터가 설핏 미소 지으며 덧붙였다.

"공주님께 정말 감사하게 생각하고 있어요. 공주님 도움이 없었다면 포기할 수밖에 없는 일이었거든요."

"내가? 에이, 아니야. 오라버니 사업 수완이 좋은 탓이지, 뭐."

"어쨌든 아이템을 개발하신 건 공주님이시고, 수익을 제 지참금으로 쓰게 해 주신 것도 공주님이신걸요."

헤스터가 수줍은 목소리로 말을 이었다.

"이 은혜는 절대 잊지 않을게요."

"아니야, 헤스터. 원래 공주의 시녀는 공주가 직접 좋은 혼처를 알아봐 주는 거래. 그래서 너도 나도 기를 쓰고 시녀를 하려는 거고."

그 말을 들은 헤스터가 짐짓 놀란 표정으로 물었다.

"그런 건 또 어떻게 아셨어요?"

"그냥 어쩌다 책에서 봤어. 하여튼! 그러니까 내가 이번 일의 수익금을 헤스터의 지참금으로 쓰게 한 건, 결코 특별한 일이 아니다, 이 말씀이야."

"그래도요, 공주님."

"낯간지러워! 그만해."

비앙카가 민망함을 참지 못하고 까르르 웃었고, 헤스터는 순간 그 모습을 보고 심장이 두근거리는 것을 느꼈다. 아, 우리 공주님. 머리도 좋으시고, 마음도 고우신데, 얼굴까지 저렇게 귀여우시면 너무 불공평하잖아! 참다못한 헤스터가 저도 모르게 비앙카의 볼에 키스했다.

"너무 귀여우시잖아요, 공주님! 이런 건 반칙이라구요."

"나도 내가 귀여운 거 알아."

답지 않게 거드름을 피우며 대꾸한 비앙카가 다시 한 번 까르르 웃었다. 보는 이로 하여금 엔도르핀을 마구 솟아오르게 만드는 마성의 미소였다. 입가에 행복한 미소를 가득 띤 채 비앙카를 바라보던 헤스터가 잠시 후에 깜빡했다는 듯 말했다.

"참, 아까 왕자님께 들었는데, 반응이 너무 좋아서 수출까지 결정 났대요."

"정말? 잘됐다."

사실 예상하고 있던 일이었지만. 비앙카는 어깨를 으쓱였다. 이로써! 내 가치는 완벽하게 입증된 셈이라구. 비앙카는 자화자찬했다.

"나 너무 대단하고 가치 있는 것 같아."

"그럼요, 공주님! 왕국의 보물이신걸요."

어휴, 뭐 그 정도까지는 아닌데…… 과한 칭찬에 기분이 좋아진 비앙카가 방실방실 웃으며 헤스터에게 윙크를 하는 등 애교를 부렸다. 덕분에 헤스터의 심장이 남아나지 못하고 사정없이 쿵덕거렸지만.

"그럼 결혼식은 진짜 하기로 결정 난 거야?"

"네."

헤스터가 수줍게 답하며 고개를 끄덕였고, 잠시 후에 덧붙었다.

"4개월 후에 식을 올리기로 결정했어요."

"잘됐다! 그럼 헤스터가 내 새언니가 되는 거야!"

"네에?"

그 말을 들은 헤스터가 당치 않다는 표정을 지었다.

"그런 건 여염에서나 쓰는 말이라고 배웠어요."

"뭐 어때? 거기나 여기나 사는 건 다 거기서 거기야."

"네에? 그래도요."

"그럼 내가 헤스터에게 '왕세자비 전하' 이렇게 불러야
해?"

그건 또 너무 어색하고 딱딱하지 않은가. 헤스터가 영 아
니라는 듯한 표정을 짓자, 비앙카가 그것 보라는 듯 외쳤다.

"새언니가 제일 나아! 물론 공식 석상에서는 '왕세자비
전하' 라고 부를게."

"하하, 네. 그냥 공주님께서 편하신 대로 부르세요."

"공주님, 오스카 왕자님 드십니다."

오라버니가? 비앙카가 말했다.

"들어오라구 해!"

그 말과 동시에 오스카가 방 안으로 들어왔다. 그는 같이
있는 오스카와 헤스터를 보고선 기쁜 표정을 지었다.

"아, 헤스터. 여기에 계셨습니까."

"오라버니, 솔직하게 말해 봐. 내가 아니라 헤스터 보러

온 거지?"

"둘 다 보러 온 거야."

거짓말은. 얼굴에 헤스터 보러 왔다고 다 쓰여 있는데. 비앙카가 입을 비죽 내밀며 말했다.

"둘 다 가 버려!"

"에이, 공주님. 왜 그러세요."

헤스터가 부드러운 목소리로 비앙카를 달래며 안아 주었고, 그제야 비앙카는 살짝 기분이 풀린 얼굴로 물었다.

"만약 결혼하면 궁에서 나가서 사는 거야?"

"아니."

오스카가 미소 띤 얼굴로 고개를 저었다.

"난 왕세자니까, 결혼해도 계속 궁에서 살 수 있어."

"오!"

비앙카가 잘됐다는 듯 소리쳤고, 그 모습을 바라보던 오스카와 헤스터는 흐뭇한 미소를 지었다. 그때, 바깥에서 또 시녀의 목소리가 들려왔다.

"공주님, 왕비님께서 오셨습니다."

뭐야, 오늘 무슨 날인가? 왜 이렇게 다 줄줄이 내 방을 찾는 거야? 비앙카는 어벙해진 표정을 짓다가 잠시 후에 답했다.

"엄마도 들어오라구 해!"

"누가 왔니?"

릴리아나가 고개만 빠끔 내민 채 물었다가, 곧 오스카와 헤스터를 발견하고선 해사하게 웃었다.

"너희 왔구나! 어쩐 일이니?"

"어쩐 일이긴. 오라버니는 헤스터 찾으러 여기에 온 것뿐이야."

"너도 보러 왔다니까."

"입에 침이나 바르고 거짓말하시지!"

"하하."

릴리아나가 귀엽다는 듯 그 광경을 지켜보다가, 잠시 후에 비앙카에게 물었다.

"딸내미, 설마 잊어버린 건 아니지?"

"응?"

뭘…… 잊어버려? 비앙카가 또랑또랑한 눈망울을 굴리며 고개를 갸웃거리자, 릴리아나가 슬퍼하는 시늉을 하며 물었다.

"흑, 설마 잊어버린 거야?"

"뭐얼……?"

"내일 말이야! 외할아버지 댁에 가기로 했잖아."

"아아."

완전히 잊고 있었다. 내일 엄마랑 단둘이서 안드리 공작 저에 가기로 했는데! 비앙카가 이제야 기억났다는 반응을 하자, 릴리아나가 충격받은 표정을 지었다. 뭐야, 딸? 진짜 잊어버렸던 거야! 릴리아나가 실망스러운 목소리로 말했다.

"어떻게 그걸 잊어버리니⋯⋯."

"미안, 엄마. 나도 이제 늙었나 봐."

"⋯⋯내일모레 불혹인 엄마 앞에서 할 말은 아닌 것 같지 않아?"

"그건 그래."

키득거리며 대꾸한 비앙카가 릴리아나에게 물었다.

"내가 뭐 챙겨야 할 게 있어?"

"그건 아니지."

왜냐하면 넌 공주니까! 릴리아나가 말을 이었다.

"짐들은 이미 싸 놓으라고 말해 뒀어. 길게 있다 올 것도 아니고, 공작저가 지방에 있는 것도 아니잖아? 너는 그냥 마음의 준비만 잘해 두면 돼."

"마음의 준비? 이를테면?"

"음⋯⋯ 오랜만에 아델리오하고 네 외할아버지를 만난다는 설렘 같은 거?"

"그거야 뭐⋯⋯."

항상 탑재 중이지! 비앙카가 문제없다는 듯 어깨를 으쓱였다.

"그런데 왕자님은 안 가세요?"

헤스터의 질문에 오스카가 유감이라는 얼굴로 답했다.

"처리해야 할 일이 산더밉니다. 결혼까지 끼어서 당분간은 비상이에요."

"아……."

오스카의 답을 들은 헤스터가 따라서 안타깝다는 표정을 지었다. 뭐, 어쩔 수 없는 일이었지만. 오스카가 비앙카의 볼에 뽀뽀를 남기며 부드러운 목소리로 말했다.

"나 대신 재밌게 지내다 와."

안드리 공작저는 아침부터 분주했다. 그날 아침 늦게 기상한 아델리오가 눈을 비비며 계단 아래로 내려가는데, 집 안의 사용인들이 바쁘게 움직이고 있었다. 그 모습을 보고 의아해진 아델리오가 지나가는 아무나 붙잡고 물었다.

"오늘 무슨 일 있어요? 왜 이렇게 어수선하지?"

"오늘 왕궁에서 왕비님과 공주님이 오신답니다. 모르셨어요?"

"아."

그제야 오늘의 방문을 기억해 낸 아델리오가 고개를 주억거렸다. 요즘 워낙 바빠 잊고 있었다.

"리오."

그때, 안드리 공작이 아델리오를 불렀다. 아델리오가 뒤돌자, 인자한 미소를 지은 안드리 공작이 그에게로 다가오고 있는 모습이 보였다. 아델리오는 쾌활하게 웃으며 그를 불렀다.

"할아버지! 일찍 일어나셨네요?"

"오늘 네 엄마랑 여동생 오는 날이다. 설마 까먹은 건 아니겠지?"

"하하…… 그럴 리가요."

사실 까먹었지만. 아델리오가 비밀로 하자고 다짐한 다음 안드리 공작에게 물었다.

"그런데 다들 언제 와요?"

─탕탕탕!

그때 둔탁하게 문을 두드리는 소리가 온 집 안에 울려 퍼졌고, 안드리 공작이 씩 미소 지었다.

"아마도 지금인가 보구나."

"빠르기도 해라."

"1박 2일 있다 가는데, 빨리 와야지 그럼. 집사, 어서 가서 문을 열어 드리게나."

"네, 전하."

공작저의 수석 집사가 서둘러 현관까지 나갔고, 1층에 있던 아델리오는 문이 열리는 모습을 그대로 목격했다. 곧이어 풍성한 드레스를 입은 릴리아나와 비앙카가 집 안으로 들어오는 것까지도. 아델리오의 입가에 저절로 미소가 지어졌다.

"어? 오라버니!"

우연히 아델리오와 비앙카의 눈이 마주쳤고, 비앙카는 그 즉시 해맑은 웃음을 입에 걸었다. 뭐, 이건 계산적인 행동이라기보다는 자연스러운 행동이었다. 어쨌든 아델리오와는 정말 오랜만에 만나는 것이었으니까!

'저번에 봤을 때보다 키가 더 큰 것 같아.'

누가 성장기 아니랄까 봐. 확실히 마지막으로 봤을 때보다 키는 더 큰 듯했고, 덩치도 더 우람해진 듯했다. 이대로만 자라 준다면 정말 그가 원하는 '훌륭한 기사'가 될 수 있을 터였다. 비앙카가 종종걸음으로 아델리오에게 다가가 물었다.

"잘 있었어, 오라버니?"

"음…… 그저 그렇지, 뭐."

"그게 뭐야. 할아버지, 저 왔어요!"

"우리 비앙카 공주님 오셨구나."

안드리 공작이 사랑스러운 눈길로 비앙카를 바라보다가, 곧 그녀를 번쩍 들어 올렸다. 내일모레 환갑이신 양반이 힘은 웬만한 장사 못지않았다. 비앙카를 안정적으로 품에 안은 안드리 공작이 이번에는 딸에게로 눈길을 주며 물었다.

"우리 딸내미도 오셨습니까?"

"오느라 힘들어 죽는 줄 알았어요. 길을 다시 한 번 닦으셔야 할 것 같던데. 너무 덜컹거리더라고요."

릴리아나의 불평에 비앙카가 저도 모르게 눈치를 주었지만, 릴리아나는 태연하게 무시했다. 그 모습을 보고 껄껄 웃은 안드리 공작이 말했다.

"길이 좀 노후해서 그렇답니다. 자, 이만 들어갈까요? 아침 일찍 오느라 수고했겠네요."

"엄마가 일찍 와야 한다고 하도 그래서, 졸려 죽겠는데 마차 타고 왔어요."

"야, 내가 언제? 네가 분명 안 졸린다고 말했잖아."

"내가 언제 안 졸린다고 했어? 졸린다고 했는데 엄마가 억지로 끌고 온 거지!"

"너 이런 식으로 엄마 곤란하게 만들래?"

"몰라! 엄마 미워!"

"자아, 다들 그만 싸우시고. 공주님은 가서 좀 주무세요. 티나, 공주님을 방으로 데려가렴."

"네, 전하."

"엄마랑 말 안 해!"

"누가 할 소리! 나도 너 같은 꼬맹이랑 이야기 안 해!"

'시끄러워.'

그 정신없는 모습을 가만히 지켜보고 있던 아델리오가 속으로 한숨을 쉬었다. 오늘은 몸이 안 좋아서 좀 쉴까 했는데, 다 글렀다. 저 시끄러운 모녀가 집에 들어왔으니.

'뭐, 그래도……'

오랜만에 복작복작하니 좋긴 하네. 아델리오는 저도 모르게 미소를 지었다.

결국 비앙카가 약간의 수면을 취하고 나서야 상황은 진정되었다. 선잠을 깨서 기분이 나빴던 건지, 비앙카는 잠에서 깨어난 이후 상당히 온순한 모습을 보였다. 그리고 릴리아나는 말을 안 한다고 했던 아까의 다짐을 금세 잊어버렸는지, 이어지는 식사 시간에 비앙카에게 끊임없이 말을 걸었다.

"얘, 비앙카. 이것 좀 먹어 봐."

"고기만 먹지 말고, 채소도 좀 먹어!"

"너 자꾸 콩 골라낼래?"

'정신이 하나도 없구만.'

이번에는 안드리 공작도 그렇게 생각했다. 설마 이 모녀는 왕궁 안에서도 이렇게 정신없이 지내는 건가? 안드리 공작이 차분한 목소리로 입을 열었다.

"오늘만 좀 내버려 두세요, 우리 왕비님. 한창 그런 게 싫을 나이잖아요? 엄마 닮았나 보죠."

"뭐예요? 아빠, 전 이렇지 않았어요."

"아니긴."

안드리 공작이 대놓고 비웃었다.

"릴리 네가 딱 비앙카 나이일 때 편식이 얼마나 심했는지 아니? 비앙카는 잘 먹기라도 하지, 넌 아무것도 안 먹겠다고 생떼란 생떼는 다 부렸어."

"……제가요?"

"그럼."

"믿을 수가 없어요. 제가 기억 못 한다고 거짓말하시는 거죠!"

"못 믿겠다면 고향에 있는 네 유모에게 한번 연락해 물어보려무나. 넌 비앙카보다 더 심했단다, 릴리."

"말도 안 돼!"

릴리아나는 여전히 현실을 부정했고, 옆에 있던 비앙카는 까르르 웃으며 고개를 절레절레 저었다.

"뭐야, 내가 엄마를 닮아서 이랬던 거였어?"

"아냐! 난 너처럼 이렇게 편식하지 않았다고."

아무리 그렇게 말씀하셔도 있었던 일이 없어지지는 않습니다, 어머님. 비앙카가 '헹' 하는 표정을 지으며 대꾸했다.

"알았어. 믿어 줄게."

"믿어 주는 게 아니라 사실이라고!"

"자자, 다들 조용히 하고 식사나 마저 하자꾸나. 우리 손녀딸, 음식이 입에 맞아요?"

"네에. 꼬기 맛있어요!"

"고기만 먹지 말라니까! 너 그러다 살찐다?"

"엄마 닮아서 괜찮아."

'진짜 소란스럽다…….'

아델리오만 혼자 가만히 앉아 그 모든 광경을 무심하게 지켜보았다. 원래 공작저가 이렇게 시끄러웠던 적은 거의 없었다. 확실히 사람이 많아지니까 더 정신이 없어지네. 아델리오는 그렇게 생각하면서도 얼굴은 그렇게 싫어 보이는 표정이 아니었다.

"그보다, 이번 비누 사업이 아주 대박을 쳤다면서요?"

앗, 그걸 할아버지가 어떻게 벌써 아셨지? 비앙카가 깜짝 놀란 표정으로 되물었다.

"할아버지, 어떻게 아셨어요?"

"이 할아비는 모르는 게 없어요, 공주님."

킬킬 웃은 안드리 공작이 덧붙였다.

"장안에 소문이 다 났답니다. 어린 공주님이 개발하신 비누에서 향기가 난다고! 그걸 안 쓰는 귀족들이 손에 꼽을 정도라는데."

하긴, 비누가 워낙 날개 돋친 듯 팔리고 있으니 그걸 예상 못 하는 게 더 어려운 일이긴 했다. 비앙카가 쑥스러운 듯 웃었고, 릴리아나는 자랑스러운 표정으로 가슴을 폈다.

"내가 낳은 딸이에요, 아빠."

"알고 있어요, 우리 왕비님. 공주님은 우리 딸내미랑은 다르게 아주 영특하시죠."

"뭐예요?"

"농담입니다, 껄껄."

발끈한 릴리아나를 보며 안드리 공작이 호탕하게 웃었다. 역시 그의 딸내미는 놀리는 재미가 쏠쏠했다. 여전히 입가에서 미소를 지우지 않은 공작이 계속 말했다.

"어쨌든 아직 일곱 살밖에 안 되셨는데 이런 성과를 내시다니. 이 할아비는 우리 공주님이 정말 자랑스럽답니다."

"고마워요, 할아버지."

씩 웃은 비앙카가 곧바로 물었다.

"그럼 전 이제 쓸모 있는 아이인가요?"

"응? 그게 무슨 뜻인가요, 공주님?"

"쓸모를 증명해 내야 아빠가 제국으로 시집보내지 않을 것 같아서요."

그 말을 들은 안드리 공작의 표정이 잠깐 굳었지만, 순식간이었다. 그가 아무렇지 않게 원래의 표정으로 다시 돌아와 비앙카에게 말했다.

"우리 공주님은 왕실의 어느 공주보다 가장 영특하고 쓸모 있답니다."

"정말요?"

"그럼 물론이죠. 공주, 아니 왕자를 통틀어서 이런 업적을 낸 왕족은 없답니다."

"히히."

비앙카는 뿌듯하게 웃었고, 안드리 공작도 따라서 웃었다. 하지만 이번에는 아까만큼 밝은 미소가 아니었다.

"오라버니, 여기서 살면 좋아?"

점심을 먹은 후에 비앙카가 아델리오에게 물었다. 뜬금없는 질문이라고 생각했는지 아델리오의 표정이 뚱했다.

"무슨 뜻이야?"

"우리 집으로 오고 싶지 않아?"

"여기가 우리 집이야."

"여긴 외할아버지 댁이지."

명확한 목소리로 아델리오의 말을 정정한 비앙카가 말을 이었다.

"오라버니는 엄마랑 아빠랑 안 보고 싶어? 오스카 오라버니는?"

"……그닥?"

부모에게 특별한 관심이 없는 줄은 알고 있었지만, 13살짜리 소년의 입에서 나올 만한 내용은 아니었다. 비앙카가 심각해진 표정으로 말했다.

"그래도 나는 오라버니가 우리 집에서 같이 살았으면 좋겠어.”

“근데 난 여기도 나쁘지 않다고 생각해.”

“우리 집이 더 좋은걸.”

“……이런 이야기는 그만하고.”

아델리오가 슬그머니 화제를 돌렸다.

“나 검술 연습할 거야. 그거나 볼래?”

“좋아!”

비앙카가 흔쾌히 수락한 다음 물었다.

“연무장이 어디야?”

아델리오는 왠지 모르게 오랜만에 만난 동생 앞에서 멋진 모습만 보여 주어야 할 것 같은 기분에 사로잡혔다.

연무장까지 비앙카를 데리고 간 아델리오는 평소에는 너무 어려워 연습도 힘들어하던 검법을 시도하기 시작했다.

당연히 검술에 대해 조금도 모르는 비앙카는 아델리오가 조금만 현란하게 움직여도 멋지다고 박수를 쳤다.

“짜식, 동생 왔다고 무리하는 것 좀 보게.”

창가에서 그 두 사람의 모습을 고스란히 지켜보고 있던 안드리 공작이 흐뭇한 표정으로 말했다. 연무장은 안드리 공작의 집무실에서 바라보면 전체가 한눈에 다 보였는데,

그건 안드리 공작이 아델리오가 연습하는 모습을 실시간으로 보기를 원했기 때문이었다. 그래서 아델리오가 어느 정도 성장한 후 안드리 공작은 집무실을 옮겼다.

"비앙카가 많이 자랐지. 엊그저께 돌이 지났던 것 같은데, 벌써 소녀식을 치르고, 비누를 만들고……."

갑자기 화제가 전환되었고, 아버지의 말을 들은 릴리아나는 무심한 표정으로 반박했다.

"비누는 그냥 걔가 특별한 거예요. 나이를 먹는다고 해서 발명을 뚝딱뚝딱하는 건 아니잖아요."

"그건 그래."

작게 웃은 안드리 공작이 슬슬 대화를 본론으로 끌고 갔다.

"공주를 정말로 제국에 시집보낼 셈이냐?"

"특별한 일이 없다면 그렇게 되겠죠? 양국 관계 증진 때문에 태중 혼약을 맺었잖아요. 그쪽에서 지참금도 많이 내기로 했고."

"흠……."

"아빠 별로 내키지 않으신가 봐요?"

"내가 뭘 알겠니. 난 다만 비앙카가 억지로 원하지도 않는 사람하고 결혼하는 게 영 못마땅할 뿐이다. 너도 그랬고, 네 첫째 아들도 원하는 사람하고 결혼하는데, 권력하고 가장 동떨어진 공주가 희생하는 게 가당키나 하니."

뭐, 그 점은 릴리아나도 좀 걸리긴 했다. 안드리 공작을 빤히 쳐다보던 릴리아나가 한참 후에 입을 열었다.

"안 그래도 이번에 공주가 이룬 업적이 있으니, 그이도 생각이 바뀌었을지 몰라요. 공주를 외국으로 시집보내는 것보다 국내에 머무르게 하는 게 더 이익이라는 생각이 들었을지도 모르죠."

"네 생각은 어떤데?"

"좋아하는 사람이 있으면 그 사람과 결혼시키고 싶죠, 저야. 엄마의 마음으로는요. 근데 굳이 그런 게 아니라면 제국으로 시집가도 무방하지 않겠어요?"

"그것도 일리가 있어."

고개를 끄덕인 안드리 공작이 곧 너털웃음을 터뜨리며 고개를 저었다.

"이런. 아직 일곱 살밖에 되지 않은 어린 공주님의 혼사를 벌써부터 걱정하다니. 내가 나이가 들었는지 쓸데없는 잔걱정이 늘었구나."

"좀 그러신 것도 같네요. 전 사실 별생각 없었거든요. 리오도 아직 미혼이잖아요."

"맞아. 더 시급한 쪽은 저쪽인데 말이지."

안드리 공작이 다시 창가로 시선을 옮겼다. 아델리오는 여전히 비앙카 앞에서 검술을 선보이고 있었다. 어려운 것만 골라서 하는구나, 아주. 속으로 쿡쿡 웃던 공작이 잠시 후 다시 입을 열었다.

"어쨌든 오랜만에 친정에 왔는데, 기분이 어떠냐?"

"그걸 질문이라고. 당연히 좋죠, 아빠."

"이 나이까지 '아빠'라고 불리기 참 쉽지 않은데, 너도 참 한결같구나."

"전 영원히 철들 생각이 없거든요. 여든 넘어 꼬부랑 할머니가 되어서도요."

그 말을 증명이라도 하듯 순수하게 미소 지은 릴리아나가 슬쩍 창밖으로 시선을 옮겼다. 그녀가 곧 신난 목소리로 말했다.

"저도 연무장에 가 봐야겠어요."

릴리아나는 그 말만 남기고 쏜살같이 방을 나가 버렸다. 홀로 남겨진 안드리 공작은 잠시 후에 창밖을 보더니 너털웃음을 터뜨렸다. 어느새 달려갔는지 연무장에는 세 사람이 모여 있었다. 그가 낮은 목소리로 중얼거렸다.

"어디. 나도 한번 가 볼까?"

간만의 시끄러운 일상이었다.

그 시각, 헤스터는 오스카와 함께 후원을 산책하고 있었다.

이제 곧 결혼을 앞둔 예비부부답게 두 사람 사이에는 핑크빛 기류가 가득했다.

어느 순간, 슬며시 오스카의 손을 잡은 헤스터가 민망함을 피하기 위해 오스카에게 말을 걸었다.

"왕비님과 공주님은 즐거운 시간을 보내고 계실까요?"

"아마도 그럴 겁니다. 어머니가 근래 정말 친정에 가고 싶어 하셨거든요. 비앙카도 아델리오를 보고 싶어 했고."

"같이 못 가셔서 어떻게 해요."

"괜찮습니다. 대신 헤스터와 이렇게 시간을 보낼 수 있으니까요."

오스카는 자기가 한 말이 뭔가 부끄럽게 느껴진다고 생각했는지, 잠시 뒤에 살짝 얼굴을 붉혔다.

오히려 헤스터가 아무렇지 않은 얼굴로 빙긋 미소 지었다.

오스카가 더듬거리며 화제를 돌렸다.

"겨, 결혼 준비는 잘되어 가고 있습니까? 고생하는 건 아닌지 걱정이네요."

"제가 뭐 고생이랄 게 있나요. 국혼 준비는 원래 왕실부에서 주관하는 거라, 전 사실 별로 하는 일도 없어요."

"그래도 힘든 게 있다면 언제든 말씀해 주십시오."

"신경 써 주셔서 감사해요."

그렇게 답한 헤스터는 속으로 한숨을 쉬었다. 그녀를 괴롭게 만드는 게 딱 한 가지 있긴 했다. 원인은 다름 아닌……

'설마 결혼 전까지 이런 관계를 유지할 생각이신 걸까?'

오스카였다. 어쨌든 두 사람은 4개월 후면 부부가 될 사이였는데, 그런 것치고는 스킨십 진도가 지나치게 지지부진했다. 뭐랄까, 예비부부라기에는 오스카가 지나치게 헤스터를 예를 갖춰 대우해 주고 있었다. 물론 그게 싫다는 건 결코 아니었지만, 어쨌든 연인 간에는 적당한 스킨십도 필요한 법이었다.

심지어는 이런 생각까지 들었다.

'진짜 날 좋아하시기는 하는 걸까?'

"헤스터, 무슨 걱정 있습니까? 얼굴이 어두워요."

속으로만 생각한다는 게, 겉으로 표정이 다 드러나 버린 모양이었다. 당황한 헤스터가 손까지 흔들며 부정했다.

"아니요! 저 괜찮아요. 아무런 걱정도 없어요."

"다행이네요. 갑자기 표정이 어두워져서, 무슨 걱정이 있나 했습니다."

"하하, 네……."

있어도 절대 말 못 하지. 헤스터가 그냥 속으로만 삭이자고 생각하고 있는데, 오스카가 다시 그녀를 불렀다.

"헤스터."

"네."

헤스터는 별생각 없이 대답했다. 그래서 그다음 말을 들었을 때, 매우 놀랄 수밖에 없었다.

"키스해도 됩니까?"

"……."

아니, 누가 키스를 해도 되는지 질문을 합니까, 왕자님…….하고 싶으면 그냥 하는 거지!

헤스터가 당황한 표정으로 오스카를 쳐다보았다. 오스카의 얼굴은 빨개져 있었는데, 그 모습을 보자마자 헤스터는 순간 웃음을 터뜨릴 뻔했다. 물론 혼신의 힘을 다해 참았지만.

'그래, 왕자님은 이런 사람이지.'

남들이 보기에는 퍽 답답하고, 소심해 보일지 모르는 사람이지만,

사실은 세상 그 누구보다 다정하고 배려심 깊은 사람.

자기 하고 싶은 대로 하기보다는, 남의 마음을 먼저 헤아린 후 행동하는 사람.

그래서 그녀가 사랑하는 사람.

헤스터가 해맑게 웃으며 말했다.

"제가 먼저 할 거예요."

헤스터는 그 말을 끝맺자마자 발꿈치를 들어 올려 오스카에게 입을 맞추었다.

예상치 못한 상황이었는지, 오스카가 많이 놀라는 게 느껴졌다. 하여튼 이럴 때 보면 귀여우시다니까.

헤스터가 여전히 미소를 머금은 채로 그에게 키스했고, 오스카는 처음에는 놀란 듯하다가, 곧 차분하게 그녀의 키스를 받아들였다.

'생각해 보니 이게 첫 키스네.'

키스를 하느라 정신없는 와중에도, 헤스터는 머릿속으로 그런 생각을 했다. 그러자 지금 하는 이 입맞춤이 더없이 소중하고 중요하게 느껴졌다. 오스카의 목에 팔을 감은 헤스터가, 키스가 끝난 후 오스카에게 속삭였다.

"사랑해요, 왕자님."

그렇게 말한 헤스터가 잠시 후 얼굴을 붉히며 덧붙였다.

"생각해 보니 제가 먼저 사랑한다고 말씀드린 적이 없는 것 같아서요."

그 말을 들은 오스카가 사랑스러운 눈으로 헤스터를 내려다보았다. 그녀의 볼이 분홍빛으로 물들어 있었다. 아름다운 나의 신부. 그가 빙긋 웃으며 헤스터의 이마에 키스한 후 속삭였다.

"저도 사랑합니다, 헤스터."

1박 2일은 비앙카가 생각했던 것보다 훨씬 더 짧은 시간이었다. 아니, 어쩌면 그녀가 실제 시간보다 짧게 체감한 것일지도 모르겠다. 어쨌든 이제는 떠나야 할 시간이었다.

"할아버지 보고 싶어서 어떻게 해요."

비앙카가 아쉬움이 가득한 얼굴로 칭얼거렸고, 안드리 공작은 그런 손녀를 사랑스러워 죽겠다는 눈으로 쳐다보며 답했다.

"어떻게 하긴요. 또 오면 되지요오."

"나중에 또 와도 돼요?"

"그럼! 당연한 소리를."

씨익 웃은 안드리 공작이 마지막 인사를 하듯 비앙카의 볼에 뽀뽀했고, 화답하듯 비앙카도 안드리 공작의 볼에 뽀뽀를 해 주었다. 그러더니 무언가 깜빡한 사람처럼 손뼉을 치며 외쳤다.

"맞다! 잊고 있던 게 있어요."

"응? 그게 뭔데요?"

"엄마, 그거 엄마가 가지고 있어?"

비앙카의 말에 릴리아나도 그제야 기억났다는 듯한 표정을 지었다. 그녀가 질리언을 불러 귓가에 무슨 말을 속닥거렸고, 잠시 후 질리언이 커다란 종이 상자를 릴리아나에게 가지고 왔다.

"이거, 비앙카가 두 사람에게 주는 선물이에요."

"선물?"

선물이라는 말에 가만히 있던 아델리오가 갑자기 관심을 보였다. 그 반응에 저도 모르게 쿡쿡 웃은 비앙카가 발랄한 목소리로 거들었다.

"할아버지랑 오라버니 드리려고 제가 직접 만들었어요!"

"그래요?"

안드리 공작은 그 말을 듣고 저 상자 안에 있는 물건이 비누라는 사실을 눈치챘지만, 아델리오는 그렇지 않은 것 같았다. 그가 기대에 찬 목소리로 비앙카에게 물었다.

"지금 열어 봐도 돼?"

"안 돼! 우리 가고 나면 열어 봐."

비앙카가 단호하게 거절하자, 아델리오는 부루퉁한 표정을 지으면서도 고개를 끄덕였다. 그녀는 아델리오에게도 작별 인사를 했다.

"그럼 나 이제 진짜 갈게. 오라버니, 다시 만날 때까지 건강해야 해."

"……너도 건강해라."

아델리오가 약간 수줍은 표정으로 비앙카에게 인사했고, 이제는 정말로 갈 시간이었다. 릴리아나의 손을 잡은 비앙카가 아쉬운 표정으로 마차에 올라탔고, 잠시 후 마차가 출발했다. 안드리 공작과 아델리오는 마차가 눈에서 보이지 않을 때까지 마차를 향해 손을 흔들어 보이다가, 한참 후에야 손을 내렸다. 안드리 공작이 부드러운 목소리로 아델리오에게 말했다.

"자, 리오. 이제 그만 들어가자꾸나."

"잠시만요, 할아버지. 여기서 선물을 풀어 보면 안 돼요?"

"그렇게 하렴."

공작의 허락이 떨어지자마자, 아델리오가 상자에 묶인 리본을 풀었다. 그리고 상자의 뚜껑을 열자마자, 의아한 표정으로 혼잣말을 했다.

"어? 이게 뭐지?"

그 말을 들은 안드리 공작도 의아한 표정을 지었다. 응? 뭐지? 설마 비누가 아닌가?

"뭔데 그러냐, 리오?"

"용기 안에 무슨 비누 같은 게 들어 있는데…… 비누는 아닌 것 같아요."

그렇게 대답한 아델리오가 용기를 열어 킁킁 냄새를 맡아 본 다음, 잠시 후에 외쳤다.

"여기서도 향기가 나요!"

"흠, 확실히 비누는 아닌 것 같구나."

상자 안에 들어 있던 것을 꼼꼼하게 살펴보던 안드리 공작이 거들었다. 두 사람은 한참 동안 이 미스터리 한 물건의 정체에 대해 고민했다. 그러다 문득 아델리오의 눈에 무언가가 들어왔다.

아델리오가 발견한 것은 다름 아닌 작은 쪽지였다.

"할아버지, 여기 쪽지가 있는데요?"

"그래? 어서 읽어 보렴."

쪽지에는 이렇게 쓰여 있었다.

할아버지, 오라버니. 이건 두 사람을 위해 특별히 만들어 본 향수예요. 우리가 흔히 아는 향수하고는 생긴 게 좀 다르죠? 밀랍을 굳혀서 만든 고체 향수라 그래요.

제가 직접 만든 거고, 이걸 보여 드리는 건 두 분이 처음이에요. 잘 쓰세요!

―예쁜 비앙카 공주 올림

p.s 손에 덜어서 원하시는 부위에 바르시면 돼요!

"맙소사, 공주님. 이제 향수까지 만드시다니……."

"혹시 애, 진짜 천재가 아닐까요?"

아델리오의 말에, 안드리 공작은 어쩌면 진짜로 그럴지도 모르겠다고 생각했다.

헤스터는 결혼을 두 달 정도 남겨 두었을 때 비앙카의 시녀 일을 그만두었다. 비앙카는 많이 아쉬워했지만 어쩔 수 없었다. 한 나라의 왕세자비가 될 사람이 계속해서 공주의 시녀 일을 한다는 건 어불성설이었으니까.

나머지 두 달은 정말 정신없이 흘러갔다. 헤스터는 왕실부에서 국혼 준비를 돕느라 바쁜 나날을 보냈고, 오스카는 비누 사업을 확장하느라 잠도 자지 못하고 일했다.

그리고 마침내, 결혼식 날이 되었다.

"휴……."

헤스터가 떨리는 표정을 지은 채 전신 거울에 자신의 모습을 비추었다. 이제 곧 자신과 오스카의 결혼식이 있을 터였다. 그 생각을 하자 엄청나게 떨려 왔다.

"나 예쁘니, 소피아?"

헤스터가 옆에 있던 소피아에게 물었고, 소피아는 당연하다는 듯 고개를 끄덕이며 답했다.

"정말 예쁘세요, 헤스터 언니."

그건 빈말이 아니었다. 오늘의 헤스터는 정말로 예뻤으니까. 이래 봬도 국혼이었다. 예쁘지 않을 리 없었다. 하지만 헤스터는 그 말을 듣고도 표정이 어두웠다. 그러자 소피아가 의아한 표정으로 물었다.

"언니, 오늘같이 기쁜 날에 왜 그렇게 표정이 어두우세요?"

"너무 떨려, 소피."

헤스터가 조용히 답했다.

"분명 기쁜 날인데…… 그래서 설레기도 하고 그런데, 걱정도 돼. 내가 과연 왕세자비가 되는 게 맞는 건지……."

헤스터의 걱정을 가만히 듣고 있던 소피아가 곧 걱정도 팔자라는 듯한 표정으로 말했다.

"그런 걱정은 결혼하는 누구나 한다고 우리 엄마가 그랬어요.”

“딜리스 부인께서?”

“네. 너무 걱정 마세요, 헤스터 언니. 언니는 제가 본 사
람들 중에서 가장 착하고 예뻐요. 분명 오스카 왕자님과도
행복하게 잘 사실 수 있으실 거예요.”

소피아가 호언장담하듯 말했고, 그 말을 들은 헤스터는 입
가에 저절로 미소가 걸렸다. 그녀가 다정한 목소리로 말했다.

“고마워, 소피. 네 덕분에 긴장이 좀 풀린 것 같아.”

“도움이 되었다니 기뻐요.”

“레이디 헤스터.”

그때, 바깥에서 시녀가 들어왔다. 그녀는 헤스터에게 가
장 먼저 허리를 굽혀 인사한 다음, 정중한 목소리로 말했다.

“이만 나가셔야 할 시간입니다.”

“저, 밖에서 기다릴게요!”

소피아가 신난 목소리로 말하며 대기실을 나갔고, 남은
건 긴장한 헤스터뿐이었다. 그녀는 깊게 심호흡을 한 뒤 자
리에서 일어섰다.

오스카와 헤스터의 결혼식을 맞아 비앙카도 예쁘게 꾸민
채로 객석에 앉아 있었다. 두 사람의 결혼식은 왕궁에서 가

장 넓은 홀을 가지고 있는 에스텔 궁에서 이루어졌는데, 왕세자의 결혼식이니만큼 사람이 정말 많았다. 기쁜 날이니만큼 모두의 표정이 밝아 보였다.

'오스카가 진짜로 결혼을 한다니, 뭔가 안 믿기네.'

비앙카는 생경한 표정으로 단상을 응시했다. 소그노 왕국의 비앙카 공주로 산 지도 어언 8년 차에 접어들고 있었다. 그 오랜 시간 동안 가족으로 봐 왔던 오스카가 결혼을 한다니. 기분이 복잡미묘했다. 전생에 이조안으로 살았을 때도 오빠들이 전부 미혼이었기 때문에 이런 결혼식은 비앙카로서는 처음이었다.

'괜히 내가 다 긴장되네.'

"모두 정숙해 주시기 바랍니다."

그때, 사회자가 큰 소리로 말했다. 참고로 사회는 재상인 야라가 맡았다.

"자, 그럼 신랑인 오스카 왕자님이 입장해 주시겠습니다."

말이 끝나기가 무섭게 검은색 제복을 멋지게 차려입은 오스카가 단상 앞으로 뚜벅뚜벅 걸어왔다. 아, 평소에도 참 잘생긴 우리 오빠지만, 오늘은 좀 더 잘생겼네. 비앙카는 흐뭇하게 웃었다. 벌써 커서 장가도 가고, 감회가 진짜 남달랐다.

신랑 입장 다음은 신부 입장이었다. 야라가 우렁찬 목소리로 외쳤다.

"그다음은 신부인 헤스터 하몬 영애께서 입장하시겠습니다!"

그 순간, 객석에서 작은 탄성이 터져 나왔다. 비앙카는 헤스터를 보자마자 그 이유를 알 수 있었다. 흰색 드레스를 입은 헤스터가 정말 아름다웠기 때문이었다. 평소에는 수수한 드레스만 입어서 잘 몰랐는데, 꾸미고 보니 정말 여신처럼 예뻤다. 비앙카는 멍한 표정으로 헤스터를 응시했다. 와, 나 저렇게 예쁜 사람 태어나서 처음 봐.

주례는 오스카의 외조부인 안드리 공작이 맡아 주었다. 그는 의외로 주례를 길게 하는 성향이어서, 공작의 주례를 듣던 사람들은 한두 명씩 집중력을 잃기 시작했다. 그리고 거기에는 물론, 우리의 비앙카도 포함이었다.

'나 10분 이상은 안 듣는데…….'

문제는 지금 주례가 30분째 계속되고 있다는 점이었다. 비앙카는 저도 모르게 하품을 하다가, 문득 릴리아나를 쳐다보았다. 그리고 나서 비앙카는 깜짝 놀랐다. 그녀가 당황한 목소리로 릴리아나에게 말했다.

"엄마, 눈이 빨개!"

설마 우는 거야? 나 엄마가 드레스 말고 다른 이유로 우는 거 처음 봐! 비앙카가 영 적응되지 않는다는 표정으로 릴리아나를 쳐다보았지만, 릴리아나는 우는 걸 들킨 게 부끄러웠는지 비앙카의 시선을 피하며 연신 손수건으로 눈자위를 찍어 눌렀다. 역시 이러니저러니 해도 첫아들이 결혼한다니 심정이 복잡하긴 한 모양이었다.

'혹시 아빠도 우나?'

일말의 기대감을 가지고 더글라스 쪽도 바라보았지만, 아니나 다를까, 더글라스는 그런 거 없었다. 어휴, 내가 아빠한테 뭘 기대하겠어. 비앙카는 고개를 절레절레 저으며 다시 앞을 쳐다보았다.

"……이로써, 두 사람이 부부가 되었음을 선언합니다."

그 말과 동시에, 단상의 양옆에서 폭죽이 터졌다. 깜짝 놀란 비앙카가 저도 모르게 옆에 있던 릴리아나의 드레스 자락을 붙잡았다. 릴리아나는 어느새 눈물을 그치고 환하게 웃고 있었다. 그 모습을 보니 괜히 기분이 묘해졌다. 우리 엄마, 확실히 처음하고는 많이 달라진 것 같아.

비앙카는 가만히 앞을 돌아보았다. 오스카는 헤스터와 함께 손을 잡고 있었는데, 두 사람 모두 표정이 정말 환했다. 그 모습을 바라보던 비앙카의 입가에도 해사한 미소가 걸렸다.

홋, 잘 살아라. 우리 오빠.

아델리오는 지금 이 상황이 상당히 불편하게 느껴졌다.

그는 입에 맞지도 않은 쓰디쓴 차를 홀짝이는 시늉을 하며 슬쩍 더글라스를 쳐다보았다. 그는 몸소 어른이라는 것을 보여 주기라도 하듯 쓰디쓴 차를 아무렇지 않게 마시고 있었다. 즐기는 듯했다. 아델리오는 아직 자신은 그런 맛을 즐기기에는 너무 어리다고 스스로를 위안하며 찻잔을 내려 놓았다.

"차는 입에 맞나?"

더글라스가 물었다. 아델리오는 지금 저게 과연 열세 살의 소년에게 적합한 질문인지 살짝 의심이 들었지만, 굳이 딴죽을 걸지 않고 대답했다.

"써요."

그는 아직 가식적인 대답을 하기에는 너무 어렸다. 아델리오 특유의 천진함에 더글라스가 피식 웃었다.

"여기 주스로 바꿔 오지. 오렌지로."

아델리오는 그럴 필요까지는 없다고 말하려고 했지만 시종의 말이 조금 더 빨랐다.

"네, 폐하."

시종은 충실하게 대답하고선 아델리오의 앞에 놓인 찻잔을 가져가 버렸다. 마실 때는 별로였는데 막상 가져가 버리니 아쉬웠다. 아델리오는 말없이 아버지, 더글라스 국왕을 쳐다보았다.

"……."

사실 아델리오는 아버지와 별로 친하지 않았다. 아델리오가 어머니를 싫어한다고 해서 아버지와는 친하다고 생각했다면 그거야말로 큰 오산일 것이다. 차라리 릴리아나 쪽이 더 나았다. 그쪽은 애증이었으니 어쨌든 발전의 여지라도 있었지만, 이쪽은 아예 무관심이었다. 사실 당연한 게, 어떤 이유로든 아델리오에게 얼굴을 비추었던 릴리아나와 달리, 더글라스는 아델리오가 한 살 때 유모의 젖을 떼자마자 곧바로 공작가에 보내졌기 때문에 그 이후 아델리오를 볼 일이 정말 드물다 못해 없었다. 그러니 아델리오는 사실 더글라스에 대해 이렇다 할 감정을 가지고 있지 않았다. 그건 당연한 일이었고, 더글라스의 실책이리라.

하여튼 이 어린 소년은 왜 이름만 들어 본 아버지가 갑작스럽게 자신을 중앙궁으로 불렀는지 도무지 그 이유를 짐작하기가 어려웠다. 진짜 모르겠다. 아버지와 내가 친했나? 고민하던 아델리오는 곧 고개를 저었다. 아닌데. 우리 거의 남보다 못한 사이 아닌가?

"요즘은 어떻게 지내고 있나?"

"……."

아델리오는 대답하지 않았다. 그건 아델리오가 무례했기

때문이 아니었다. 그는 당황하고 있었다. 아버지가 이런 걸 물어보는 건 진짜 처음이었다. 어떻게 지내냐니. 이건 말로만 듣던 안부 전언이라는 게 아닌가.

아, 방금 좀 어려운 말 썼어. 새삼 뿌듯해한 아델리오가 평범하게 대답했다.

"잘 지내고 있어요."

"그런 것 말고 말이다. 뭐 하고 지내냐고 물은 거였다."

"똑같아요. 연무장에서 하루 중 대부분을 보내요."

"넌 기사가 되고 싶나 보구나."

아델리오는 조금 늦게 '네.' 하고 대답했다. 대답이 오래 걸린 건 특별한 이유가 있어서라기보다는 그냥 어색해서였다. 지금 이 모든 상황이. 아버지와 이런 대화를 나누는 건 정말 오랜만이었다. 아니, 어쩌면 처음인가.

"왕국의 검이 되는 것도 괜찮은 선택이지."

"외할아버지처럼 멋진 무관이 되고 싶어요."

진로 이야기를 하자 신이 난 아델리오가 무심코 안드리 공작을 입에 담았다. 아들의 말에 더글라스는 잠깐 멈칫했으나, 곧 아무렇지도 않게 다시 말했다.

"그래. 네 외조부는 훌륭한 무관이시지. 네가 그렇게만 된다면 나도 더 바랄 게 없구나."

"……감사합니다."

아델리오는 잠깐 고민하다가 그렇게 대답해 버렸다. 뭔가 아버지에게 대꾸하기에는 그리 친숙해 보이는 말이 아니었지만 정말로 선택의 여지가 없었다. 두 사람의 관계는 부자보다는 미래의 군신이라는 명칭이 더 적합할 정도였으니까.

"공작저에 바로 갈 생각이냐?"

"이곳은 제 집이 아니니 아마 그렇겠지요."

아델리오가 순수한 목소리로 대답했지만 그 말을 듣는 더글라스의 기분은 어째 그리 좋지 않아 보였다. 그는 릴리아나의 남편으로서 장인인 안드리 공작을 가족처럼 대했으나, 왕으로서 더글라스는 순수하게 안드리 공작을 반길 수만은 없는 처지였다.

안드리 공작은 지나치게 많은 재력과 강한 권력을 가지고 있었다. 재상직에서 물러난지는 오랜 시간이 흘렀지만, 그와 가문의 존재는 여전히 왕국 내에서 큰 영향력을 미치고 있었다. 더글라스로서는 그리 달갑지만은 않은 일이었다.

다른 건 다 차치하고서라도, 그는 차남인 아델리오가 본가가 아닌 외가에서 지내는 게 썩 달갑지 않았다. 아무리 그가 차기 안드리 공작이라고 해도 말이다. 아델리오는 엄연히 그의 친아들이 아닌가. 더글라스는 아델리오를 안드리 공작저로 보낼 때까지만 해도 자신이 그런 생각은 조금도 한 적이 없다는 사실을 전혀 인지하지 못한 채, 슬쩍 질문했다.

"왕궁으로 다시 들어와 살 생각은 없냐?"

"……."

아델리오는 순간적으로 아무 말도 할 수 없었다. 갑자기 왜 불렀나 했더니 이 말을 하기 위해 부르신 걸까. 그가 난 감한 표정을 지으며 더글라스를 쳐다보았다.

왕궁에 들어와 살라니. 당연히 후계자 수업을 마치게 될 성년 전까지 외가에서 지낼 것이라 생각하고 있던 아델리오 로서는 당혹스러운 제안이었다. 그가 솔직하게 말했다.

"한 번도 생각해 본 적이 없어서……."

"그럼 지금 생각해 보면 되겠구나."

"……."

갑자기 닥친 과제에 아델리오는 당황한 표정으로 머리를 굴리기 시작했다. 왕궁에서 살게 되면 엄마와 매일매일 얼 굴을 봐야 한다. 사실 왕궁에 사는 왕족이 매일 얼굴을 마주 하는 경우는 흔치 않은 일이었지만 어릴 때부터 공작저에서 지낸 아델리오가 그것까지 알 턱이 없었다. 어쨌든 그건 싫 었다. 그는 엄마를 싫어했으니까.

이번에는 다른 가족을 떠올려 보았다. 아빠나 형은 나쁘 지 않았다. 아니, 사실 잘 모르겠다. 엄밀히 말하자면 거의 남과 비슷한 관계 아니었나. 어쨌든 피상적으로 보면 남보 다 못한 사이라고 해도 그리 이상하지 않았다.

'그럼…… 비앙카는?'

"생각은 마쳤냐?"

아니, 아직 비앙카에 대해서 생각도 다 마치지 못했는데!
갑자기 질문이 들어오자, 당황한 아델리오가 말을 질질 끌
었다.

"어…… 음…… 폐하."

"아버지라고 불러도 좋아. 네게까지 듣고픈 말은 아니구
나, 리오."

생뚱맞은 소리에 아델리오는 다시 한 번 당황했다. 하지
만 곧 아무렇지 않게 호칭을 바꾸었다. 더글라스의 말대로
아델리오가 아직 오스카에 비하면 분명 어렸기 때문에 폐하
든 아빠든 그리 중요한 문제는 아니었다. 만약 그가 오스카
정도로 나이가 들었다면 달라질 문제였을 수도 있겠지만.

"네, 아버지."

"한결 낫군."

더글라스가 나름 만족한다는 목소리로 중얼거렸다.

아델리오는 일 년에 몇 번 보지도 않는 아버지의 변화가
심히 이질적으로 느껴졌다. 그는 '아까 드신 게 잘못되었나
봐요.'라고 말하고 싶었지만, 그랬다가 무슨 처벌을 받을지
가늠이 잘되지 않아 그냥 아무 말도 하지 않기로 했다. 대신
속으로만 조용히 말했다. 그리고 진짜 입을 연 건 아까의 제
안에 대답하기 위해서 한참 후에 일어난 일이었다.

"아직은……."

"아직은……?"

"아직은 할아버지랑 살고 싶어요."

그 대답에 더글라스는 조금 충격받은 표정이었다. 아빠보다 할아버지가 더 좋다는 거냐! 사실 얼굴을 맞대고 산 게 할아버지 쪽이 더 오래되었으니—무려 햇수로만 12년이다 — 당연한 대답이었지만, 이기적인 아빠였던 더글라스는 차마 그것까지는 이해하지 못했다. 그는 약간 상처받은 표정으로 알았다고 대답한 뒤 작게 덧붙였다.

"그래도 생각이 바뀌면……."

"…….."

"언제든 말해도 좋단다."

"어…… 네."

아델리오가 곧바로 대답했지만, 그는 이미 마음속으로 그럴 일은 없을 것이라 생각했다. 그가 인사를 남긴 뒤 더글라스의 집무실에서 나갔고, 그로부터 얼마 지나지 않아 야라가 중앙궁을 찾았다. 원수부에서 올라온 기사단 연봉 증대에 대한 결재 서류를 들고 찾아왔는데, 늘 그렇듯 매우 피곤해 보였다.

그녀는 속으로 모든 문제의 원흉이자 악덕 상사라고 불려도 할 말이 없는 더글라스를 욕하며 서류를 내밀었다. 눈동자 색과 똑 닮은 은색 제복을 입고 있었는데, 늘 그렇듯 우아한 자세로 서서 더글라스의 결재를 기다렸다.

금전적인 문제였음에도 사전에 합의가 된 내용이었기 때

문에 더글라스는 이례적으로 빠르게 결재를 마쳤다. 평소처럼 무심하게 서류를 집어 든 야라가 더글라스에게 물었다.

"왕자님을 궁으로 부르셨다고요."

"소문 한번 빠르네."

"중요한 일도 아니잖아요. 밖에서 시종들이 말하는 소릴 들었어요."

그렇게 대꾸한 야라가 곧바로 물었다.

"무슨 말씀 나누셨어요?"

"왕궁으로 들어오라고 말했어."

"네에?"

야라가 깜짝 놀란 표정으로 되물었다.

"진짜요?"

"그럼 진짜지. 가짜겠나?"

"폐하! 너무 태연하신 거 아니에요?"

야라가 살짝 못마땅해 보이는 표정으로 물었다. 아델리오가 안드리 공작저에서 본격적으로 지내기 시작한 게, 정확히 첫 돌이 지나고 엿새 후였다. 아델리오가 공작저에서 후계자 수업을 받기로 한 건 예정된 수순이었기 때문에 딱히 놀랄 일은 아니었지만, 그 시기가 지나치게 빨라 야라도 반대했었다.

그러나 국왕 부부가 이 문제에 대해 너무 관심이 없었던 탓에 화가 난 안드리 공작이 '이런 집구석에 한순간이라도 내 손자를 방치해 둘 수 없다'며 데려가 버리고 만 것이다.

야라는 솔직히 그때 안드리 공작이 오스카도 함께 데려갔어야 했다고 생각했다. 유감스럽게도 그것까지는 허용되지 않았지만.

"그래서, 왕자님께서는 어떻게 하신대요?"

"거절하더군."

"당연하지요! 무려 12년을 떨어져 사셨으니 아마 폐하나 왕비님보다 안드리 공작님이 더 편하실 거에요. 공작저로 보내실 때는 관심도 없으셨으면서, 갑자기 무슨 바람이 부신 거예요?"

"글쎄."

특유의 무심한 목소리로 중얼거린 더글라스가 아무렇지도 않게 대답했다.

"그냥 내 아들이니 내가 데리고 살아야겠다고 생각했을 뿐이야."

"어쨌든 아델리오 왕자님의 나이가 차실 대로 차셨으니 공작가에서 후계자 수업을 받으셔야 합니다. 폐하께서 공작가를 경계하시는 건 알고 있지만, 이런 건 좋지 않아요. 전하께서 충신이기에 망정이지 그게 아니었다면 일이 골치 아파졌을 겁니다."

"나도 알아. 내 장인이 충신인 건 맞는 말이지. 다만 왕으로서 지나치게 큰 권력은 제한하는 게 옳다고 생각할 뿐이야."

더글라스의 말에는 야라도 동조하는 바였다. 그래도 그렇지, 이건 너무 뜬금없는 일이었다. 야라가 볼멘소리로 말했다.

"그렇게 왕자님을 데려오고 싶으시면, 그만큼 노력을 하셔야지요. 솔직히 그 전까지는 아버지 노릇도 안 하셨잖아요."

정곡을 찌른 야라의 말에 더글라스가 저도 모르게 헛기침했다. 폭행은 계속되었다.

"저 같아도 지금껏 같이 지낸 공작 전하가 더 좋을 거예요."

"팩트로 사정없이 찌르네."

"그러니까요. '팩트' 잖아요."

야라가 유감없는 표정으로 말한 다음 피식 웃었다. 어찌 되었든 그녀로서는 꽤나 달가운 변화다. 아델리오 왕자와 안드리 공작가, 왕가 간의 불편한 관계가 훗날 좋지 않은 결과로 이어질까 봐 꽤나 전전긍긍했는데, 일이 이렇게 진행된다면 더는 걱정할 게 없었다. 야라가 웃음기 띤 목소리로 말했다.

"이만 가 보겠습니다."

야라까지 중앙궁을 나서자 이제 집무실에는 완전히 더글라스 혼자만 남았다. 그는 야라가 집무실을 나간 후 한참 동안 무언가를 생각하는 표정을 짓더니, 곧 특유의 건조한 목소리로 시종을 불렀다. 부름을 받은 시종이 서둘러 안으로 들어와 무슨 일인지 물었다. 그는 정말로 아무렇지 않은 목소리로 명령을 내렸다.

"며칠 전에 와이네 왕국에서 들여온 생초콜릿, 왕자에게 보내도록 해."

"공주님, 같이 가요!"

올가가 숨을 헐떡이며 비앙카의 뒤를 쫓았다. 이제 나이를 먹어서 그런지, 몸이 예전 같지가 않았다. 앞에서 달려가던 비앙카가 속력을 멈추지 않은 채 고개만 뒤로 돌렸다.

"올가, 얼른 와!"

비앙카가 입가에 해사한 미소를 띤 채 올가를 불렀다. 올해로 13세가 된 그녀의 얼굴에서는 그 나이를 뛰어넘는 성숙함과 아름다움이 돋보였다.

"어휴, 공주님, 제가 이제 나이가 몇인데요! 어떻게 팔팔한 공주님을 따라잡아요?"

불혹을 훌쩍 넘겼는데 달리기라니! 올가가 죽을 것 같은 표정으로 소리쳤다.

"좀 천천히 가세요!"

"싫어! 나 먼저 갈 거야!"

나이를 먹어도 천방지축에 개구쟁이인 건 여전했다. 어

째 정신 연령은 5년 전이나 지금이나 똑같은 것 같단 말이지…… 올가가 고개를 절레절레 저으면서도, 발은 열심히 움직였다. 아, 나도 슬슬 은퇴나 할까.

"엄마 있어요?"

결국 올가보다 먼저 왕비궁에 도착한 비앙카가 지치지도 않는지 여전히 활기찬 표정으로 바깥에 있던 질리언에게 물었다. 질리언이 빙긋 웃으며 답해 주었다.

"어쩌죠? 왕비님은 지금 후원에 산책을 가셨어요. 오시면서 못 보셨어요?"

"못 봤어요!"

이런, 타이밍이 이렇게 안 맞다니! 아쉬운 표정을 지은 비앙카가 질리언에게 물었다.

"안에서 기다려도 될까요?"

"물론이죠, 공주님. 들어가세요."

비앙카가 긴 다리로 성큼성큼 방 안까지 들어갔다. 릴리아나의 방은 변함없이 화려했고, 변함없이 비싼 게 많았다. 이렇게 사람이 안 변하기도 어려울 것이다. 비앙카는 주변을 두리번거리다 응접용 테이블을 발견하고선 그쪽으로 가 앉았다.

"하암."

나름 운동을 해서 그런지 하품이 나왔다. 아, 졸면 안 되는데…….

"공주님, 여기 계셨어요?"

뒤늦게 올가가 비앙카가 있는 방까지 들어왔다. 비앙카가 여전히 졸린 표정으로 빙긋 웃었다.

"응. 여기서 엄마 기다리려고."

"왕비님 후원에 계시다면서요. 언제 오실 줄 알고."

"엄마 산책 싫어하는 거 올가도 잘 알잖아. 금방 오시겠지, 뭐."

비앙카의 판단은 정확했다. 기다린 지 10분도 되지 않아, 릴리아나가 호들갑스럽게 등장했으니까.

"딸! 왔어?"

이제는 마흔을 앞둔 나이였지만, 릴리아나는 여전히 아름다웠다. 정신 연령과 함께 몸도 같이 늙지 않는 게 틀림없었다. 비앙카가 해사하게 웃으며 일어서려다가, 무언가를 발견하고선 경악했다.

"뭐야, 엄마, 드레스 또 샀어? 어제도 샀잖아!"

"어제는 어제의 드레스! 오늘은 오늘의 드레스!"

"그게 무슨 소리야! 맙소사. 요즘 좀 과해, 엄마. 어떻게 드레스를 매일매일 사? 옷장 터지겠다!"

"안 그래도 이번에 드레스 룸 더 넓은 곳으로 옮겼어."

"맙소사."

비앙카가 못 말린다는 듯 고개를 절레절레 저었다. 틀렸어. 우리 엄만 내가 시집갈 때까지도 이 버릇 못 버릴 거야!

체념한 표정의 비앙카가 다시 털썩 주저앉았다. 옆에서 그 모습을 보고 올가가 단정치 못하다고 잔소리를 했다. 비앙카가 교정하는 의미로 다시 일어섰다가 다소곳하게 앉았다. 비앙카의 앞에 앉은 릴리아나가 그녀에게 용건을 물었다.

"그보다, 여기는 웬일이야?"

"꼭 무슨 일이 있어야 엄마를 찾나."

입을 비죽이며 답한 비앙카가 덧붙였다.

"오랜만에 같이 디저트나 먹을까 해서! 여기 마카롱이 필링이 제일 꽉 차고 맛있어."

"음…… 와 준 건 고맙지만, 일단 공주궁에 좀 가 봐."

"오자마자 내쫓는 거야?"

"깜짝 선물이 왔거든. 보면 너도 좋아할 거야."

"선물?"

비앙카가 솔깃한 표정으로 릴리아나에게 물었고, 릴리아나는 묘한 미소를 띠며 고개를 끄덕였다. 비앙카가 환호했다.

"와아! 근데 웬 선물? 비앙카 생일 되려면 아직도 멀었는데!"

"뭐, 꼭 그런 날이어야만 선물을 주니? 우리 사랑스런 딸내미한테?"

"역시 엄마가 최고야!"

비앙카는 그길로 릴리아나에게 달려가 그녀의 볼에 키스

했다. 본의 아니게 딸의 기습 키스를 받은 릴리아나가 결코 싫지 않은 표정으로 딸의 볼에 화답하듯 키스해 주었다.

"얼른 가 보렴. 선물이 널 애타게 기다리고 있겠다."

"알았어. 당장 가 볼게! 올가, 가자!"

비앙카가 잔뜩 신이 난 표정으로 쏜살같이 방을 나갔고, 올가는 '어휴, 또 뛰신다!' 하고 중얼거리며 서둘러 방을 나갔다. 혼자 남겨진 릴리아나만 우아하게 앉아 의미심장한 미소를 흘렸다.

'도대체 무슨 선물이 기다리고 있다는 거야?'

비앙카는 당최 모르겠다는 표정으로 사뿐사뿐 걸었다. 릴리아나는 깜짝 선물을 즐겨 하는 사람이 아니었다. 대놓고 선물하면서 으스대는 걸 더 좋아하지. 그렇기 때문에 비앙카는 '방에서 기다리고 있다는 선물'이 뭔지 심각하게 궁금해졌다.

"아, 공주님 오셨어요?"

공주궁까지 도착하자, 앞을 지키고 있던 시녀가 비앙카를 보고 인사했다. 비앙카가 물었다.

"엄마 말론 안에 선물이 있다던데."

"선물이요?"

잠깐 고민하는 표정을 짓던 시녀가 잠시 후 잘 모르겠다는 듯 고개를 갸웃거리며 답했다.

"잘 모르겠어요. 특별히 선물이 온 건 없었는데."

"그래?"

비앙카는 이상하다는 표정을 지으며 문을 열었다. 그리고 방 안에는…….

"잉? 아무것도 없는데?"

아무것도 없었다. 선물은 무슨. 이건 분명 엄마가 나 놀리려고 거짓말한 걸 거야! 입을 비죽 내민 비앙카는 릴리아나에게 따지러 다시 왕비궁에 가야 하나, 심각하게 고민했다.

"꼬맹아."

그때, 익숙한 목소리가 들렸다.

'이 목소리는……?'

비앙카가 설마 하는 표정으로 뒤돌았다. 그리고 눈앞에 보이는 건…….

"오랜만이다?"

무려 아델리오였다. 비앙카는 경악했다.

아니, 왜 오빠가 거기서 나와……?

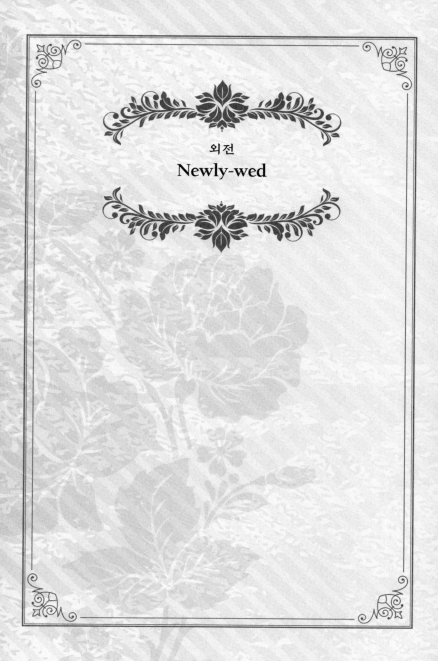

외전
Newly-wed

릴리아나 케리 라미스 폰 소그노는 갓 결혼한 신혼부부였
다.

"……."

그러나 근래 그녀의 기분은 매우 좋지 않았다. 다름 아니
라, 남편이자 국왕인 더글라스가 결혼 후 단 한 번도 자신의
방을 찾지 않았기 때문이었다.

처음에는 '날 지켜 주려고 그러나?' 라는 생각도 해 보았
지만, 그건 말도 안 되는 일이었다. 릴리아나는 성인식을 치
른 후 왕비가 되었다. 그러니 이건 아무리 생각해도…….

'날 안 좋아하는 게 분명해!'

이런 결론밖에는 나오지 않는 것이다. 항간에 떠도는 소
문대로 더글라스는 그저 안드리 가문의 돈만 생각하고 저와

결혼한 것일지도 모른다. 그 생각을 하니 더없이 우울해졌다.

"아가…… 아니, 왕비님! 디저트 드세요."

질리언이 다정한 목소리로 말하며 릴리아나의 앞에 로쿰 젤리가 가득 놓인 접시를 놓아 주었다. 릴리아나가 요즘 꽂혀 있는 디저트였다. 하지만 릴리아나는 그마저도 싫다는 듯 고개를 절레절레 저어 버렸다. 그 모습을 본 질리언은 충격을 받았다. 세상에, 아가…… 아니, 왕비님이 디저트를 거절하셨어! 질리언이 당황스러운 얼굴로 더듬거리며 물었다.

"와, 왕비님, 혹시 무슨 일 있으세요? 로쿰 젤리를 마다하시고……."

"로쿰이고 뭐고 다 필요 없어."

릴리아나가 시무룩한 얼굴로 불평했다.

"어떻게 폐하께서는 날 이렇게 독수공방시키실 수 있는 거지?"

"아……."

그제야 질리언은 어째서 어린 왕비가 이렇게 기분이 저조했는지 깨달을 수 있었다. 릴리아나의 이러한 태도가 이상한 일은 아니었다. 두 사람은 나름 신혼부부였는데, 첫날밤을 포함하여 단 한 번도 더글라스가 릴리아나의 침실에 든 적이 없었기 때문이었다.

그리고 오늘은 두 사람이 식을 올린 지 정확히 12일이 되는 날이었다. 질리언이 곧 있으면 보름이 되겠군─ 하고 생각하고 있는데, 릴리아나의 불평이 이어졌다.

"난 도무지 이해할 수 없다구, 질. 혹시 내가 그렇게 여자로서의 매력이 없니?"

그건 아니라고 질리언은 자신할 수 있었다.

릴리아나는 상당히 아름다운 여자였다. 내적으로도 그랬지만, 외적으로도 그랬다. 일단 그녀의 얼굴이 아름다웠다. 이목구비가 오밀조밀하게 한 곳에 자리 잡은 채 있었는데, 눈은 왕방울만 했고, 코는 사과도 깎을 만큼 오뚝했으며, 입술은 앵두를 따다 박은 것처럼 붉고 탐스러웠다.

그렇다고 해서 몸매가 나쁘냐고 하면 그런 것도 아니었다. 릴리아나는 한마디로 '들어갈 데 들어가고 나올 데 나온' 가장 이상적인 몸매를 가지고 있었다. 그래서 질리언도 그녀의 환복을 시중들 때면 종종 탄성에 가까운 소리를 흘리곤 했다.

그만큼 릴리아나는 아름다운 아가씨였다. 결코 외적인 조건으로 인해 '남편이 자신을 찾지 않는 것 같다'는 소리를 징징댈 정도는 아니라는 소리였다. 질리언이 확신 어린 목소리로 답했다.

"절대 아니에요, 왕비님. 제가 다른 건 몰라도 그것 하나만큼은 자신 있게 대답할 수 있습니다. 왕비님은 이 세상에서 제일 아름다우세요.”

“그건 너무 과장이야.”

“아니에요. 만약 진실을 알려 주는 거울이 있어서 ‘거울아, 거울아, 세상에서 누가 제일 아름답니?’ 라고 묻는다면 아마 그 거울은 ‘왕비님이 가장 아름다우십니다.’ 라고 대답할걸요.”

“하지만 왠지 훗날 내 딸이 태어난다면 ‘공주님이 더 아름다우십니다.’ 라고 말을 바꿀 것 같아.”

“그래 봤자 왕비님의 핏줄인데요. 하여튼 왕비님은 아름다우세요. 그거 하나만큼은 제가 자신할 수 있다고요.”

“아니, 그런데 왜 내 부군께서는 그런 내 아름다움을 알아보지 못하시는 걸까, 질?”

릴리아나가 도무지 이해할 수 없다는 얼굴로 푸념했다.

“나처럼 예쁜 아가씨가 그렇게 흔한 줄 알아? 파티에 나가 봐! 나보다 못한 것들이 얼마나 많은데!”

그 말을 들은 질리언이 잠시 무언가를 고민하다가, 곧이어 조심스러운 목소리로 입을 열었다.

“왕비님, 제가 보기에는…….”

“응?”

“다른 데서 원인을 찾아야 할 것 같습니다.”

“다른 데라니?”

릴리아나가 도무지 이해가 되지 않는다는 얼굴로 물었다.

"그게 도대체 무슨 소리야? 내 얼굴이 마음에 드는 게 아니라면 폐하께서 내 방을 찾지 않으시는 또 다른 이유가 있다는 거야?"

"그럴지도 몰라요. 아시겠지만 왕비님께서는 왕성에서 제일가는 미모를 가지고 계시잖아요. 그런 왕비님을 두고 어떻게 폐하께서 다른 여자를 찾으시겠어요. 그리고 제가 듣기로는 폐하께서 왕비님을 찾지 않으셨던 12일 동안 다른 여자를 침실로 들이신 것도 아니라고 해요."

"맙소사."

릴리아나가 갑자기 무언가를 깨달은 듯한 표정을 지으며 충격에 떨었다. 그 모습에 질리언이 궁금한 표정으로 물었다.

"왜 그러세요, 왕비님?"

"아니, 그럼 혹시……!"

"혹시……?"

"그…….."

얼굴을 붉게 물들인 채, 릴리아나가 조심스럽게 물었다.

"고……자가 아니시려나?"

미치겠다. 질리언이 어디 가서 그런 소리 하지 말라는 듯 황급하게 릴리아나의 입을 막았다.

"왕비님, 제정신이세요?"

"아니, 그렇지 않고서야 어떻게 혈기 왕성한 젊은 청년이 결혼했는데 아내의 방을 찾지 않을 수가 있어?"

그러니 자신은 나름 현실적인 의문을 제기한 것이라면서, 릴리아나는 당당한 표정을 지었다. 물론 그 모습을 보는 질리언은 뒤로 넘어갈 지경이었다. 이 모습을 안드리 공작님께서 보셨다면 과연 어떤 표정을 지으셨을까.

아니, 이런 모습은 절대 보셔서는 안 된다. 쓰러지실지도 모른다.

"일단 제가 좀 상황을 알아 와 볼게요."

"아냐, 다 필요 없어!"

돌연 릴리아나가 큰 소리를 냈고, 갑작스러운 행동에 질리언은 당황한 표정을 지었다. 곧이어 릴리아나가 비장한 얼굴로 선포하듯 말했다.

"그쪽에서 안 오면 이쪽에서 찾아가면 되지."

"뭐라고요?"

경악한 질리언이 릴리아나를 말리기 위해 입을 열었지만, 이미 늦은 뒤였다. 질리언이 정신을 차렸을 때 릴리아나는 이미 방 바깥으로 뛰어나가고 있었다.

한편, 더글라스는 요 근래 골치 아픈 문제로 골머리를 썩고 있었다. 북쪽 지방에 가뭄이 심하게 들어 곡식을 조달하는데, 하필이면 남쪽 지방에서 운송 중 습기 관리가 제대로 되지 않아 곡식이 전부 썩어 버린 것이다.

요컨대 그는 매우 바쁜 일정 탓에 밤에도 숙면 대신 정무에 시달려야 했던 것이다. 하지만 릴리아나의 침실을 찾지 않은 것은 비단 이 문제 때문만은 아니었다. 이 일이 없던 때에도 더글라스는 릴리아나의 침실을 찾지 못했으니까.

그 이유는…….

"폐하."

그때, 시종의 목소리가 들림으로써 더글라스의 상념도 멎었다. 더글라스는 두어 번 헛기침을 한 후에야 시종의 목소리에 응답했다.

"무슨 일이냐?"

"릴리아나 왕비님께서 드셨습니다."

"……왕비가?"

더글라스가 당황하는 사이, 그 시간을 기다리지 못한 릴리아나가 허락 없이 집무실 안으로 들어왔다. 그 모습에 더글라스는 더 당황해서, 어째서 허락도 구하지 않고 들어왔느냐고 타박하는 것도 잊어버렸다. 한편 릴리아나는 무단 침입의 주인공답지 않은 당당한 모습으로 더글라스가 앉아 있는 책상 앞까지 온 다음, 상큼하게 입을 열었다.

"안녕하세요, 폐하."

"……."

여전히 놀란 상태의 더글라스는 입도 벙긋하지 못했고, 덕분에 릴리아나만 계속 떠들 수 있었다. 그녀가 새침한 목소리로 물었다.

"바쁘세요?"

"……보면 모르나?"

한참 후에야 겨우 나온 답변이 그리 다정치 못했던 탓에, 릴리아나는 입을 비죽 내밀 수밖에 없었다. 이 인간, 나한테 억하심정이라도 있나? 릴리아나가 못마땅한 표정을 지으며 물었다.

"그럼 그냥 바쁘다고 하면 되지 왜 그런 식으로 말하세요?"

"시비 걸러 온 건가?"

"아뇨."

릴리아나가 고개를 저은 다음 뒤쪽에 있던 응접용 소파로 가 앉았다. 그 모습에 더글라스는 어째 일이 길어질 것만 같은 느낌이 들었다. 그가 고개를 팔목으로 숙여 시계를 확인했다. 다행인지 불행인지, 앞으로 30분 후에 회의가 있었다. 30분 정도면 끝나겠지. 그는 그 생각과 함께 릴리아나를 응시하며 물었다.

"그럼 왜 온 거지?"

"물어볼 게 있어서요."

경어체 따위는 생략하기로 마음먹은 것이 분명했다. 하

지만 어쩐지 지적해도 그리 달라질 것 같지는 않을 것 같다고 더글라스는 생각했다. 릴리아나가 나고 19년 동안 안드리 공작이 딸의 말버릇을 몰랐을 리 없다. 그럼에도 이 상태라는 것은 이미 안드리 공작도 포기했다는 뜻이다. 그래서 더글라스는 그냥 자신도 포기하기로 했다. 더글라스가 물었다.

"무슨?"

"왜 제 방으로 안 오세요?"

"무슨……."

"왜 밤마다 절 혼자 두시냐고요!"

갑자기 릴리아나가 소리를 버럭 질렀고, 거기에 또 놀란 더글라스는 큰 눈만 끔뻑거렸다. 그는 두 가지에 놀랐다. 첫째, 그동안 그 누구도 감히 그의 앞에서 큰 소리를 낸 적이 없었다. 그는 날 때부터 왕세자였고, 몇 년 전부터는 소그노의 지존이었기 때문이었다.

둘째, 그런 은밀한 사안을 릴리아나가 이렇게 대놓고 문제 제기한 데 놀랐다. 물론 첫 만남 때부터 릴리아나가 여러 의미로 범상치 않다는 사실쯤은 눈치채고 있었다. 하지만 이런 문제에까지 이렇게 당돌하게 나오다니. 여러모로 놀라운 일이었다.

확실히 그녀는 얌전한 여타의 영애들과는 차원이 달랐다. 더글라스는 잠깐 말을 고르다가, 잠시 후 입을 열어 변명했다.

"바빴어."

"그걸 지금 저더러 믿으라고요?"

하지만 릴리아나는 곧이어 더글라스의 책상 위로 눈을 돌리고선, 자신의 말을 철회할 수밖에 없었다. 인정하자. 저 정도의 업무량이라면 한 달을 못 찾아도 이상한 일이 아니었다. 처음으로 민망해진 릴리아나가 큼큼 헛기침을 하며 말을 돌렸다.

"어쨌든…… 저도 왕비로서의 의무를 다해야 하니까, 좀 노력해 주세요."

"왕비로서의 의무라니?"

"몰라서 물으세요?"

릴리아나가 황당하다는 표정으로 더글라스를 쳐다보았다. 아니, 이 남자 분명 천재라고 들은 것 같은데 왜 이렇게 멍청한 거지? 릴리아나는 그 생각까지도 솔직하게 입 밖으로 내 버렸다.

"전 폐하께서 아주 영민하시다고 들었는데, 이 정도도 모르시는 걸 보면 다 헛소문이었네요."

"……."

본의 아니게 자신의 천재성을 의심당한 더글라스가 얼굴을 구겼다. 하지만 릴리아나는 아랑곳하지 않고 들어 보라는 듯 말을 이었다.

"그럼 제가 알려 드릴게요. 특별히! 잘 들어 보세요."

"······그래."

"왕비의 의무는요. 왕의 적자를 생산하는 거예요."

"······."

그러니까 요컨대 하루빨리 자신의 침실을 찾으라는 소리였다. 릴리아나가 열변을 토했다.

"제가 이러다 애 하나 못 낳고 쫓겨나면 폐하께서 책임지실 건가요?"

"걱정 마. 내 인생에 아마 왕비는 그대 하나뿐일 테니까."

더글라스는 새 왕비를 들이는 데 요구되는 일련의 복잡한 과정을 원치 않았기 때문에 그렇게 말한 것이었지만, 릴리아나가 그렇게 복잡한 생각까지 할 수 있을 리 없었다. 아니, 엄밀히 말해 누가 들어도 릴리아나가 이해한 것과 비슷하게 그 의미를 받아들였을 것이다. 릴리아나가 슬며시 함박웃음을 지으며 작게 말했다.

"아니, 뭐 그렇게 갑자기 훅 치고 들어오실 필요는 없었는데······."

"응?"

"아무것도 아니에요, 폐하. 부끄러워하시긴."

그러면서 음흉한 미소를 지어 보이는데, 더글라스는 그 모습에서 엄청난 부담감을 느꼈다. 아무래도 자신이 입을 잘못 놀린 것 같다는 생각밖에 들지 않았다. 더글라스가 피곤한 얼굴을 한 채 화제를 원점으로 돌렸다.

"어쨌든 그런 일은 결코 없을 테니 걱정하지 마."

"왕실의 이름을 걸고 맹세해 주세요."

"그대가 나보다 먼저 죽지 않는 한은 그럴 거야. 맹세하지."

"뭐예요?"

섬뜩한 말에 릴리아나가 세모눈을 뜨고 더글라스를 쏘아보았고, 뭐가 그렇게 재미있는지 더글라스는 저도 모르게 낮게 웃음을 터뜨렸다. 그 모습을 본 릴리아나가 씨익 웃으며 말했다.

"방금 웃으셨네요, 폐하?"

"……."

"역시 폐하도 저랑 있는 게 즐거우신 거죠?"

"아니, 난 그냥……."

하지만 더글라스의 말은 끝맺어지지 못했다. 릴리아나가 재빠르게 일어나 그가 있는 곳으로 성큼성큼 걸어온 다음 기습적으로 더글라스에게 입을 맞추었기 때문이었다. 당황한 더글라스의 눈이 원을 만들며 커졌고, 한참 후에야 입술을 떼어 낸 릴리아나가 음흉하게 웃으며 더글라스의 귓가에 속삭였다.

"그래도 오늘은 기다릴게요, 폐하."

"……."

"아셨죠?"

릴리아나는 그 말만 마치고선 줄행랑을 쳤다. 혼자 남겨진 더글라스는 한참 동안 멍한 표정으로 아무 말도 못하다가, 어느 순간 파하하 웃음을 터뜨렸다. 더글라스가 웃는 건 이례적인 일이었기 때문에 아마 릴리아나가 보았더라면 또 '웃으셨네요, 폐하?' 라고 놀려 댔을 것이었다.

"미치겠네, 진짜."

아무래도 오늘은 소원을 들어줘야 할 성싶었다.

작가 후기

안녕하세요, 여러분. 리시입니다.

〈눈 떠보니 공주님(이하 '눈떠공')〉 1권 이후 두 번째로 인사드리네요. 제 책을 벌써 두 권이나 구입해 주셔서 감사합니다.

추운 겨울이 끝날 즈음 1권이 나왔는데 한창 봄일 때 2권을 내게 되었어요. 그래도 3권은 봄에 나오지 않을까 생각합니다. 4권은 여름에나 나오려나요?

사실 1권 후기는 아무래도 쓸 게 있으니까 여차저차 썼는데, 2권부터는 정말 대략 난감하더군요. 1권에서 할 이야기는 웬만치 다 한 것 같아서……. 2권 후기에는 도대체 뭘 써야 하나 많은 고민이 들었습니다. 그래도 분량이 1권 때만큼은 나와야 하는데 걱정이네요.

〈눈떠공〉 2권에서는 비앙카가 비누를 만든다는 게 주 내용입니다. 이 한 줄로 모든 내용이 요약 가능하네요. 아마 마지막 권에서나 모든 이야기가 가능할 것 같지만 원래는 이런 내용이 아니었던 것으로 기억합니다.

이제 〈눈떠공〉 초안은 지금 스토리 라인에 밀려서 거의 기억조차 희미합니다만……어쨌든 비누 만드는 이야기는 아니었던 것 같아요.

개인적으로는 초안보다 지금 스토리라인이 더 재미있다고 생각합니다.(저, 저만 그런 거 아니죠, 여러분?)

비누를 제가 단 한 번도 만들어 본 적이 없어서 자료 조사에 애를 많이 먹었습니다. 더군다나 작중 배경이 현대가 아니기 때문에 비누를 만드는데 필요한 재료들을 시대 배경에 맞춰 구하는 것도 애를 먹었어요. 사실 대체 역사물도 아닌 판타지에서 이런 고증을 따지는 게 좀 웃기긴 합니다만…… 그래도 왕정이 있던 시대에 막 수산화나트륨 이런 말이 나오면 좀 어색할 것 같아서요.

자료 조사의 가장 신기한 점은 조사하는 데 시간을 엄청 많이 잡아먹으면서 정작 글에 녹여 쓰려고 하면 별 것 아닌 것처럼 된다는 점이죠.

조사한 양에 비해 글에 나온 내용은 정말 10%도 안 되는 것 같습니다. 이게 제가 멍청해서인지 아니면 소설을 쓰시는 모든 작가님들이 다 그러신 지는 잘 모르겠네요. 확실한 건 제가 멍청한 것도 한몫한다는 겁니다…….

1권에서 릴리아나에게 초점을 맞추었다면 2권에서 가장 초점을 맞춘 비앙카의 가족은 오스카였는데요. 오스카와 비슷한 친구를 개인적으로 알고 있어서 오스카에게 마음이 좀 더 갔던 것 같아요. 어쨌든 이제 나이도 찼으니 결혼을 시켜야 할 것 같아서 최대한 좋은 짝을 지어주려고 했는데 독자님들 마음에 드실지 모르겠네요.

새로 등장한 헤스터는 〈주홍글씨〉의 '헤스터 프린'에서 모델을 따왔습니다. 헤스터 머리카락이 적갈색에 눈동자 색은 주황빛이 도는 것도 사실 그걸 노리고 했어요.

외유내강의 전형적인 인물이 헤스터 프린이라고 생각해요. 원래는 헤스터를 날렵한 여전사 느낌으로 설정하려고 했는데, 3권 스토리라인을 잡다가 누구랑 좀 겹치는 바람에……. 부랴부랴 수정했습니다. 개인적으로 수정 후가 더 마음에 들어요.

2권은 1권에 비해 좀 더 빠르게 집필했어요. 이미 1권 탈고할 때부터 2권을 쓰고 있었고, 사실 1권이 출간되기도 전에 2권은 다 썼습니다. 출간이 글을 쓰는 족족 되면 좋겠지만 절차라는 것도 있고 해서 불가피하게 늦어졌네요. 이 부분은 독자님들께 죄송하게 생각합니다. 그래도 천천히 과정을 밟아 나간 덕분에 더 좋은 결과로 보답 드렸다고 생각해요.

3권은 지금 집필 중인데요, 이번 권부터는 조금 천천히 쓰려고 합니다. 사실 2권을 빨리 썼던 건 비누 만드는 과정을 잃어버릴까봐(제가 이렇게 머리가 나쁩니다, 여러분) 이어 쓰다 보니 그렇게 되었던 건데, 이걸 3권까지 이어 나가

려다보니 제 머리가 안 따라줘서……. 물론 손도 안 따라주긴 하고요. 생각한 대로 써주는 기계를 누군가가 발명해 준다면 제가 제일 먼저 살 것 같아요.

상당히 진부하긴 하지만 1권과 마찬가지로 마지막으로는 이 책이 나오기까지 도와주신 분들, 감사한 분들 언급하겠습니다. 일단 뭐니 뭐니 해도 우리 담당자님과 영상출판미디어 국내콘텐츠 기획편집부 분들께 감사 말씀 드립니다. 3권도 잘 부탁드립니다.

제 이야기가 종이책으로 나와서 되게 신기해했던 가족들, 새로 만나 첫 집필을 함께한 노트북, 사랑스럽고 깜찍한 삽화 그려주시는(그리고 그려주실) 카르체트 일러스트레이터님, 요즘 고생 많이 하고 있는 DK와 AR에게 감사드립니다.

작가 후기는 여기까지입니다. 1권보다 재미없는 것 같은 후기를 끝까지 읽어주신 독자님들께 경외를 표합니다. 모쪼록 이 책이 독자님들의 일상에 조금이라도 행복을 가져다주었으면 하는 바람입니다.

다음에 다시 뵐 때까지 건강관리 잘 하시고 늘 행복하시길 바랍니다.

2018년 4월 6일,
리시 드림.

눈 떠보니 공주님 2

2018년 04월 13일 제1판 인쇄
2018년 05월 01일 제1판 발행

지음 리시 | **일러스트** 카르체트

펴낸이 임광순 | **제작 디자인팀장** 오태철
편집부 정해권 · 이경근 · 정현웅
디자인팀 박진아 · 박창조 · 한혜빈

펴낸곳 영상출판미디어(주)
등록번호 제 2002-000003호
주소 21311 인천광역시 부평구 평천로 132 (청천동)
전화 032-505-2973(代) | **FAX** 032-505-2982

ISBN 979-11-319-7917-4
ISBN 979-11-319-7350-9 (세트)

다양한 세계, 다양한 인생을 경험한 영웅&악당은 고뇌한다.
또다시 돌아온 세계에서 다시금 살아가는 방법을……

레버넌트 하이
1~3

이세계에 소환된 강찬은 세계에 멸망을 가져 온다는 재앙 〈종말의 용〉을 격퇴하고
세상에 평화를 가져오고자 한다.
마지막 일격을 앞둔 순간,
갑자기 혜성처럼 나타난 정체불명의 사람이 강찬의 머리를 출석부로 내려치며 말했다.
"한 학기 내내 등교거부라 데리러 왔다. 너 유급이야."
이세계로 전이되어 깽판 치고 다닌 자들이 모인 특수교육기관, 『이데아』.
용사, 마왕, 온갖 직업과 종족을 가졌던 사람들이 되돌아온 이 세계에서 적응하기 위한 곳.
새롭고도 익숙한 현실에서 이색적인 인연의 화학반응이 일어난다.

이재용 지음 / 뮤즈 일러스트

영상출판
미디어㈜

이세계를 향하여 경례
1~3

특별해지고 싶다는 일념으로 열정적으로 군생활을 마친 '나'.
하지만 민간인이 되니 평범한 전역자A에 불과했다. 애니메이션 『판티아』속 주인공은 군인이면
서도 특별한 삶을 사는데 말이다. 똑같이 차려입으면 비슷한 느낌일까 싶어 『판티아』의 군복을
입고 코스프레 행사에 나가 보지만——
갑작스러운 교통사고에 의식을 잃는다. 눈을 떠보니 괴물들에게 소총을 겨누며
나를 향해 '신병'이라 소리치는 군복 차림의 금발 엘프가 있었다.
'이세계'의 엘프가 분대장인 분대에 '신병'으로 들어간 '나'——
『판티아』에서 두 번째 군생활이 시작된다.

말랑슬라임 지음 / 세발문어 일러스트

영상출판
미디어(주)